중학 수학 3·2

최고수준 수학은 상위권 학생들을 위한 심화학습 교재입니다. 중등수학의 최고수준 문제를 체계적으로 다루어 교과서 심화 문제를 해결할 수 있도록 하였습니다. 또한 창의적인 문제를 다양하게 실어 창의적이고 유연한 수학적 사고력을 키울 수 있도록 하였습니다. 본 교재를 통하여 다양한 문제 해결력을 기르고 수학의 최고수준에 이르기를 희망합니다.

상위권을 위한 교재

최고 수준

수학

중학 수학 3·2

Structure

구성과 특징

1 **필수 개념 학습과 적중도 높은 문제 해결을 목표**로 하는 상위권 학생들에게 효과적인 교재입니다.

2 **최신 기출 문제를 철저히 분석**하여 필수 문제, 자주 틀리는 문제, 까다로운 문제를 개념별, 유형별로 정리한 후 우수 문제를 선별하여 구성하였습니다.

3 **서술형 문제, 창의력 문제, 융합형 문제**들을 수록하여 서술형 문제에 대비하고 창의 사고력과 문제 해결력을 키울 수 있도록 하였습니다.

◆ **이 교재의 난이도** (학교 시험 기출 문제 기준)

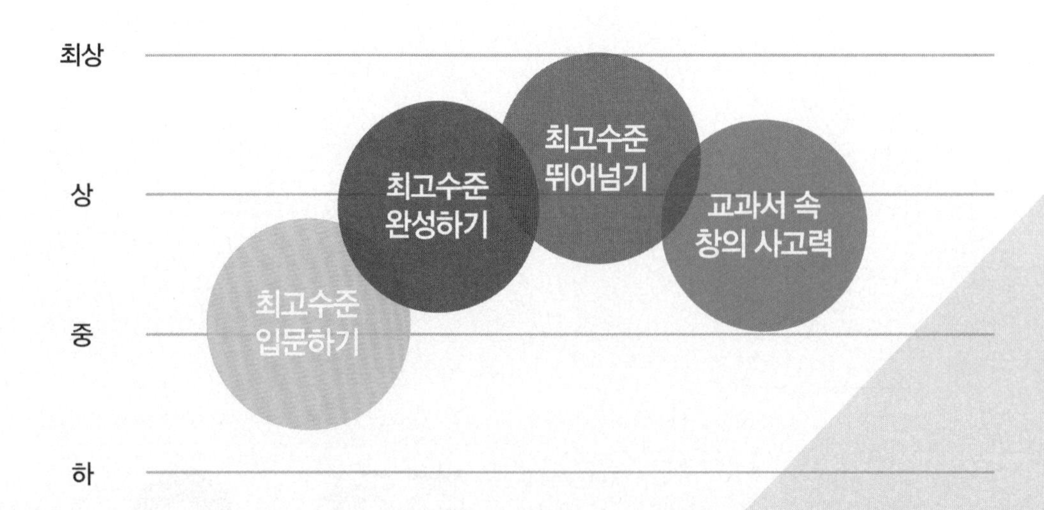

| 핵심 정리 |

중단원별로 핵심 개념을 체계적으로 정리하여 깊이 있는 내용까지도 이해하는데 도움을 주도록 하였습니다.

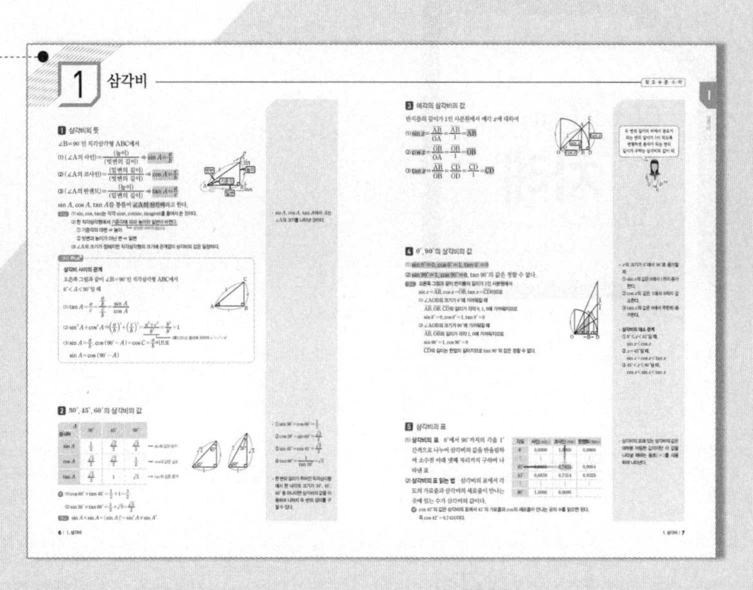

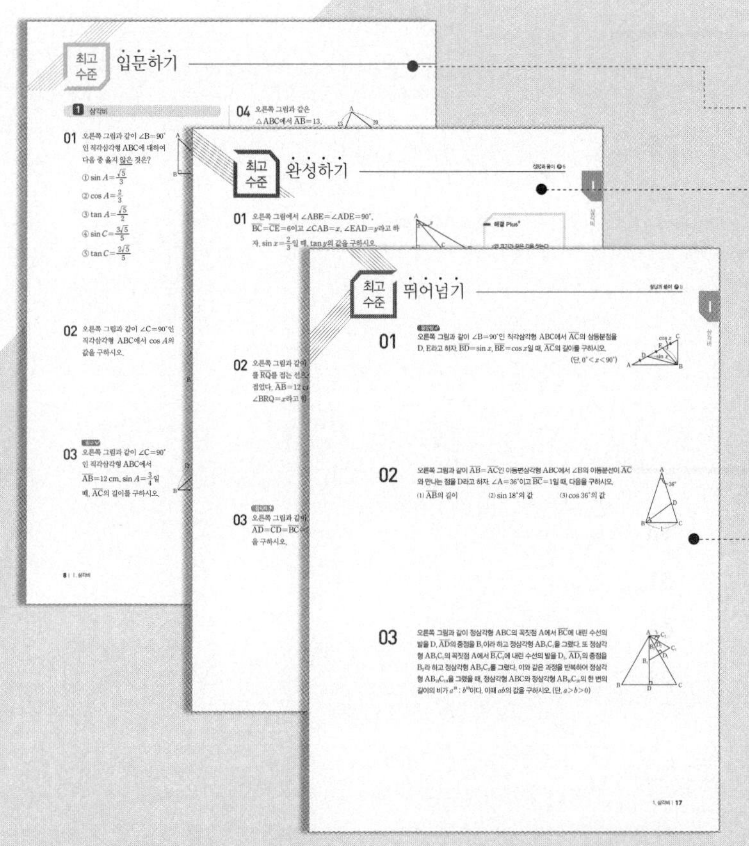

| 최고수준 입문하기 |

학교 시험 기출 문제 또는 예상 문제 중에서 적중도가 높은 중요한 문제, 자주 틀리는 문제, 까다로운 문제들을 분석하여 유형별로 담았습니다.

| 최고수준 완성하기 |

내신 만점을 목표로 하는 상위권 학생들이 어려워하는 문제를 다양하게 제시하여 응용력을 키울 수 있도록 하였습니다.

| 최고수준 뛰어넘기 |

수학적 사고력과 문제 해결력을 요구하는 최상위 문제를 담아 최고난도 유형에 대한 적응력을 향상시켜 최상위 실력을 완성할 수 있도록 하였습니다.

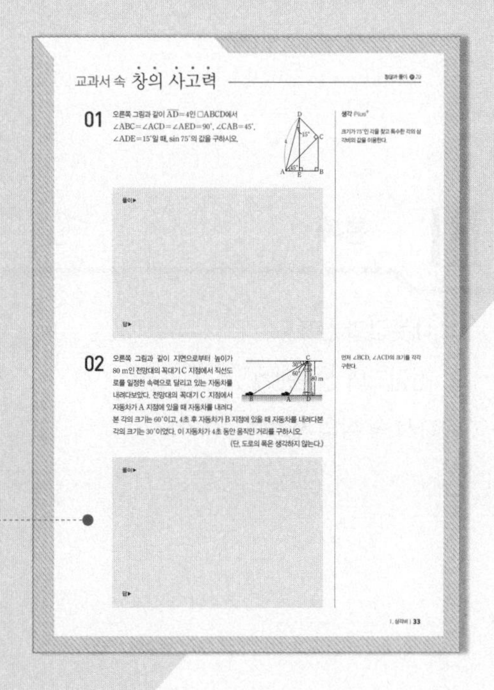

| 교과서 속 창의 사고력 |

교과서 속 창의력 중심의 새로운 유형의 문제를 구성하여 수학적 창의 사고력을 키울 수 있도록 하였습니다.

Contents

차례

I

삼각비

1 삼각비

1 삼각비의 뜻

$\angle B=90^\circ$인 직각삼각형 ABC에서

(1) ($\angle$A의 사인) $=\dfrac{(\text{높이})}{(\text{빗변의 길이})}$ ➡ $\sin A=\dfrac{a}{b}$

(2) ($\angle$A의 코사인) $=\dfrac{(\text{밑변의 길이})}{(\text{빗변의 길이})}$ ➡ $\cos A=\dfrac{c}{b}$

(3) ($\angle$A의 탄젠트) $=\dfrac{(\text{높이})}{(\text{밑변의 길이})}$ ➡ $\tan A=\dfrac{a}{c}$

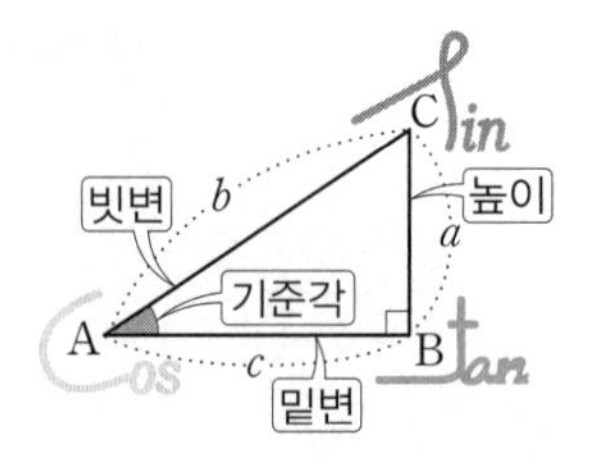

$\sin A$, $\cos A$, $\tan A$를 통틀어 $\angle$A의 삼각비라고 한다.

참고 (1) sin, cos, tan는 각각 sine, cosine, tangent를 줄여서 쓴 것이다.

(2) 한 직각삼각형에서 기준각에 따라 높이와 밑변이 바뀐다. → 빗변은 바뀌지 않는다.

① 기준각의 대변 ➡ 높이

② 빗변과 높이가 아닌 변 ➡ 밑변

(3) $\angle$A의 크기가 정해지면 직각삼각형의 크기에 관계없이 삼각비의 값은 일정하다.

• $\sin A$, $\cos A$, $\tan A$에서 A는 $\angle$A의 크기를 나타낸 것이다.

개념 Plus⁺

삼각비 사이의 관계

오른쪽 그림과 같이 $\angle B=90^\circ$인 직각삼각형 ABC에서 $0^\circ < A < 90^\circ$일 때

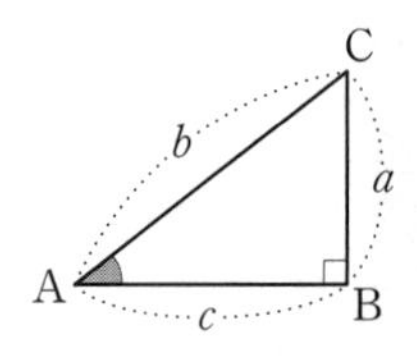

(1) $\tan A=\dfrac{a}{c}=\dfrac{\frac{a}{b}}{\frac{c}{b}}=\dfrac{\sin A}{\cos A}$

(2) $\sin^2 A+\cos^2 A=\left(\dfrac{a}{b}\right)^2+\left(\dfrac{c}{b}\right)^2=\dfrac{a^2+c^2}{b^2}=\dfrac{b^2}{b^2}=1$
→ 피타고라스 정리에 의하여 $a^2+c^2=b^2$

(3) $\sin A=\dfrac{a}{b}$, $\cos(90^\circ-A)=\cos C=\dfrac{a}{b}$이므로

$\sin A=\cos(90^\circ-A)$

2 30°, 45°, 60°의 삼각비의 값

A / 삼각비	30°	45°	60°	
$\sin A$	$\dfrac{1}{2}$	$\dfrac{\sqrt{2}}{2}$	$\dfrac{\sqrt{3}}{2}$	→ sin의 값은 증가
$\cos A$	$\dfrac{\sqrt{3}}{2}$	$\dfrac{\sqrt{2}}{2}$	$\dfrac{1}{2}$	→ cos의 값은 감소
$\tan A$	$\dfrac{\sqrt{3}}{3}$	1	$\sqrt{3}$	→ tan의 값은 증가

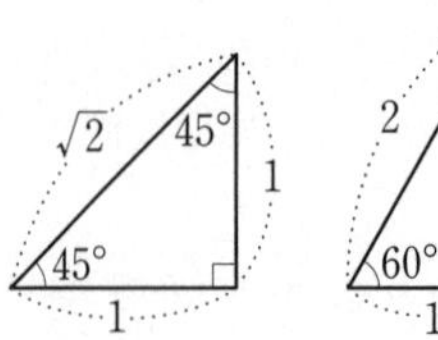

예 (1) $\cos 60^\circ+\tan 45^\circ=\dfrac{1}{2}+1=\dfrac{3}{2}$

(2) $\sin 30^\circ\times\tan 60^\circ=\dfrac{1}{2}\times\sqrt{3}=\dfrac{\sqrt{3}}{2}$

참고 $\sin A\times\sin A=(\sin A)^2=\sin^2 A\neq\sin A^2$

• ① $\sin 30^\circ=\cos 60^\circ=\dfrac{1}{2}$

② $\cos 30^\circ=\sin 60^\circ=\dfrac{\sqrt{3}}{2}$

③ $\sin 45^\circ=\cos 45^\circ=\dfrac{\sqrt{2}}{2}$

④ $\tan 60^\circ=\dfrac{1}{\tan 30^\circ}=\sqrt{3}$

• 한 변의 길이가 주어진 직각삼각형에서 한 내각의 크기가 30°, 45°, 60° 중 하나이면 삼각비의 값을 이용하여 나머지 두 변의 길이를 구할 수 있다.

3 예각의 삼각비의 값

반지름의 길이가 1인 사분원에서 예각 x에 대하여

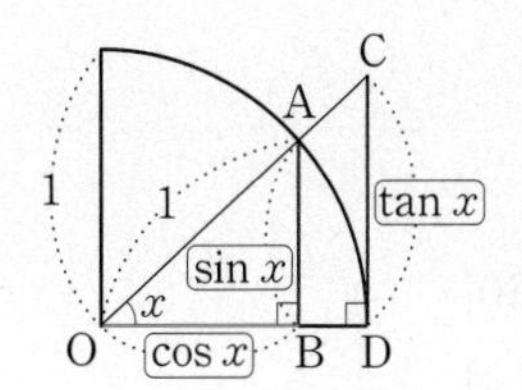

(1) $\sin x=\frac{\overline{AB}}{\overline{OA}}=\frac{\overline{AB}}{1}=\overline{AB}$

(2) $\cos x=\frac{\overline{OB}}{\overline{OA}}=\frac{\overline{OB}}{1}=\overline{OB}$

(3) $\tan x=\frac{\overline{AB}}{\overline{OB}}=\frac{\overline{CD}}{\overline{OD}}=\frac{\overline{CD}}{1}=\overline{CD}$

두 변의 길이의 비에서 분모가 되는 변의 길이가 1이 되도록 변형하면 분자가 되는 변의 길이가 구하는 삼각비의 값이 돼.

4 0°, 90°의 삼각비의 값

(1) $\sin 0°=0$, $\cos 0°=1$, $\tan 0°=0$

(2) $\sin 90°=1$, $\cos 90°=0$, $\tan 90°$의 값은 정할 수 없다.

참고 오른쪽 그림과 같이 반지름의 길이가 1인 사분원에서 예각 x에 대하여 $\sin x=\overline{AB}$, $\cos x=\overline{OB}$, $\tan x=\overline{CD}$이므로

(1) x의 크기가 0°에 가까워질 때
$\overline{AB}$, $\overline{OB}$, $\overline{CD}$의 길이가 각각 0, 1, 0에 가까워지므로
$\sin 0°=0$, $\cos 0°=1$, $\tan 0°=0$

(2) x의 크기가 90°에 가까워질 때
$\overline{AB}$, $\overline{OB}$의 길이가 각각 1, 0에 가까워지므로
$\sin 90°=1$, $\cos 90°=0$
$\overline{CD}$의 길이는 한없이 길어지므로 $\tan 90°$의 값은 정할 수 없다.

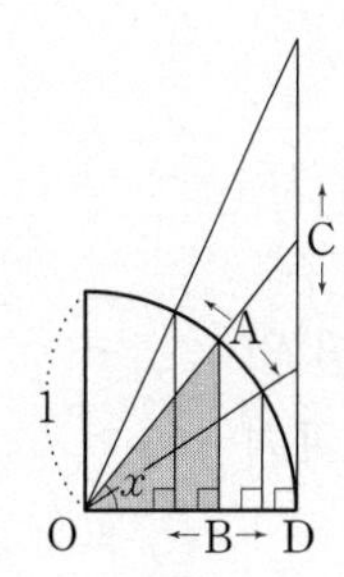

- x의 크기가 0°에서 90°로 증가할 때
  ① $\sin x$의 값은 0에서 1까지 증가한다.
  ② $\cos x$의 값은 1에서 0까지 감소한다.
  ③ $\tan x$의 값은 0에서 무한히 증가한다.

- **삼각비의 대소 관계**
  ① $0° \le x < 45°$일 때, $\sin x < \cos x$
  ② $x=45°$일 때, $\sin x=\cos x<\tan x$
  ③ $45° < x \le 90°$일 때, $\cos x<\sin x<\tan x$

5 삼각비의 표

(1) **삼각비의 표** 0°에서 90°까지의 각을 1° 간격으로 나누어 삼각비의 값을 반올림하여 소수점 아래 넷째 자리까지 구하여 나타낸 표

(2) **삼각비의 표 읽는 법** 삼각비의 표에서 각도의 가로줄과 삼각비의 세로줄이 만나는 곳에 있는 수가 삼각비의 값이다.

각도	사인(sin)	코사인(cos)	탄젠트(tan)
0°	0.0000	1.0000	0.0000
⋮	⋮	⋮	⋮
42°	0.6691	0.7431	0.9004
43°	0.6820	0.7314	0.9325
⋮	⋮	⋮	⋮
90°	1.0000	0.0000	

예 $\cos 42°$의 값은 삼각비의 표에서 42°의 가로줄과 코사인(cos)의 세로줄이 만나는 곳의 수를 읽으면 된다. 즉 $\cos 42°=0.7431$이다.

- 삼각비의 표에 있는 삼각비의 값은 대부분 어림한 값이지만 이 값을 나타낼 때에는 등호(=)를 사용하여 나타낸다.

최고 수준 입문하기

1 삼각비

01 오른쪽 그림과 같이 $\angle B=90°$인 직각삼각형 ABC에 대하여 다음 중 옳지 않은 것은?

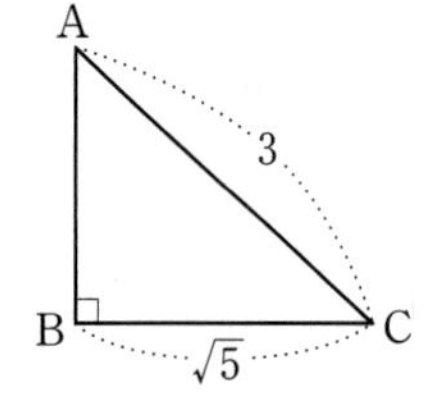

① $\sin A=\frac{\sqrt{5}}{3}$

② $\cos A=\frac{2}{3}$

③ $\tan A=\frac{\sqrt{5}}{2}$

④ $\sin C=\frac{3\sqrt{5}}{5}$

⑤ $\tan C=\frac{2\sqrt{5}}{5}$

02 오른쪽 그림과 같이 $\angle C=90°$인 직각삼각형 ABC에서 $\cos A$의 값을 구하시오.

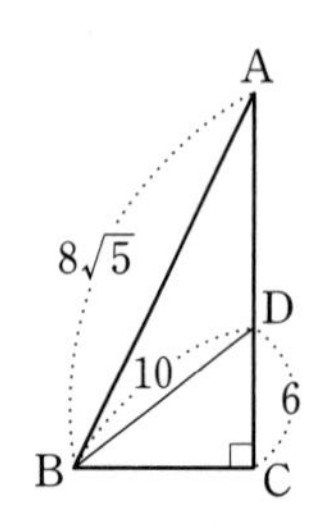

필수

03 오른쪽 그림과 같이 $\angle C=90°$인 직각삼각형 ABC에서 $\overline{AB}=12$ cm, $\sin A=\frac{3}{4}$일 때, $\overline{AC}$의 길이를 구하시오.

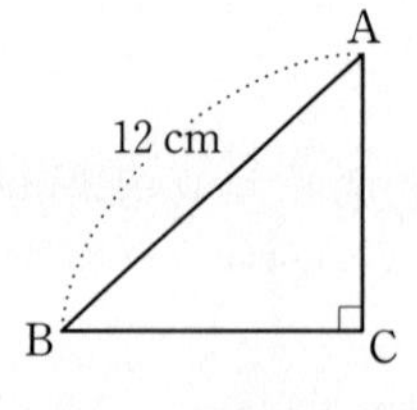

04 오른쪽 그림과 같은 $\triangle ABC$에서 $\overline{AB}=13$, $\overline{AC}=20$, $\sin B=\frac{12}{13}$일 때, $\tan C$의 값을 구하시오.

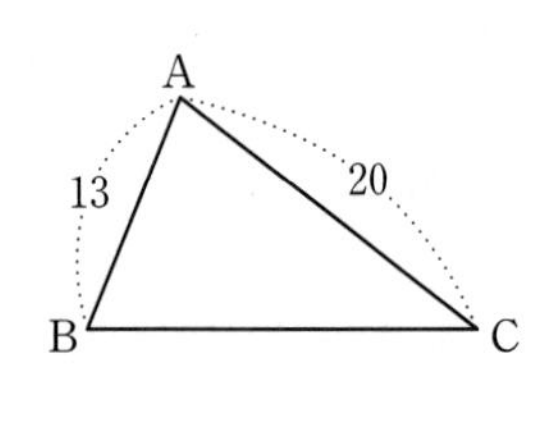

05 $\sin A=\frac{1}{3}$일 때, $9\cos A\times\tan A$의 값을 구하시오. (단, $0°<A<90°$)

서술형

06 $\angle B=90°$인 직각삼각형 ABC에서 $\sqrt{3}\sin A=1$일 때, $\tan(90°-A)$의 값을 구하시오.

07 오른쪽 그림과 같이 일차방정식 $2x-5y+10=0$의 그래프가 x축의 양의 방향과 이루는 각의 크기를 a라고 할 때, $\cos a-\sin a$의 값을 구하시오.

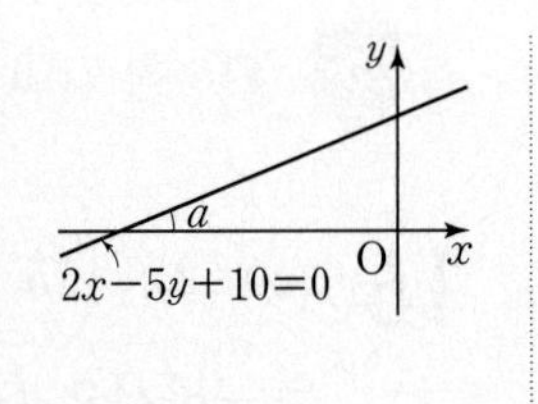

08 일차방정식 $3x+4y-12=0$의 그래프가 x축과 이루는 예각의 크기를 a라고 할 때, $\sin a+\cos a$의 값을 구하시오.

2 직각삼각형의 닮음과 삼각비의 값

필수

09 오른쪽 그림과 같이 $\angle A=90°$인 직각삼각형 ABC에서 $\overline{AD}\perp\overline{BC}$이다. $\angle BAD=x$, $\angle CAD=y$일 때, $\cos x+\sin y$의 값을 구하시오.

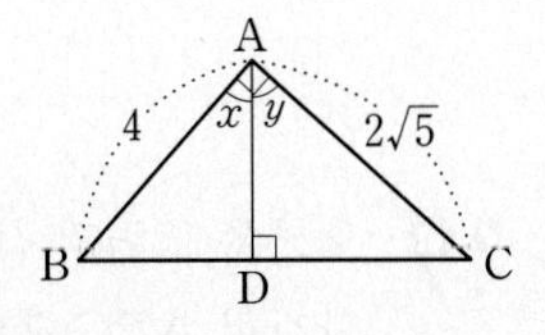

서술형

10 오른쪽 그림과 같이 $\angle C=90°$인 직각삼각형 ABC에서 $\overline{DE}\perp\overline{AB}$이다. $\angle BDE=x$라고 할 때, $\tan x$의 값을 구하시오.

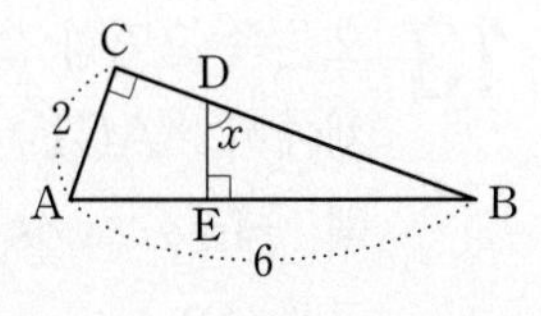

11 오른쪽 그림과 같이 $\angle A=90°$인 직각삼각형 ABC의 꼭짓점 A에서 $\overline{BC}$에 내린 수선의 발을 D, 점 D에서 $\overline{AC}$에 내린 수선의 발을 E라고 하자. $\angle BAD=x$라고 할 때, 다음 중 $\tan x$를 나타내는 것이 아닌 것은?

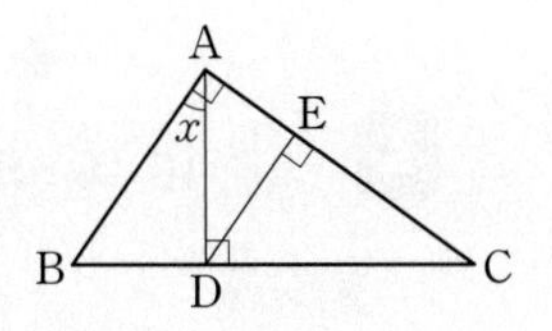

① $\dfrac{\overline{AB}}{\overline{AC}}$ ② $\dfrac{\overline{BD}}{\overline{AD}}$ ③ $\dfrac{\overline{CD}}{\overline{AD}}$

④ $\dfrac{\overline{AE}}{\overline{DE}}$ ⑤ $\dfrac{\overline{DE}}{\overline{CE}}$

3 입체도형에서 삼각비의 값

12 오른쪽 그림과 같이 한 모서리의 길이가 2인 정육면체에서 $\angle CEG=x$라고 할 때, $\cos x$의 값을 구하시오.

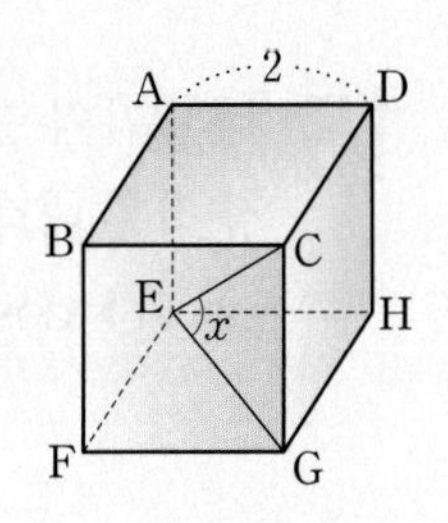

13 오른쪽 그림과 같은 직육면체에서 $\angle AGE=x$라고 할 때, $\sin x\times\cos x$의 값을 구하시오.

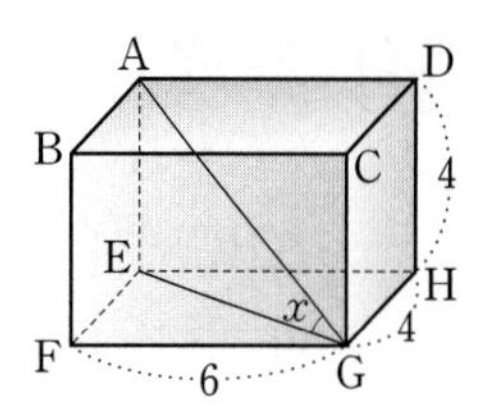

4 30°, 45°, 60°의 삼각비의 값

필수

14 다음 중 옳지 않은 것을 모두 고르면? (정답 2개)

① $\cos 45^\circ+\sin 45^\circ=\sqrt{2}$

② $\tan 45^\circ-\cos 60^\circ=\dfrac{2-\sqrt{3}}{2}$

③ $\tan 30^\circ=\dfrac{1}{\tan 60^\circ}$

④ $\sin 30^\circ\times\cos 30^\circ-\tan 60^\circ=-\dfrac{\sqrt{3}}{12}$

⑤ $2\cos 45^\circ\times\tan 60^\circ\times\sin 60^\circ=\dfrac{3\sqrt{2}}{2}$

15 세 내각의 크기의 비가 1 : 2 : 3인 삼각형에서 가장 작은 내각의 크기를 A라고 할 때, $\sin A\times\cos A\times\tan A$의 값을 구하시오.

5 특수한 각의 삼각비의 값의 활용

16 $\cos(2x-15^\circ)=\dfrac{\sqrt{2}}{2}$일 때, $\sin x+\cos 2x$의 값을 구하시오. (단, $0^\circ<2x-15^\circ<90^\circ$)

필수

17 오른쪽 그림과 같은 $\triangle ABC$에서 $\angle B=60^\circ$, $\angle C=45^\circ$이고 $\overline{AC}=4$이다. $\overline{AD}\perp\overline{BC}$일 때, $\overline{AB}$의 길이를 구하시오.

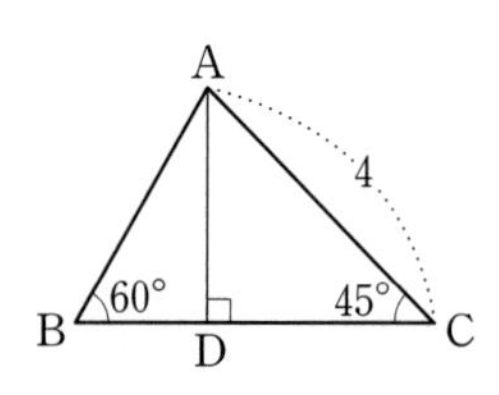

서술형

18 오른쪽 그림에서 $\angle ABC=\angle BCD=90^\circ$, $\angle A=60^\circ$, $\angle D=45^\circ$이고 $\overline{AB}=\sqrt{2}$일 때, $\overline{BD}$의 길이를 구하시오.

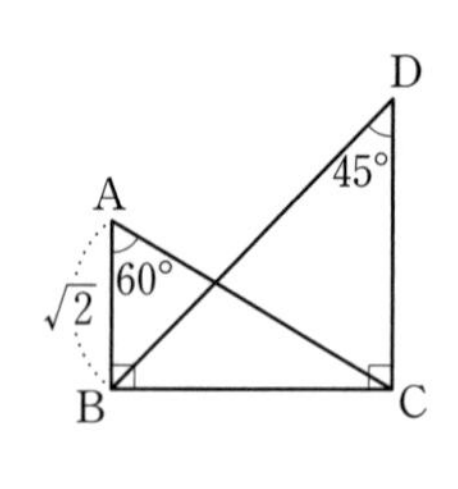

19 오른쪽 그림과 같이 $\angle C=90^\circ$인 직각삼각형 ABC에서 $\angle A=15^\circ$, $\angle BDC=30^\circ$, $\overline{BC}=5$일 때, $\tan 15^\circ$의 값을 구하시오.

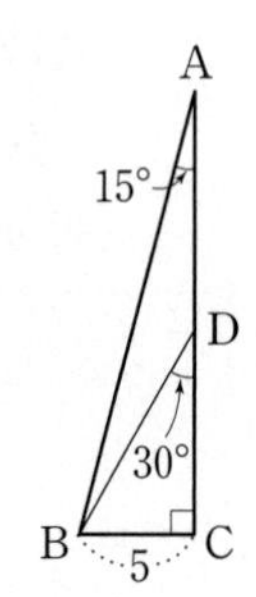

20 다음 그림과 같이 $\angle B=90°$인 직각삼각형 ABC에서 $\overline{AD}=\overline{CD}=2$이고 $\angle DAB=60°$일 때, $\tan 15°+\tan 75°$의 값을 구하시오.

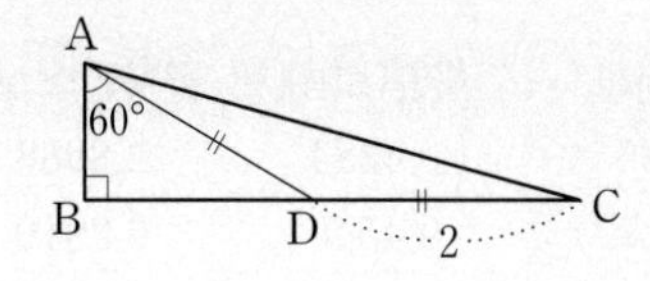

21 다음 그림에서 $\angle B=\angle ACD=\angle ADE=90°$, $\angle CAB=\angle DAC=\angle EAD=30°$이다. $\overline{BC}=\sqrt{3}$일 때, $\overline{DE}$의 길이를 구하시오.

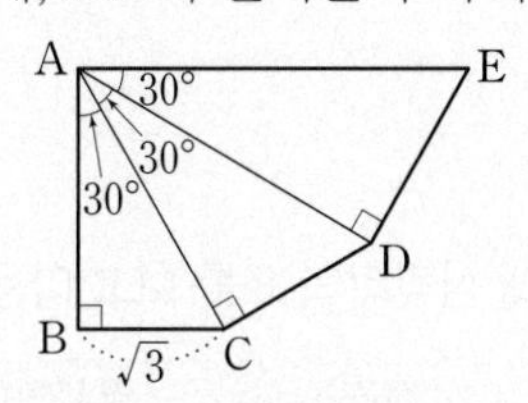

6 직선의 기울기와 삼각비의 값

22 오른쪽 그림과 같이 x절편이 -3이고 x축의 양의 방향과 이루는 각의 크기가 30°인 직선의 방정식을 구하시오.

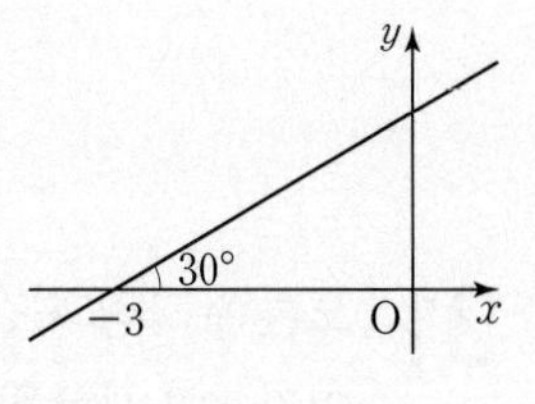

23 일차방정식 $\sqrt{3}x-y+6=0$의 그래프가 x축의 양의 방향과 이루는 예각의 크기를 구하시오.

7 예각의 삼각비의 값

필수✓

24 오른쪽 그림과 같이 반지름의 길이가 1인 사분원에서 다음 중 옳지 않은 것은?

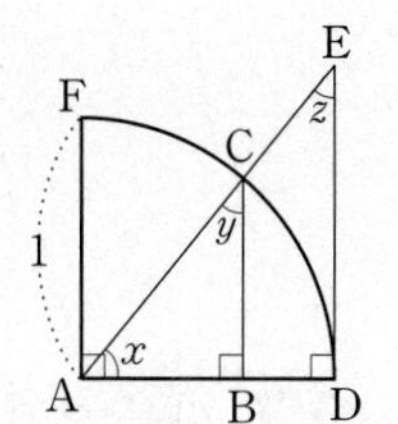

① $\sin x=\overline{BC}$
② $\cos x=\overline{AD}$
③ $\tan x=\overline{DE}$
④ $\cos y=\overline{BC}$
⑤ $\sin z=\overline{AB}$

25 다음 중 옳지 않은 것을 모두 고르면? (정답 2개)

① $\sin 30°+\sin 60°=\sin 90°$
② $\tan 0°+\tan 30°\times\tan 60°=\cos 0°$
③ $\sin 0°\times\cos 90°-\sin 90°\times\tan 45°=0$
④ $\sin 60°\times\tan 0°+\cos 0°\times\sin 90°=1$
⑤ $(\cos 45°-\cos 90°)(\sin 0°+\sin 45°)=\frac{1}{2}$

8 삼각비의 값의 대소 관계

필수

26 다음 중 삼각비의 값의 대소 관계로 옳은 것은?

① $\sin 53^\circ < \sin 40^\circ$ ② $\cos 48^\circ > \cos 42^\circ$
③ $\sin 20^\circ < \cos 20^\circ$ ④ $\cos 60^\circ > \tan 47^\circ$
⑤ $\tan 50^\circ > \tan 55^\circ$

27 다음 보기의 삼각비의 값을 작은 것부터 차례로 나열하시오.

보기
ㄱ $\cos 0^\circ$ ㄴ $\sin 72^\circ$
ㄷ $\tan 65^\circ$ ㄹ $\cos 72^\circ$

서술형

28 $0^\circ < x < 90^\circ$일 때, $\sqrt{(\sin x-1)^2}+\sqrt{(\sin x+1)^2}$을 간단히 하시오.

9 삼각비의 표

29 아래 삼각비의 표를 보고 다음 물음에 답하시오.

각도	사인(sin)	코사인(cos)	탄젠트(tan)
26°	0.4384	0.8988	0.4877
27°	0.4540	0.8910	0.5095
28°	0.4695	0.8829	0.5317
29°	0.4848	0.8746	0.5543
30°	0.5000	0.8660	0.5774

(1) $\sin 27^\circ + \cos 29^\circ - \tan 30^\circ$의 값을 구하시오.

(2) $\sin x = 0.4848$, $\tan y = 0.5095$일 때, $x+y$의 크기를 구하시오.

[30~31] 아래 삼각비의 표를 보고 다음 물음에 답하시오.

각도	사인(sin)	코사인(cos)	탄젠트(tan)
53°	0.7986	0.6018	1.3270
54°	0.8090	0.5878	1.3764
55°	0.8192	0.5736	1.4281
56°	0.8290	0.5592	1.4826

30 오른쪽 그림과 같이 $\angle C = 90^\circ$인 직각삼각형 ABC에서 $\angle A = 37^\circ$, $\overline{AB} = 50$일 때, $\overline{AC}$의 길이를 구하시오.

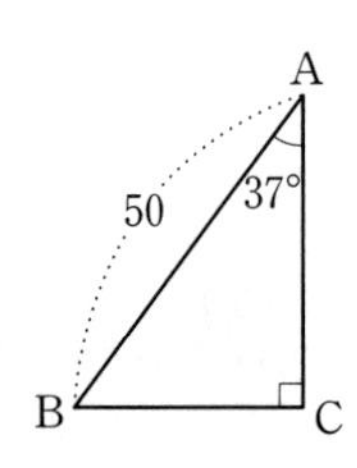

31 오른쪽 그림과 같이 반지름의 길이가 1인 사분원에서 $\overline{OB} = 0.5736$일 때, $\overline{AB}$의 길이를 구하시오.

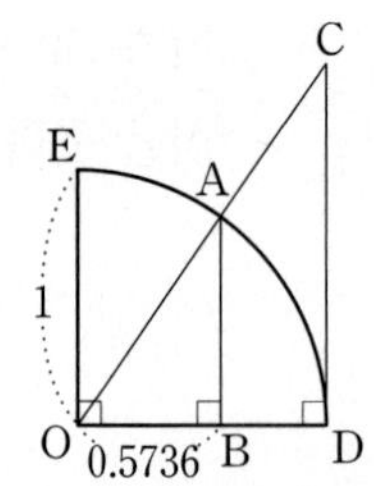

최고 수준 완성하기

정답과 풀이 P 6

01 오른쪽 그림에서 $\angle ABE=\angle ADE=90°$, $\overline{BC}=\overline{CE}=6$이고 $\angle CAB=x$, $\angle EAD=y$라고 하자. $\sin x=\frac{2}{3}$일 때, $\tan y$의 값을 구하시오.

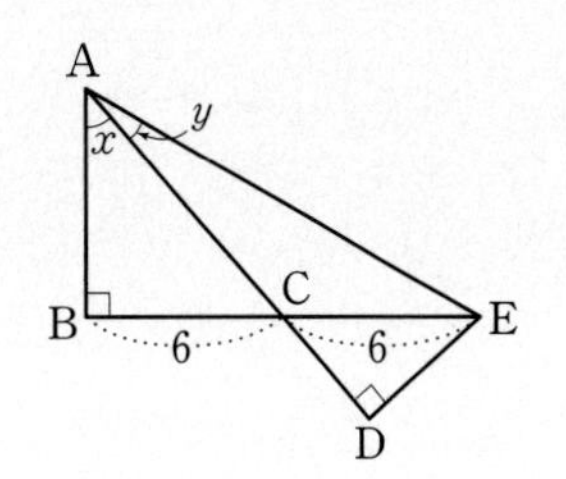

해결 Plus+

x와 크기가 같은 각을 찾는다.

02 오른쪽 그림과 같이 직사각형 모양의 종이 ABCD를 $\overline{RQ}$를 접는 선으로 하여 점 D가 점 B에 오도록 접었다. $\overline{AB}=12$ cm, $\overline{AD}=18$ cm이고 $\angle BRQ=x$라고 할 때, $\sin x$의 값을 구하시오.

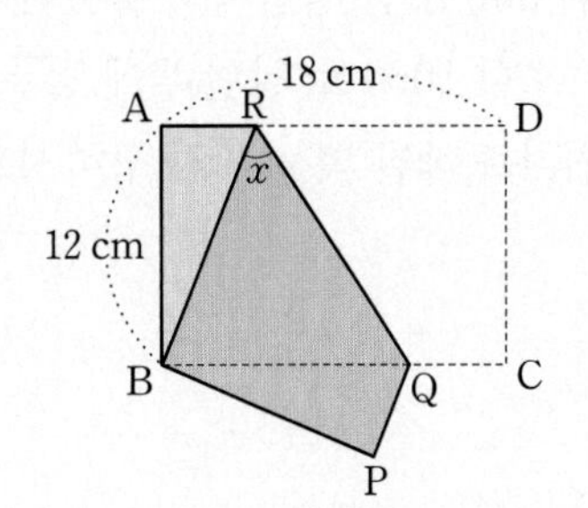

x와 크기가 같은 각을 모두 찾고, x를 한 각으로 하는 직각삼각형을 만든다.

창의력

03 오른쪽 그림과 같이 $\angle C=90°$인 직각삼각형 ABC에서 $\overline{AD}=\overline{CD}=\overline{BC}=3$이다. $\angle ABD=x$라고 할 때, $\tan x$의 값을 구하시오.

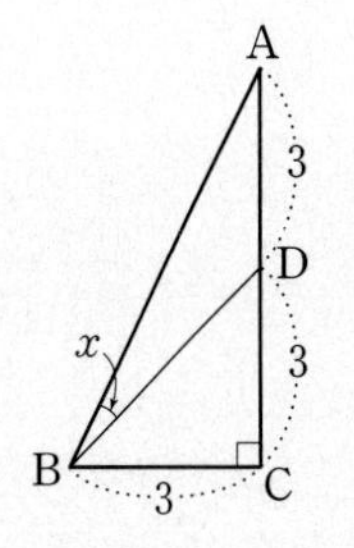

꼭짓점 A에서 $\overline{BD}$의 연장선에 수선의 발을 내려 직각삼각형을 만든다.

04 $\sin A : \cos A = 4 : 5$일 때, $\sin A \div \tan A$의 값을 구하시오.
(단, $0^\circ < A < 90^\circ$)

해결 Plus+

융합형

05 도로가 지면에서 기울어진 경사각을 ∠A라고 할 때, 도로의 경사도를 (도로의 경사도)$=\tan A \times 100$ (%)로 나타낸다. 어떤 자동차가 해발 600 m인 지점에서 출발하여 도로의 경사도가 50 %인 도로를 1000 m 달린 후에 멈추었다면 이 자동차의 현재의 위치는 해발 몇 m인지 구하시오.

(도로의 경사도)$=\tan A \times 100$ (%)이므로 $\tan A = \frac{(\text{도로의 경사도})}{100}$임을 이용한다.

06 오른쪽 그림과 같이 한 모서리의 길이가 2인 정사면체에서 $\overline{BE}=\overline{EC}$이다. $\angle AED = x$라고 할 때, $\sin x$의 값을 구하시오.

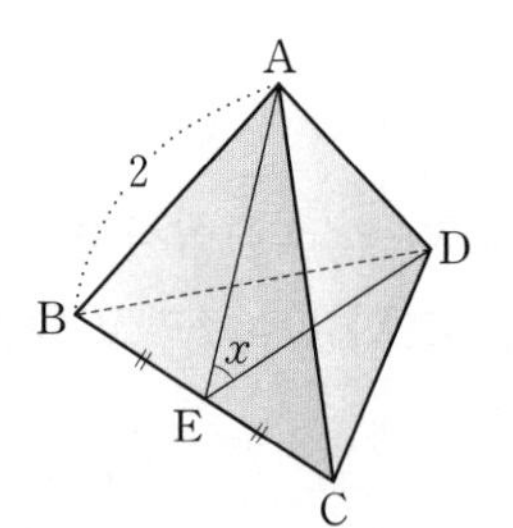

삼각형의 넓이를 이용한다.

서술형

07

오른쪽 그림과 같이 두 직각삼각형 ABC와 ABD가 겹쳐져 있다. $\angle ABC=\angle ADB=90°$, $\angle ABD=45°$, $\angle C=60°$이고 $\overline{BC}=2\sqrt{3}$ cm일 때, $\triangle EAB$의 넓이를 구하시오.

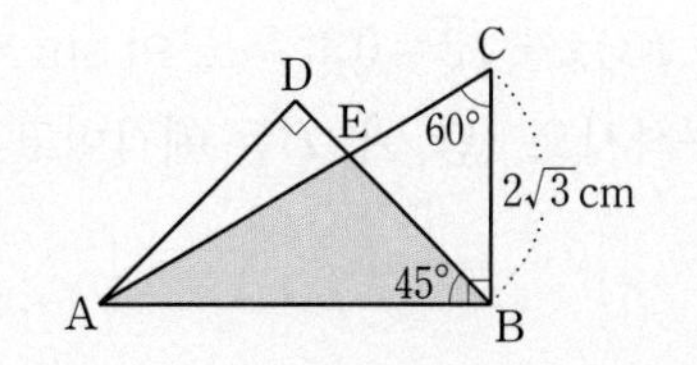

해결 Plus+

점 E에서 $\overline{AB}$에 내린 수선의 발을 F라고 하면 $\overline{EF}$ // $\overline{CB}$이다.

08

오른쪽 그림과 같은 직사각형 ABCD에서 $\overline{AP}=4$이고 $\angle APQ=60°$, $\angle DAQ=45°$, $\angle PQA=90°$일 때, $\tan 75°$의 값을 구하시오.

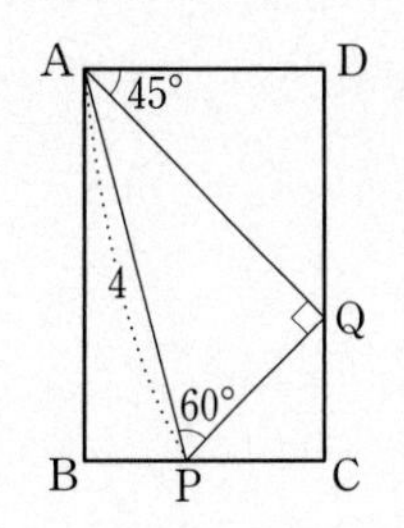

창의력

09

오른쪽 그림과 같이 $\angle B=90°$, $\angle C=30°$인 직각삼각형 ABC의 빗변 AC 위에 두 반원 O, O′의 지름이 놓여 있다. 두 반원은 모두 변 BC에 접하면서 서로 외접하고 반원 O는 변 AB에 접한다. 반원 O의 반지름의 길이가 9 cm일 때, 반원 O′의 반지름의 길이를 구하시오.

(단, 두 점 D, E는 각각 두 반원 O, O′과 변 BC의 접점이다.)

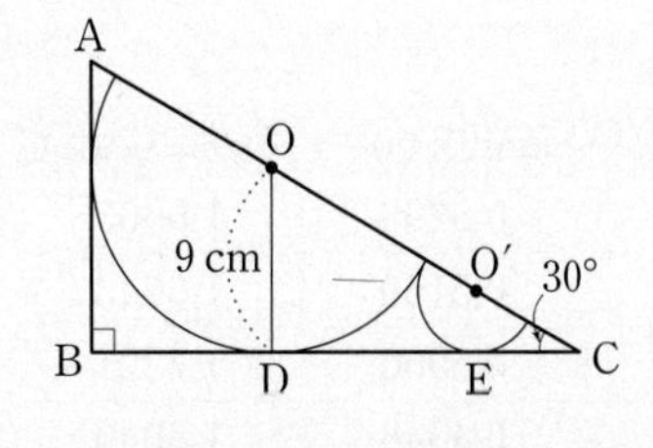

반원 O′의 반지름의 길이를 r cm로 놓고 특수한 각의 삼각비를 이용한다.

10 이차방정식 $4x^2-2(1+\sqrt{3})x+\sqrt{3}=0$의 두 근이 $\sin A$, $\sin B$일 때, $\tan(A-B)$의 값을 구하시오. (단, A, B는 예각이고 $A>B$이다.)

해결 Plus+

서술형

11 $\sqrt{(\sin A+\cos A)^2}-\sqrt{(\cos A-\sin A)^2}=\frac{6}{5}$일 때, $\cos A$의 값을 구하시오. (단, $0°<A<45°$)

$0°<A<45°$일 때, $0<\sin A<\cos A$이다.

12 오른쪽 그림과 같이 밑면의 둘레의 길이가 500π이고 높이가 451인 원뿔이 있다. 모선과 밑면이 이루는 각의 크기를 x라고 할 때, 다음 삼각비의 표를 이용하여 x는 몇 도인지 구하시오.

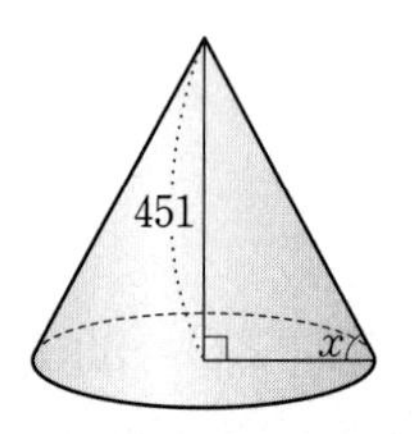

각도	사인(sin)	코사인(cos)	탄젠트(tan)
58°	0.8480	0.5299	1.6003
59°	0.8572	0.5150	1.6643
60°	0.8660	0.5000	1.7321
61°	0.8746	0.4848	1.8040
62°	0.8829	0.4695	1.8807

먼저 밑면의 반지름의 길이를 구한다.

뛰어넘기

융합형

01

오른쪽 그림과 같이 ∠B=90°인 직각삼각형 ABC에서 $\overline{AC}$의 삼등분점을 D, E라고 하자. $\overline{BD}=\sin x$, $\overline{BE}=\cos x$일 때, $\overline{AC}$의 길이를 구하시오.

(단, $0° < x < 90°$)

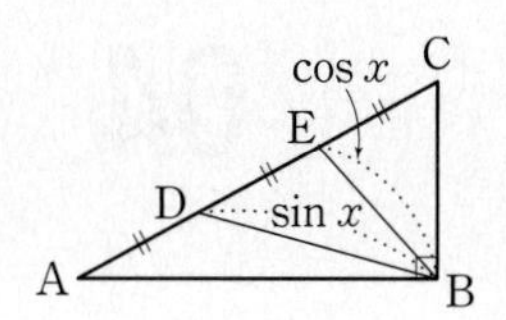

02

오른쪽 그림과 같이 $\overline{AB}=\overline{AC}$인 이등변삼각형 ABC에서 ∠B의 이등분선이 $\overline{AC}$와 만나는 점을 D라고 하자. ∠A=36°이고 $\overline{BC}=1$일 때, 다음을 구하시오.

(1) $\overline{AB}$의 길이 (2) sin 18°의 값 (3) cos 36°의 값

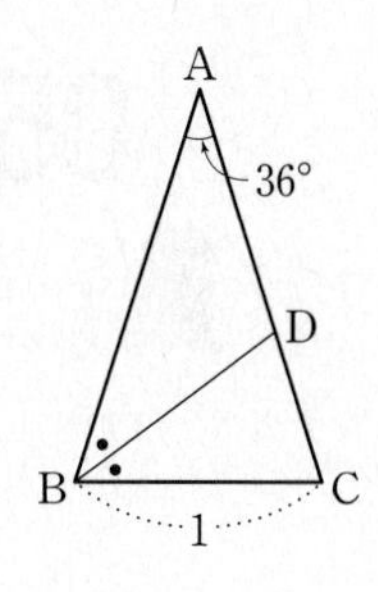

03

오른쪽 그림과 같이 정삼각형 ABC의 꼭짓점 A에서 $\overline{BC}$에 내린 수선의 발을 D, $\overline{AD}$의 중점을 B_1이라 하고 정삼각형 AB_1C_1을 그렸다. 또 정삼각형 AB_1C_1의 꼭짓점 A에서 $\overline{B_1C_1}$에 내린 수선의 발을 D_1, $\overline{AD_1}$의 중점을 B_2라 하고 정삼각형 AB_2C_2를 그렸다. 이와 같은 과정을 반복하여 정삼각형 $AB_{10}C_{10}$을 그렸을 때, 정삼각형 ABC와 정삼각형 $AB_{10}C_{10}$의 한 변의 길이의 비가 $a^{10} : b^{10}$이다. 이때 ab의 값을 구하시오. (단, $a>b>0$)

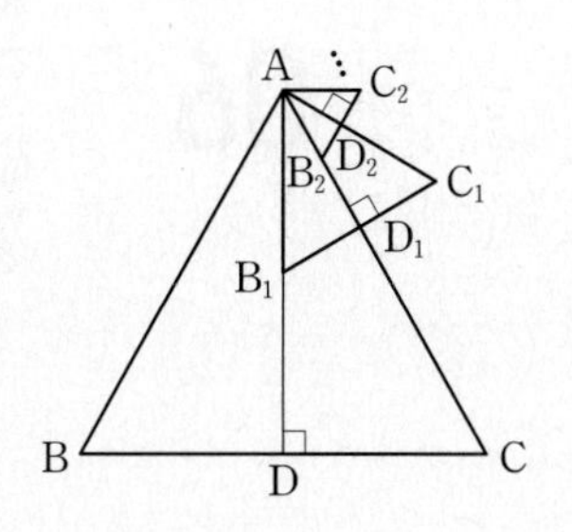

04

오른쪽 그림과 같은 △ABC에서 $\overline{AB}=\overline{BD}=\overline{DA}=\overline{DE}=2$, $\angle ADE=90°$일 때, $\overline{CD}$의 길이를 구하시오.

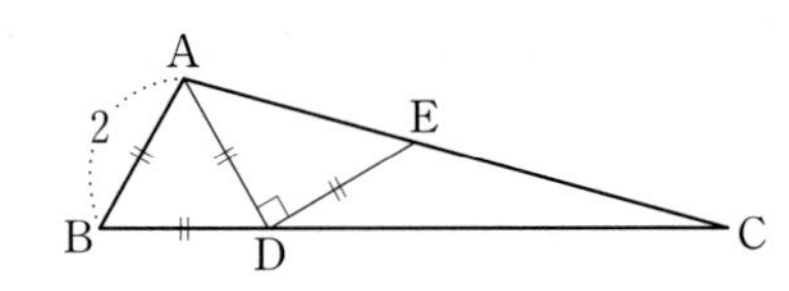

05

STEP UP

오른쪽 그림과 같은 정삼각형 ABC에서 세 점 D, E, F는 각각 $\overline{AB}$, $\overline{BC}$, $\overline{CA}$ 위의 점이고 $\angle DEF=60°$, $\angle EDF=90°$, $\angle EFC=75°$이다. △DEF의 넓이가 $18\sqrt{3}$일 때, 정삼각형 ABC의 한 변의 길이를 구하시오.

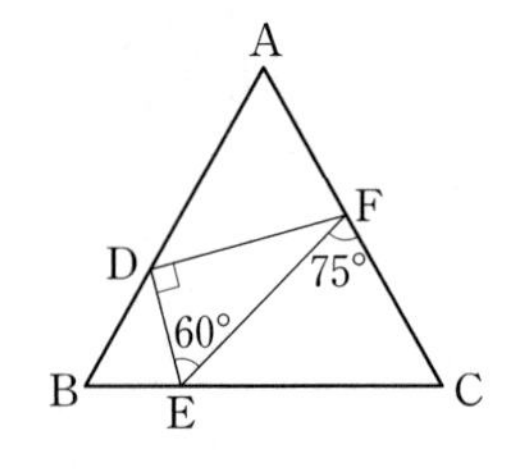

06

창의력

다음 물음에 답하시오.

(1) $0°<A<90°$일 때, $\sin A=\cos(90°-A)$임을 설명하시오.

(2) (1)을 이용하여 아래 식의 값을 구하시오.

$$\sin 0°+\sin 1°+\sin 2°+\cdots+\sin 45°-\cos 46°-\cos 47°-\cos 48°-\cdots-\cos 90°$$

2 삼각비의 활용

1 직각삼각형의 변의 길이

$\angle C=90^\circ$인 직각삼각형 ABC에서

(1) $\angle B$의 크기와 빗변 AB의 길이 c를 알 때

$$a=c\cos B,\ b=c\sin B$$

(2) $\angle B$의 크기와 밑변 BC의 길이 a를 알 때

$$b=a\tan B,\ c=\frac{a}{\cos B}$$

(3) $\angle B$의 크기와 높이 AC의 길이 b를 알 때

$$a=\frac{b}{\tan B},\ c=\frac{b}{\sin B}$$

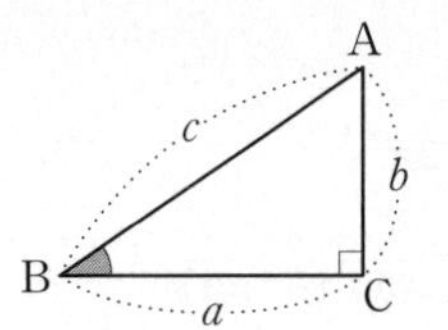

참고 ① $\sin B=\frac{b}{c}$이므로 $b=c\sin B,\ c=\frac{b}{\sin B}$

② $\cos B=\frac{a}{c}$이므로 $a=c\cos B,\ c=\frac{a}{\cos B}$

③ $\tan B=\frac{b}{a}$이므로 $b=a\tan B,\ a=\frac{b}{\tan B}$

- 직각삼각형에서 한 예각의 크기와 한 변의 길이를 알면 삼각비를 이용하여 나머지 두 변의 길이를 구할 수 있다.

2 일반 삼각형의 변의 길이

(1) $\triangle ABC$에서 두 변의 길이 a, c와 그 끼인각 $\angle B$의 크기를 알 때

$$\overline{AC}=\sqrt{(c\sin B)^2+(a-c\cos B)^2}$$

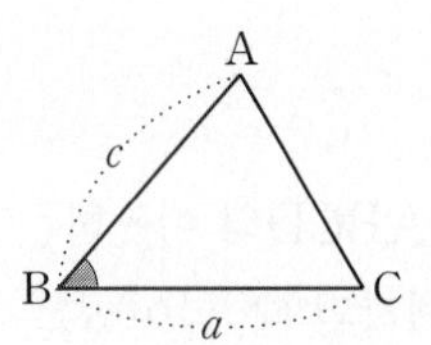

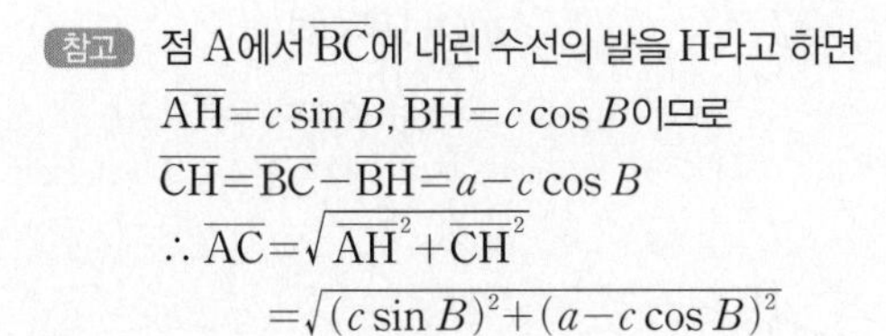

참고 점 A에서 $\overline{BC}$에 내린 수선의 발을 H라고 하면

$\overline{AH}=c\sin B,\ \overline{BH}=c\cos B$이므로

$\overline{CH}=\overline{BC}-\overline{BH}=a-c\cos B$

$\therefore\ \overline{AC}=\sqrt{\overline{AH}^2+\overline{CH}^2}$

$=\sqrt{(c\sin B)^2+(a-c\cos B)^2}$

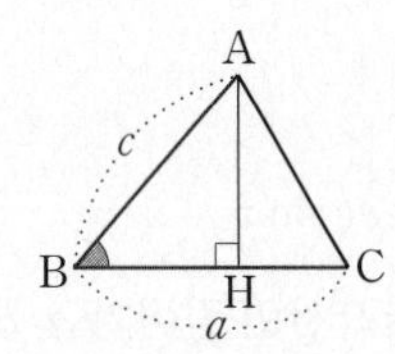

(2) $\triangle ABC$에서 한 변의 길이 a와 그 양 끝 각 $\angle B$, $\angle C$의 크기를 알 때

$$\overline{AC}=\frac{a\sin B}{\sin A},\ \overline{AB}=\frac{a\sin C}{\sin A}$$

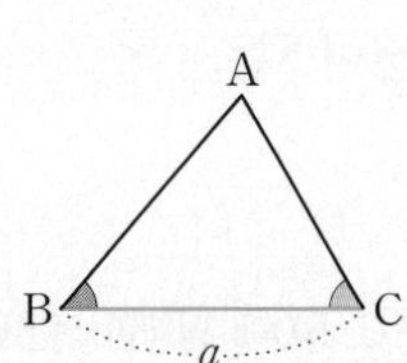

참고 두 점 B, C에서 대변에 내린 수선의 발을 각각 H, H′이라고 하면

$\overline{CH'}=\overline{AC}\sin A=a\sin B$이므로 $\overline{AC}=\frac{a\sin B}{\sin A}$

$\overline{BH}=\overline{AB}\sin A=a\sin C$이므로 $\overline{AB}=\frac{a\sin C}{\sin A}$

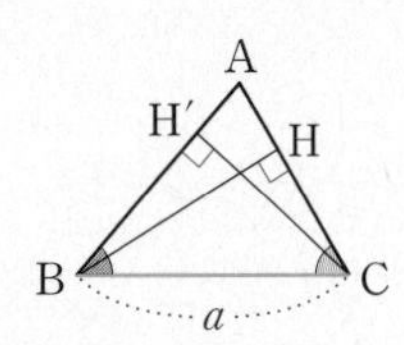

- 삼각비는 직각삼각형에서만 적용되므로 일반 삼각형에서는 한 꼭짓점에서 그 대변에 수선을 그어 직각삼각형을 만들어 구한다.

일반 삼각형의 변의 길이를 공식으로 외우기보다는 구하는 과정을 이해하자!

3 삼각형의 높이

$\triangle$ABC에서 한 변의 길이 a와 그 양 끝 각 $\angle$B, $\angle$C의 크기를 알 때, 높이 h는

(1) 주어진 각이 모두 예각일 때

$$h=\frac{a}{\tan x+\tan y}$$

참고 $\overline{\text{BH}}=h\tan x$, $\overline{\text{CH}}=h\tan y$이므로

$a=h\tan x+h\tan y \qquad \therefore h=\frac{a}{\tan x+\tan y}$

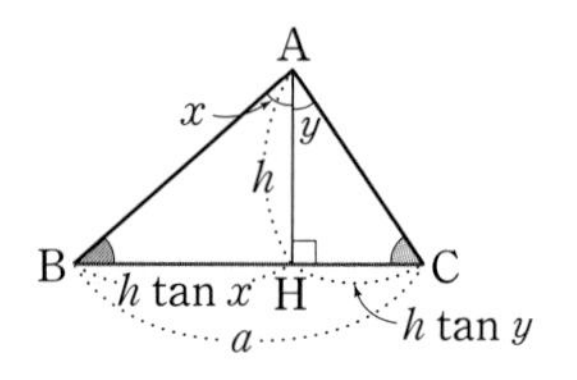

(2) 주어진 각 중 한 각이 둔각일 때

$$h=\frac{a}{\tan x-\tan y}$$

참고 $\overline{\text{BH}}=h\tan x$, $\overline{\text{CH}}=h\tan y$이므로

$a=h\tan x-h\tan y \qquad \therefore h=\frac{a}{\tan x-\tan y}$

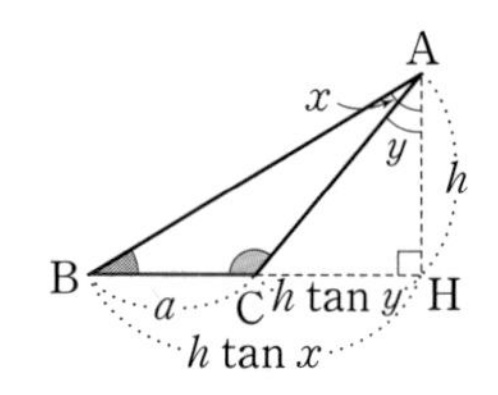

• 3에서

(1) $x=90^\circ-\angle\text{B}$

$y=90^\circ-\angle\text{C}$

(2) $x=90^\circ-\angle\text{B}$

$y=90^\circ-\angle\text{ACH}$

$=\angle\text{C}-90^\circ$

4 삼각형의 넓이

$\triangle$ABC에서 두 변의 길이 a, c와 그 끼인각 $\angle$B의 크기를 알 때, 넓이 S는

(1) $\angle$B가 예각일 때

$$S=\frac{1}{2}ac\sin B$$

참고 $\overline{\text{AH}}=c\sin B$이므로

$S=\frac{1}{2}\times\overline{\text{BC}}\times\overline{\text{AH}}=\frac{1}{2}ac\sin B$

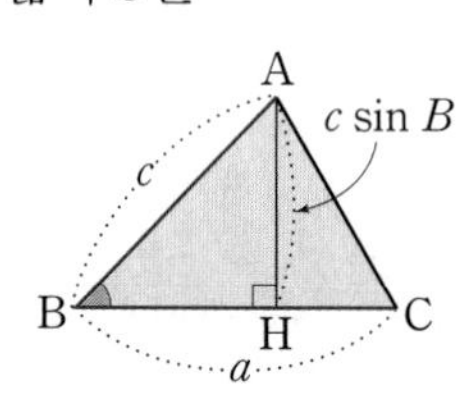

(2) $\angle$B가 둔각일 때

$$S=\frac{1}{2}ac\sin(180^\circ-B)$$

참고 $\overline{\text{AH}}=c\sin(180^\circ-B)$이므로

$S=\frac{1}{2}\times\overline{\text{BC}}\times\overline{\text{AH}}=\frac{1}{2}ac\sin(180^\circ-B)$

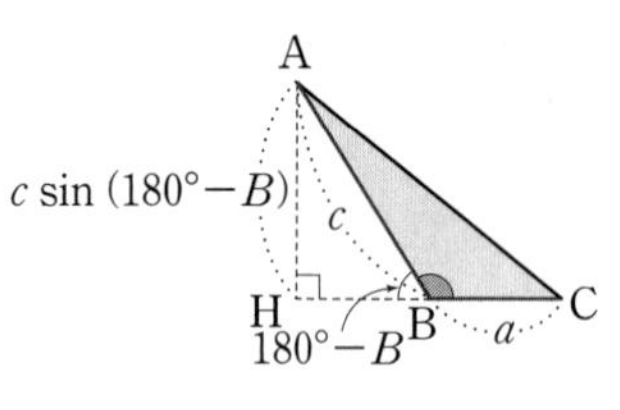

• $\angle\text{B}=90^\circ$일 때,

$S=\frac{1}{2}ac\sin 90^\circ$

$=\frac{1}{2}ac$

5 사각형의 넓이

(1) **평행사변형의 넓이** 평행사변형 ABCD의 이웃하는 두 변의 길이가 a, b이고 그 끼인각 x가 예각일 때, 넓이 S는

$$S=ab\sin x$$

참고 대각선 AC를 그으면

$S=2\triangle\text{ABC}=2\times\frac{1}{2}ab\sin x=ab\sin x$

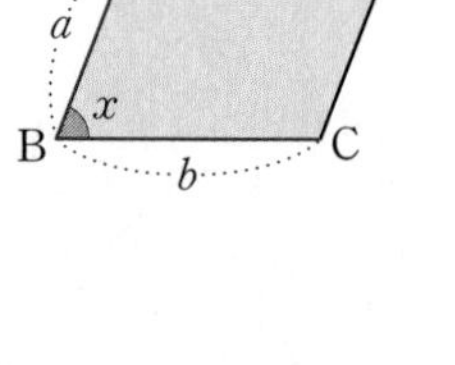

(2) **사각형의 넓이** □ABCD의 두 대각선의 길이가 a, b이고 두 대각선이 이루는 각 x가 예각일 때, 넓이 S는

$$S=\frac{1}{2}ab\sin x$$

참고 각 꼭짓점을 지나면서 두 대각선 AC, BD에 평행한 선분을 그으면 □EFGH는 평행사변형이므로

$S=\frac{1}{2}\square\text{EFGH}=\frac{1}{2}ab\sin x$

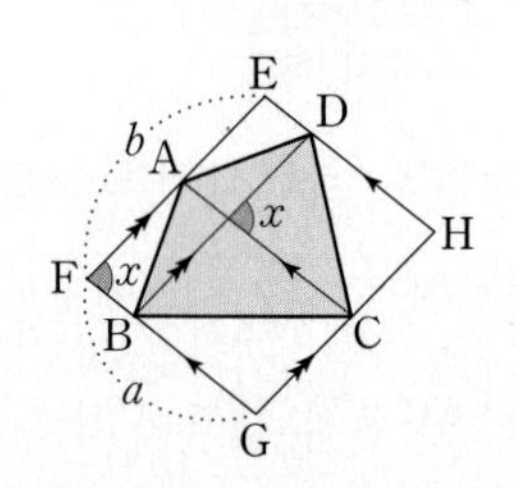

• 5에서

(1) x가 둔각이면

$S=ab\sin(180^\circ-x)$

(2) x가 둔각이면

$S=\frac{1}{2}ab\sin(180^\circ-x)$

최고 수준 입문하기

1 직각삼각형의 변의 길이

01 오른쪽 그림과 같이 $\angle A=90^\circ$인 직각삼각형 ABC에서 $\overline{BC}=10$이고 $\angle C=35^\circ$일 때, $x+y$의 값을 구하시오.

(단, $\sin 35^\circ=0.57$, $\cos 35^\circ=0.82$로 계산한다.)

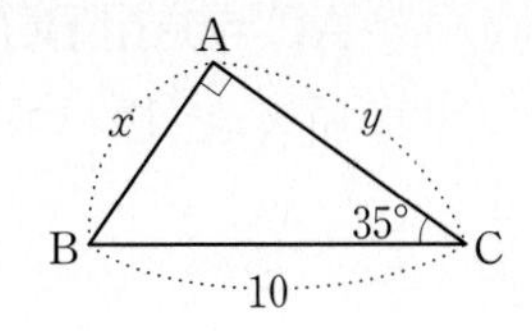

02 오른쪽 그림과 같이 $\angle C=90^\circ$인 직각삼각형 ABC에서 $\overline{AB}\perp\overline{CH}$이고 $\overline{AB}=15$, $\angle A=28^\circ$일 때, $\overline{CH}$의 길이를 구하시오.

(단, $\sin 62^\circ=0.88$, $\cos 62^\circ=0.47$로 계산한다.)

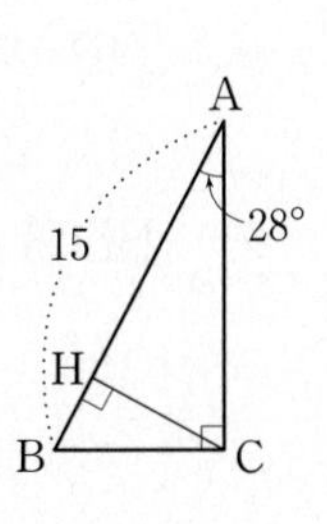

03 오른쪽 그림의 직육면체에서 $\overline{AB}=3$ cm, $\overline{CF}=4$ cm이고 $\angle CFG=45^\circ$일 때, 이 직육면체의 부피를 구하시오.

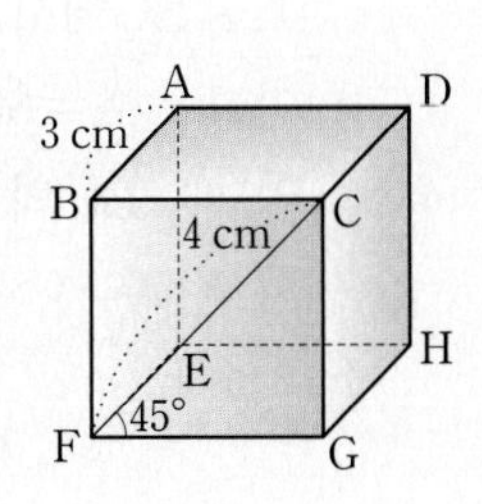

서술형

04 오른쪽 그림과 같이 모선 AB의 길이가 6 cm인 원뿔의 밑면의 중심을 O라고 하자. $\angle ABO=60^\circ$일 때, 이 원뿔의 부피를 구하시오.

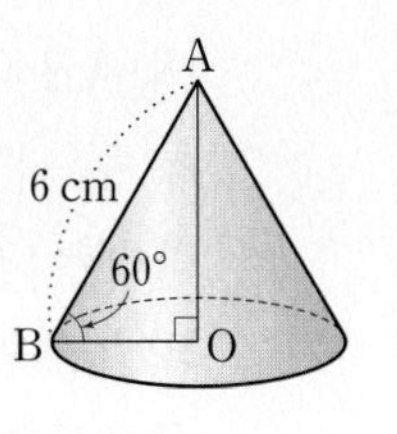

2 실생활에서 직각삼각형의 변의 길이의 활용

05 오른쪽 그림과 같이 지영이의 손에서 연을 올려다본 각의 크기는 40°이고 연까지의 거리는 30 m이다. 지면으로부터 지영이의 손까지의 높이가 1.6 m일 때, 지면으로부터 연까지의 높이를 구하시오.

(단, $\sin 40^\circ=0.64$로 계산한다.)

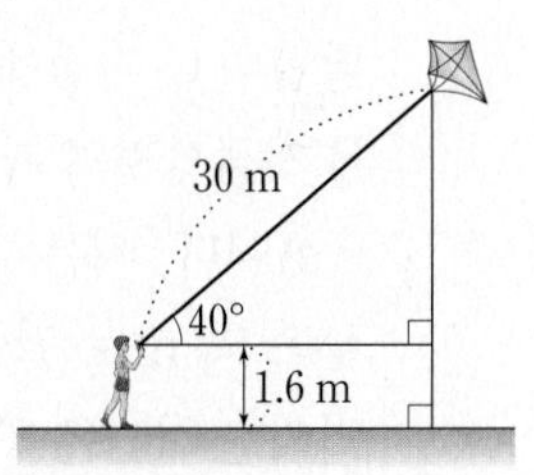

필수

06 오른쪽 그림과 같이 50 m 만큼 떨어진 두 건물 (가), (나)가 있다. (가) 건물 옥상에서 (나) 건물을 올려다본 각의 크기는 30°이고 내려다본 각의 크기는 45°일 때, (나) 건물의 높이를 구하시오.

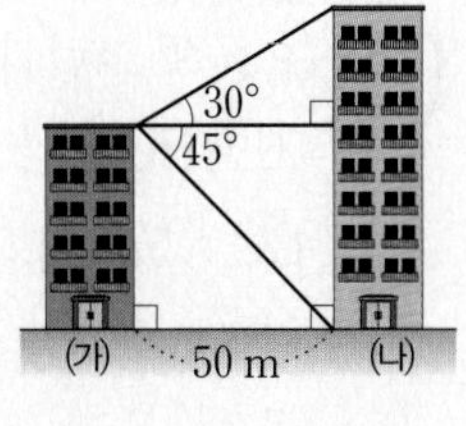

07 오른쪽 그림은 산의 높이를 구하기 위해 지면 위에 $\overline{AB}=400$ m가 되도록 두 지점 A, B를 잡고 측량한 것이다. 이때 산의 높이인 $\overline{CH}$의 길이를 구하시오.

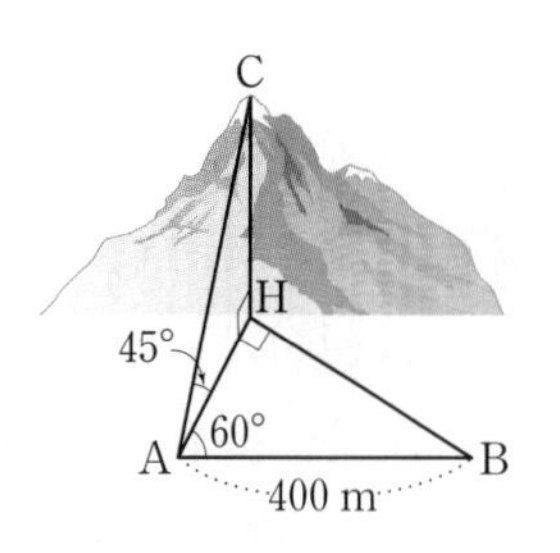

08 오른쪽 그림과 같이 지면과 27°만큼 기울어진 비탈길의 C 지점에서 지면 B 지점까지의 거리는 9 m이다. 지은이가 A 지점에서 출발하여 $\overline{AC}$를 분속 50 m로 걸어 C 지점까지 가려고 한다. 이때 걸리는 시간은 몇 초인지 구하시오.

(단, $\sin 27°=0.45$로 계산한다.)

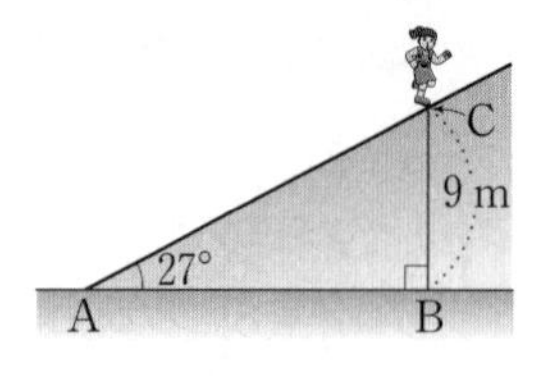

3 일반 삼각형의 변의 길이

09 오른쪽 그림과 같은 $\triangle ABC$에서 $\overline{AB}=6$, $\overline{BC}=5\sqrt{3}$이고 $\angle B=30°$일 때, $\overline{AC}$의 길이를 구하시오.

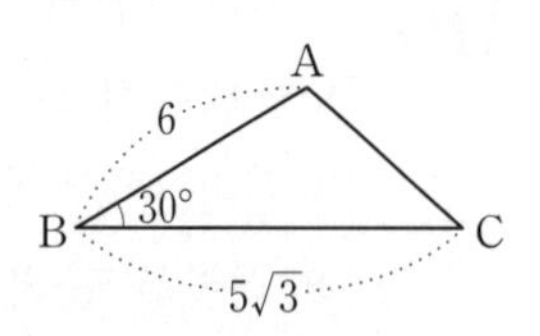

10 오른쪽 그림은 연못의 양쪽 두 지점 A, B 사이의 거리를 구하기 위해 측량한 것이다.
$\overline{AC}=5$ m, $\overline{BC}=2\sqrt{2}$ m이고 $\angle C=45°$일 때, 두 지점 A, B 사이의 거리를 구하시오.

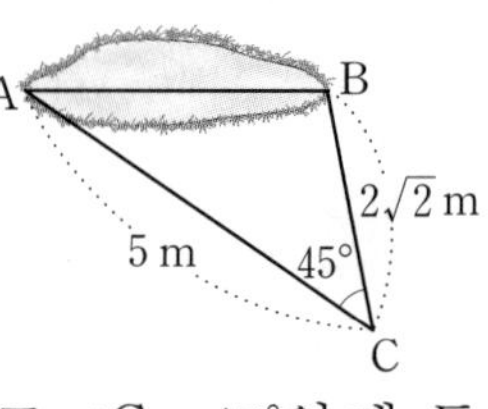

11 오른쪽 그림과 같은 평행사변형 ABCD에서 $\overline{AB}=4$ cm, $\overline{BC}=6$ cm이고 $\angle A=120°$일 때, $\overline{BD}$의 길이를 구하시오.

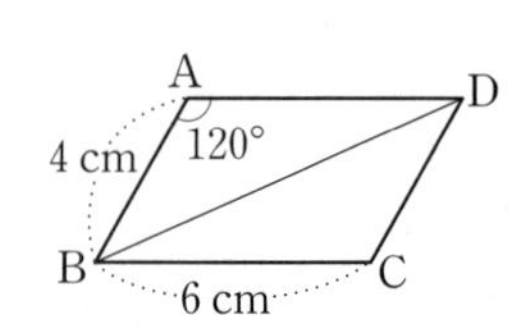

서술형

12 오른쪽 그림과 같은 $\triangle ABC$에서 $\overline{AC}=12$ cm이고 $\angle A=60°$, $\angle C=75°$일 때, $\overline{BC}$의 길이를 구하시오.

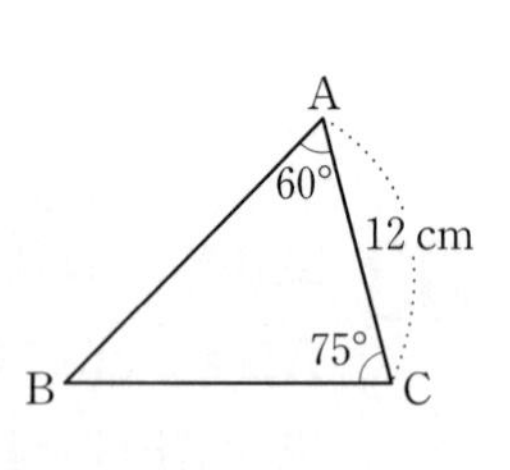

13 오른쪽 그림과 같은 $\triangle ABC$에서 $\angle B=105^\circ$, $\angle C=30^\circ$이고 $\overline{BC}=10\text{ cm}$일 때, $\overline{AB}$의 길이를 구하시오.

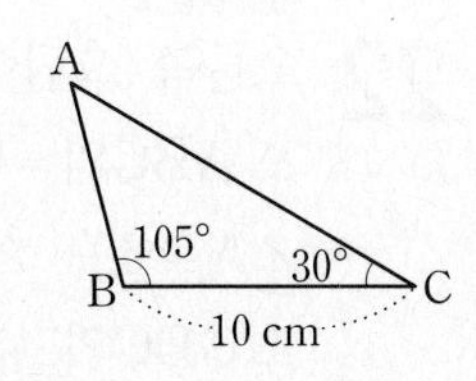

14 오른쪽 그림은 강의 양쪽에 위치한 두 지점 A, B 사이의 거리를 구하기 위해 측량한 것이다. $\angle A=45^\circ$, $\angle B=30^\circ$이고 $\overline{AC}=40\text{ m}$일 때, 두 지점 A, B 사이의 거리를 구하시오.

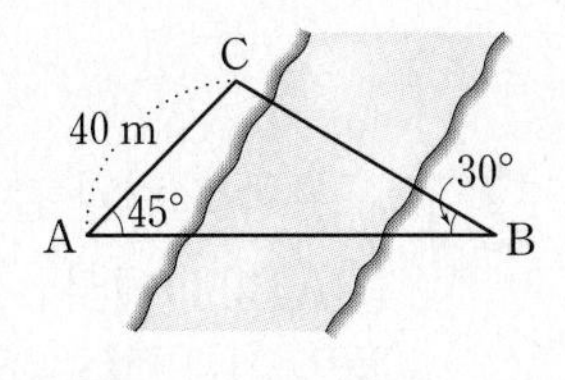

4 삼각형의 높이

필수

15 오른쪽 그림과 같은 $\triangle ABC$에서 $\angle A=75^\circ$, $\angle B=45^\circ$이고 $\overline{BC}=16$이다. 점 A에서 $\overline{BC}$에 내린 수선의 발을 H라고 할 때, $\overline{AH}$의 길이를 구하시오.

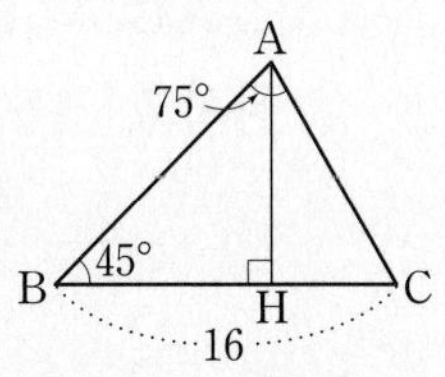

16 다음 그림은 100 m 떨어진 두 지점 A, B에서 하늘에 떠 있는 기구 C를 동시에 관찰한 모습이다. A 지점에서 기구를 올려다본 각의 크기는 30°, B 지점에서 기구를 올려다본 각의 크기는 45°일 때, 지면으로부터 기구까지의 높이를 구하시오.

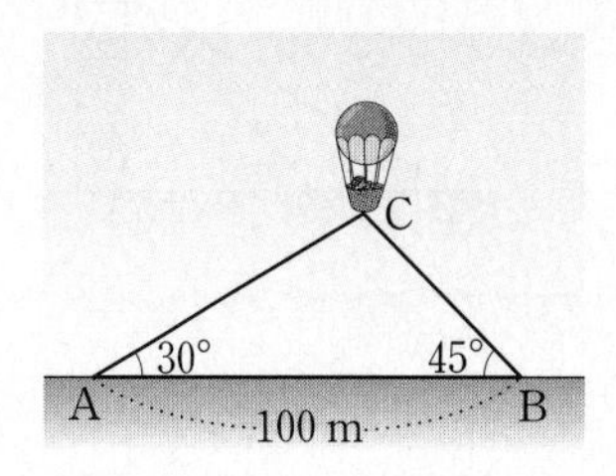

서술형

17 오른쪽 그림과 같이 $\angle B=60^\circ$, $\angle C=75^\circ$이고 $\overline{AB}=4\text{ cm}$인 $\triangle ABC$의 넓이를 구하시오.

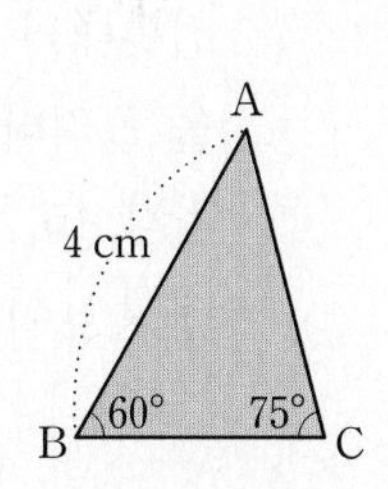

18 오른쪽 그림과 같은 $\triangle ABC$에서 $\overline{BC}=8$이고 $\angle B=30^\circ$, $\angle C=120^\circ$일 때, $\overline{AH}$의 길이를 구하시오.

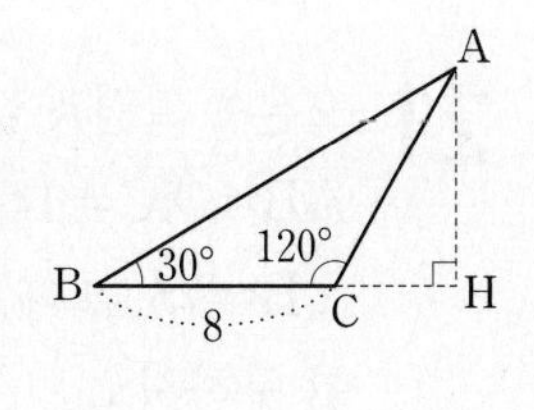

19 다음 그림과 같이 높이가 $50(\sqrt{3}+1)$ m인 건물의 꼭대기 C 지점을 두 지점 A, B에서 올려다본 각의 크기가 각각 30°, 45°일 때, 두 지점 A, B 사이의 거리를 구하시오.

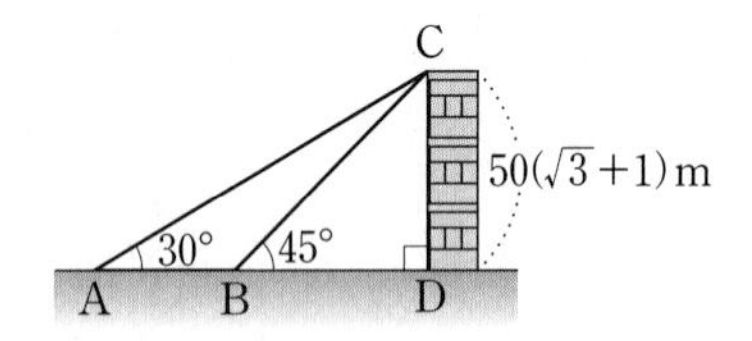

20 오른쪽 그림과 같이 18 m 떨어진 두 지점 A, B에서 전봇대의 꼭대기 C 지점을 올려다본 각의 크기가 각각 45°, 60°일 때, 전봇대의 높이인 $\overline{CD}$의 길이를 구하시오.

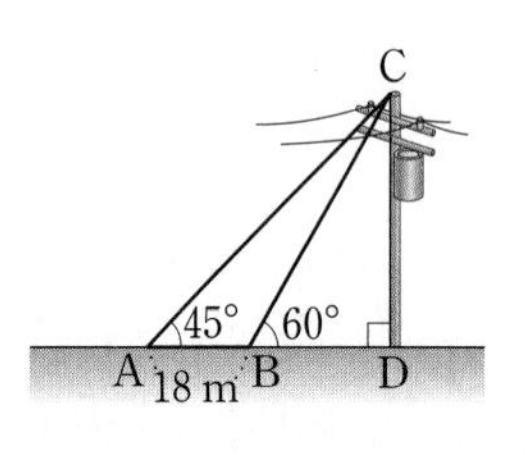

5 삼각형의 넓이

21 오른쪽 그림과 같은 △ABC에서 $\overline{AB}=\overline{AC}=14$ cm이고 ∠B=75°일 때, △ABC의 넓이를 구하시오.

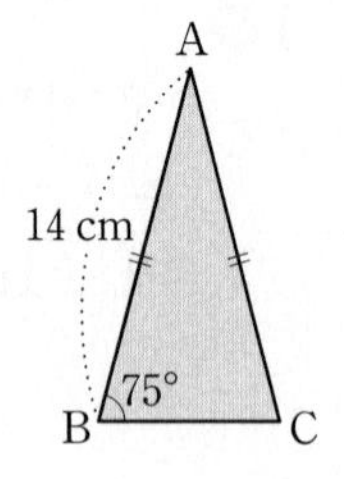

서술형

22 오른쪽 그림에서 점 G는 △ABC의 무게중심이고 ∠A=60°, $\overline{AB}=12$이다. △GDC의 넓이가 $8\sqrt{3}$일 때, $\overline{AC}$의 길이를 구하시오.

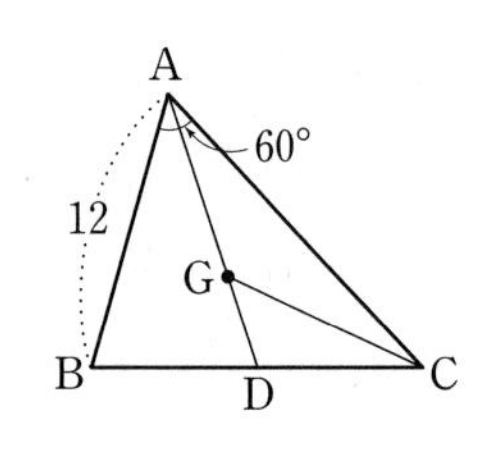

23 오른쪽 그림과 같은 □ABCD에서 $\overline{BC}=10$, $\overline{CD}=6$이고 ∠C=45°이다. $\overline{AB}$ // $\overline{DE}$일 때, □AECD의 넓이를 구하시오.

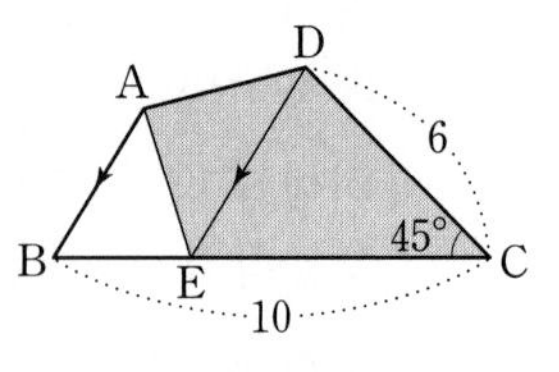

필수

24 다음 그림과 같이 $\overline{AB}=8$ cm, ∠B=150°인 △ABC의 넓이가 20 cm²일 때, $\overline{BC}$의 길이를 구하시오.

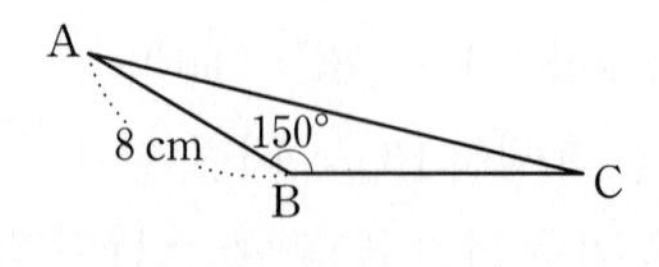

25 오른쪽 그림과 같이 한 변의 길이가 4 cm인 정사각형 ABCD의 한 변 AD를 빗변으로 하는 직각삼각형 ADE가 있다. $\angle ADE=60^\circ$일 때, $\triangle ABE$의 넓이를 구하시오.

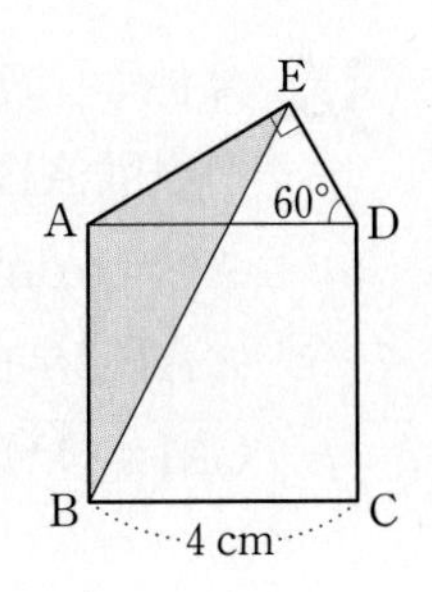

26 오른쪽 그림과 같이 반지름의 길이가 6인 반원 O에서 $\angle CAB=30^\circ$일 때, 색칠한 부분의 넓이를 구하시오.

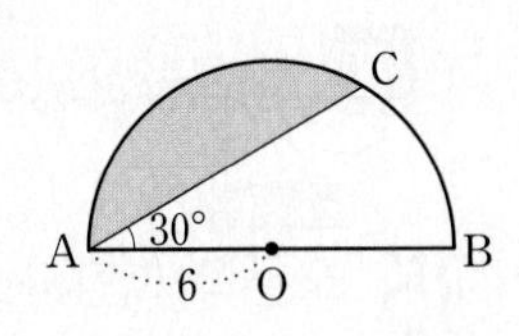

27 오른쪽 그림과 같이 $\overline{AB}=15$, $\overline{AC}=10$이고 $\angle BAC=60^\circ$인 $\triangle ABC$에서 $\overline{AD}$는 $\angle BAC$의 이등분선일 때, $\overline{AD}$의 길이를 구하시오.

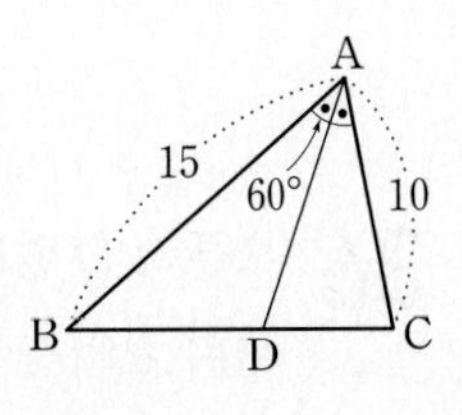

6 다각형의 넓이

필수

28 오른쪽 그림과 같은 □ABCD의 넓이를 구하시오.

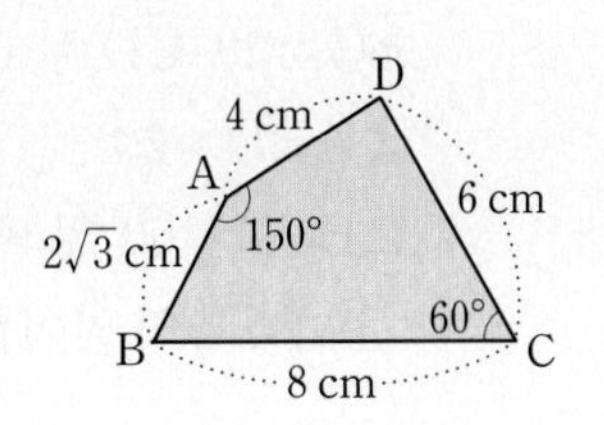

29 오른쪽 그림과 같은 □ABCD에서 $\overline{AB}=4$, $\overline{CD}=5$이고 $\angle ABD=30^\circ$, $\angle BDC=45^\circ$, $\angle C=90^\circ$일 때, □ABCD의 넓이를 구하시오.

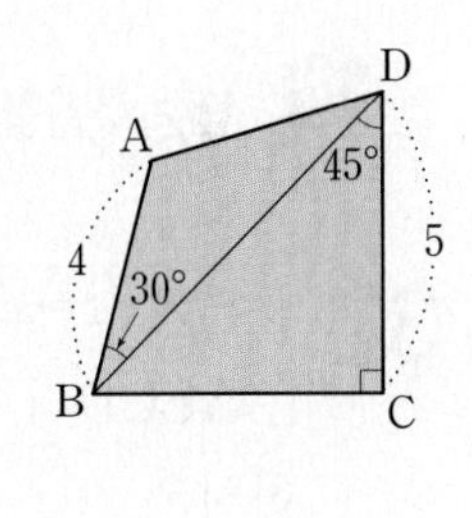

서술형

30 오른쪽 그림과 같이 지름의 길이가 12 cm인 원 O에 내접하는 정팔각형의 넓이를 구하시오.

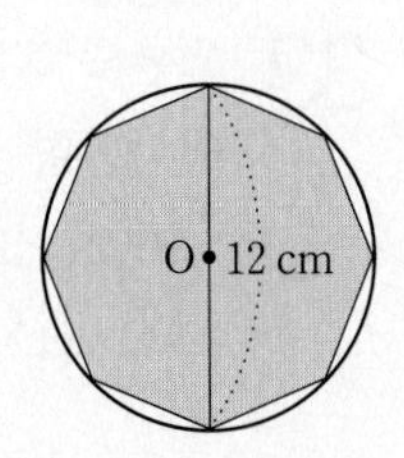

31 오른쪽 그림과 같은 □ABCD에서 $\overline{AB}=16$, $\overline{BC}=20$, $\overline{CD}=10$이고 $\angle ABD=30°$, $\angle BCD=60°$일 때, □ABCD의 넓이를 구하시오.

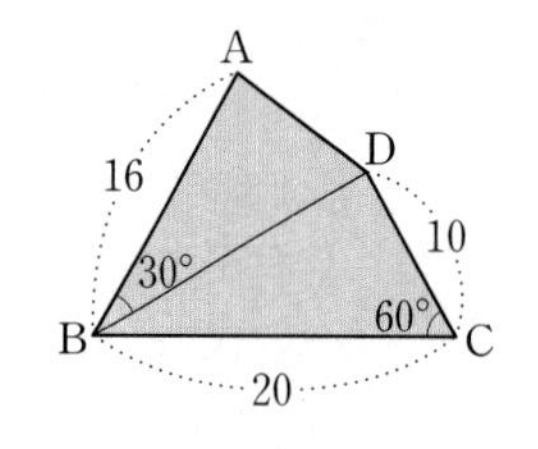

7 평행사변형의 넓이

32 오른쪽 그림과 같은 □ABCD의 넓이를 구하시오.

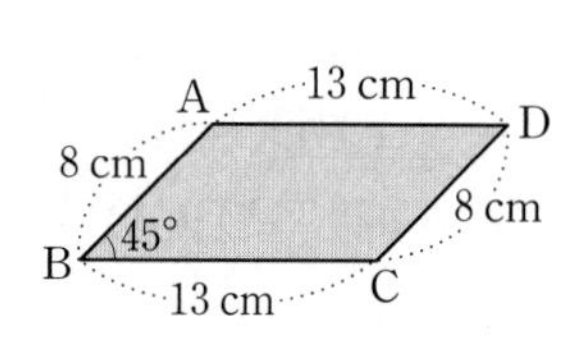

필수✓

33 오른쪽 그림과 같은 평행사변형 ABCD의 넓이가 $27\sqrt{3}\ \text{cm}^2$일 때, ∠B의 크기를 구하시오.

(단, $90° < \angle B < 180°$)

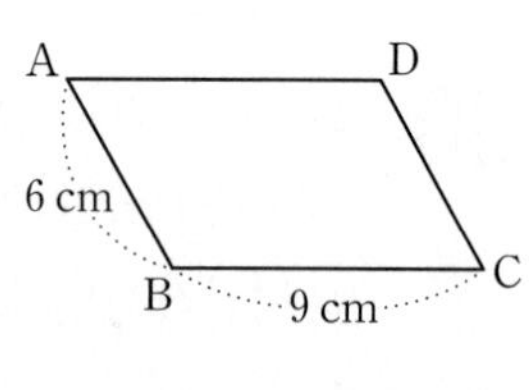

34 오른쪽 그림과 같은 평행사변형 ABCD에서 $\overline{AB}=5\ \text{cm}$, $\overline{AD}=8\ \text{cm}$, $\angle ABC=60°$이고 $\overline{CM}=\overline{DM}$일 때, △BMD의 넓이를 구하시오.

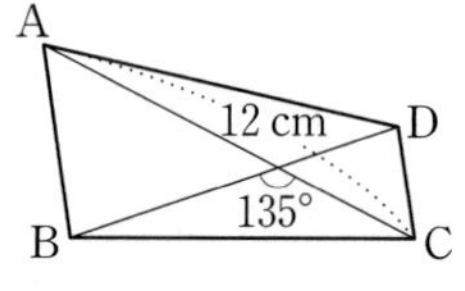

8 사각형의 넓이

필수✓

35 오른쪽 그림과 같이 두 대각선이 이루는 각의 크기가 135°이고 $\overline{AC}=12\ \text{cm}$인 □ABCD의 넓이가 $30\sqrt{2}\ \text{cm}^2$일 때, $\overline{BD}$의 길이를 구하시오.

36 오른쪽 그림과 같이 두 대각선의 길이가 각각 6 cm, 8 cm인 □ABCD의 넓이 중 가장 큰 값을 구하시오.

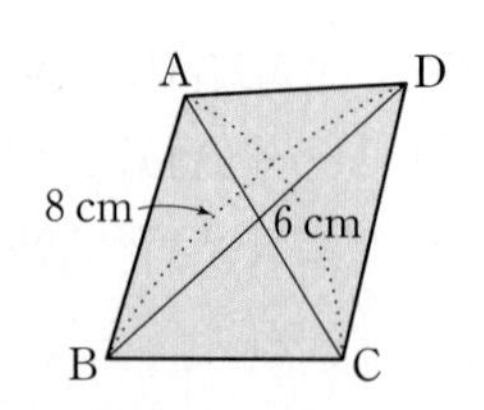

최고 수준 완성하기

해결 Plus+

01 오른쪽 그림과 같은 직각삼각형 ABC에서 $\angle A=90^{\circ}$, $\angle BDA=60^{\circ}$, $\angle BEC=105^{\circ}$, $\angle DBC=15^{\circ}$이고 $\overline{BE}=4$ cm일 때, $\overline{CD}$의 길이를 구하시오. (단, $\tan 75^{\circ}=2+\sqrt{3}$으로 계산한다.)

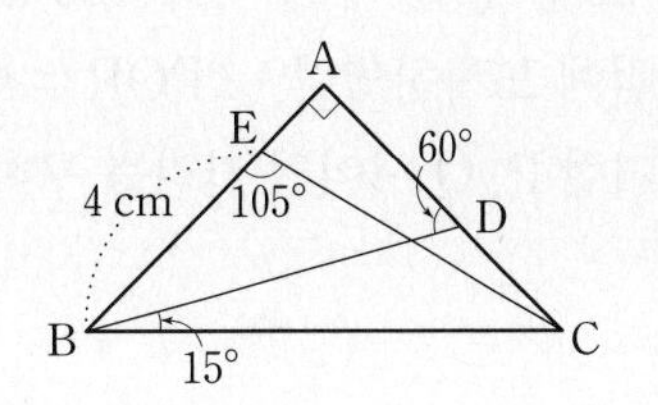

02 오른쪽 그림과 같이 길이가 50 cm인 실에 매달린 추가 B 지점과 C 지점 사이를 일정한 속력으로 움직이고 있고 $\angle BOA=\angle AOC=50^{\circ}$이다. 추가 가장 높이 올라갔을 때, A 지점을 기준으로 추는 몇 cm 높이에 있는지 구하시오. (단, $\cos 50^{\circ}=0.64$로 계산하고, 추의 크기는 생각하지 않는다.)

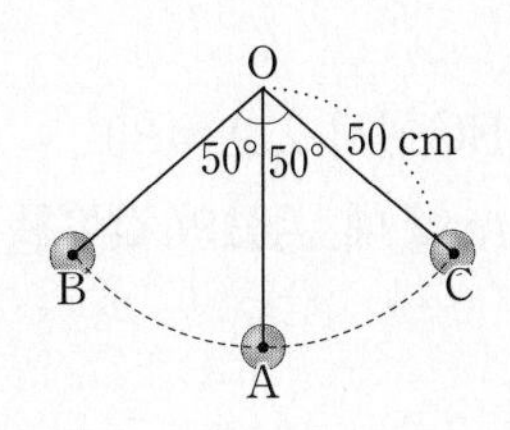

점 C에서 $\overline{OA}$에 수선을 그어 선분의 길이를 구한다.

융합형

03 오른쪽 그림과 같이 반지름의 길이가 40 m인 원 모양의 놀이기구가 시계 반대 방향으로 2분에 1바퀴를 회전한다. 현재 $\overline{OA}$와 지면이 평행하다고 할 때, 40초 후에 지면에서 A 지점까지의 높이를 구하시오.

(단, 원의 중심 O는 지면으로부터 50 m 위에 있다.)

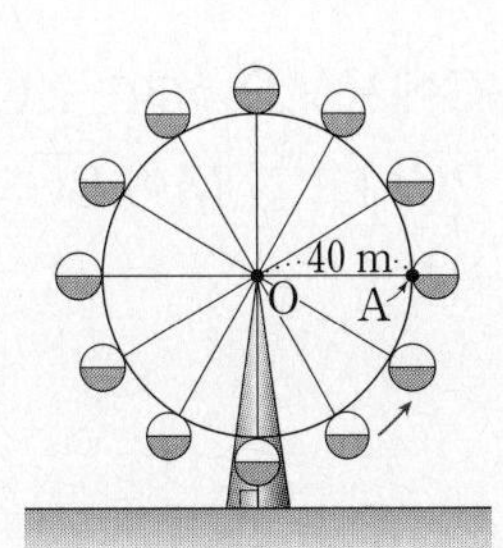

1초에 몇 도씩 회전하는지 구한다.

창의·융합

04 오른쪽 그림과 같이 두 자동차가 O 지점을 동시에 출발하여 서로 다른 방향으로 30분 동안 각각 시속 120 km, 80 km로 달려 P, Q 지점에 도착하였다. $\angle POR=40°$, $\angle ROQ=20°$일 때, 두 지점 P, Q 사이의 거리를 구하시오.

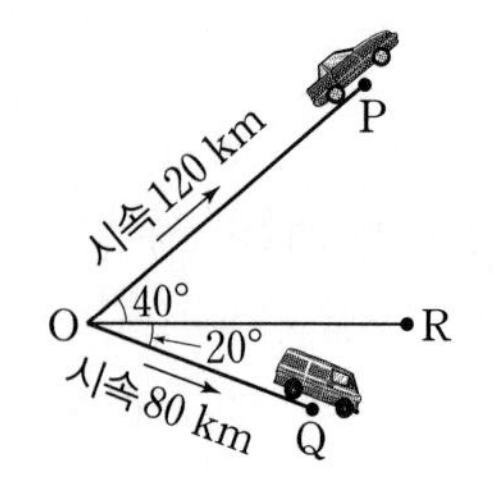

해결 Plus+

30분 동안 두 자동차가 이동한 거리가 각각 $\overline{OP}$, $\overline{OQ}$의 길이이다.

서술형

05 오른쪽 그림과 같은 $\triangle ABC$에서 $\angle A=30°$, $\angle C=15°$이고 $\overline{AC}=8$ cm일 때, $\overline{AB}$의 길이를 구하시오.

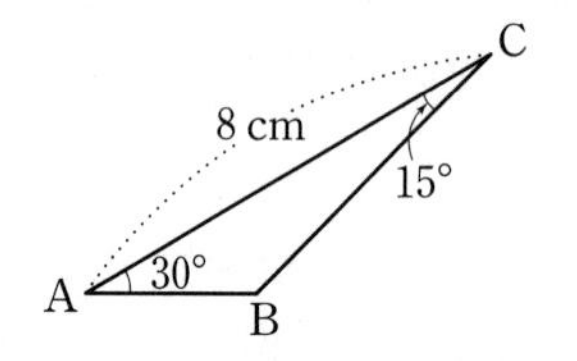

점 C에서 $\overline{AB}$의 연장선에 수선을 그어 본다.

06 오른쪽 그림과 같은 $\triangle ABC$에서 $\angle B=60°$, $\angle C=45°$이고 $\overline{BC}=24$이다. $\overline{AH}\perp\overline{BC}$이고 점 M이 $\overline{BC}$의 중점일 때, $\overline{HM}$의 길이를 구하시오.

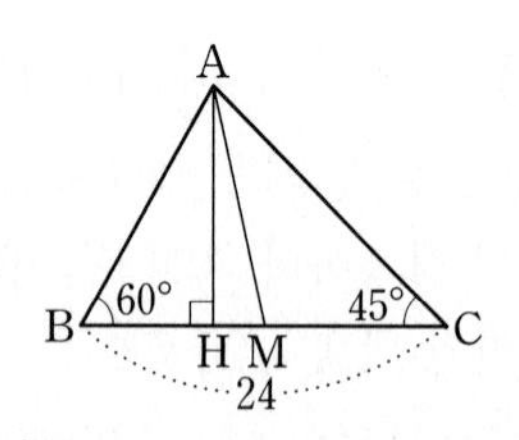

07 오른쪽 그림과 같이 △ABC에서 ∠B의 크기는 변화시키지 않고 $\overline{AB}$의 길이를 40 % 줄이고 $\overline{BC}$의 길이를 30 % 늘여서 새로운 △DBE를 만들었다. 이때 △DBE의 넓이는 △ABC의 넓이의 몇 %인지 구하시오.

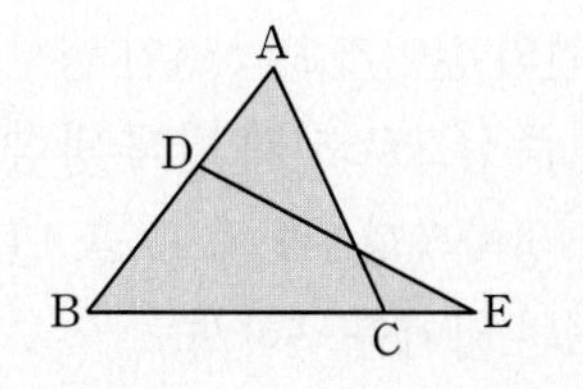

해결 Plus+

$\overline{AB}=c$, $\overline{BC}=a$로 놓고 $\overline{BD}$의 길이를 c의 식으로, $\overline{BE}$의 길이를 a의 식으로 나타낸다.

서술형

08 오른쪽 그림과 같이 반지름의 길이가 6 cm인 원 O에서 $\widehat{AB}:\widehat{BC}:\widehat{CA}=3:2:3$일 때, △ABC의 넓이를 구하시오.

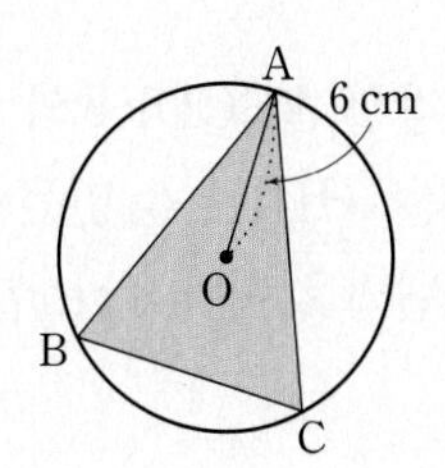

$\widehat{AB}:\widehat{BC}:\widehat{CA}$
$=\angle AOB:\angle BOC:\angle COA$
이다.

09 오른쪽 그림에서 □ABCD는 정사각형이고 두 점 E, F는 각각 $\overline{AD}$, $\overline{CD}$의 중점이다. $\angle EBF=x$라고 할 때, $\sin x$의 값을 구하시오.

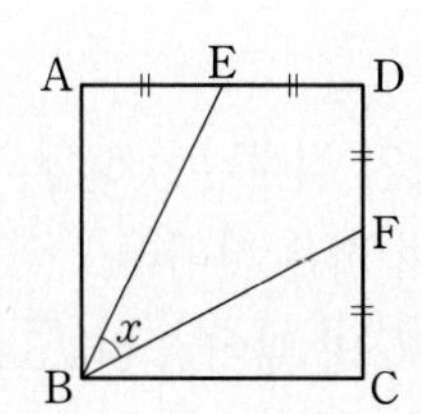

□ABCD
=△ABE+△EBF
+△FBC+△DEF
임을 이용한다.

10 오른쪽 그림과 같이 한 변의 길이가 10 cm인 정사각형 ABCD를 점 A를 중심으로 시계 반대 방향으로 40°만큼 회전시켜 정사각형 AB′C′D′을 만들었다. 이때 □DAB′E의 넓이를 구하시오.

(단, $\tan 25^\circ = 0.47$로 계산한다.)

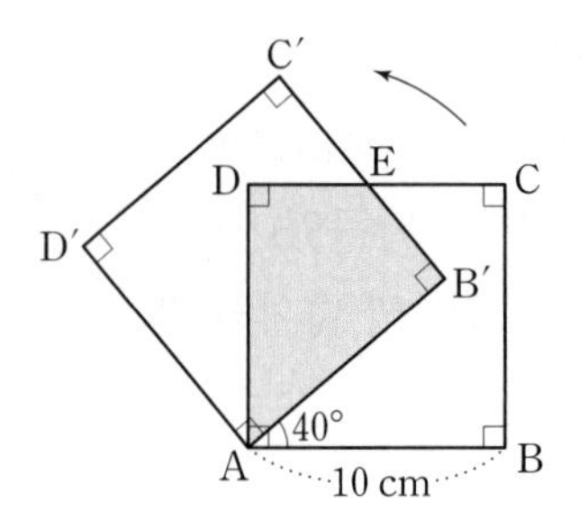

해결 Plus⁺

$\overline{AE}$를 긋고 합동인 두 삼각형을 찾는다.

창의력

11 오른쪽 그림과 같이 정육각형 ABCDEF의 각 변의 중점을 연결하여 정육각형 GHIJKL을 만들었다. 정육각형 ABCDEF의 한 변의 길이가 8 cm일 때, 다음 물음에 답하시오.

(1) 정육각형 GHIJKL의 한 변의 길이를 구하시오.

(2) 정육각형 GHIJKL의 넓이를 구하시오.

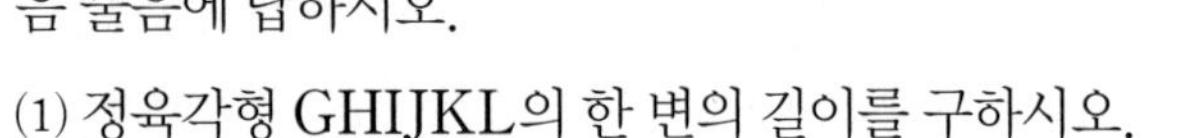

12 오른쪽 그림은 폭이 x cm인 직사각형 모양의 종이를 $\overline{AC}$를 접는 선으로 하여 접은 것이다. $\angle ABC = 60^\circ$이고 $\triangle ABC$의 넓이가 $36\sqrt{3}\ \text{cm}^2$일 때, x의 값을 구하시오.

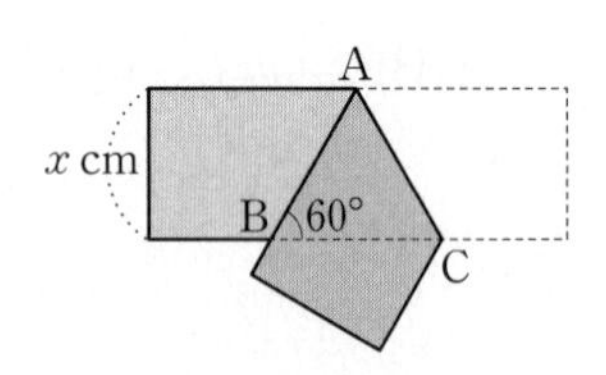

최고 수준 뛰어넘기

정답과 풀이 P 18

창의·융합

01

거리가 800 m인 두 지점 A, B를 연결하는 직선도로 A－B를 건설하였는데 경사가 35°이어서 우회도로가 필요하였다. 오른쪽 그림과 같이 13°의 경사를 유지하는 우회도로 A－C－B를 건설하였을 때, 이 우회도로의 길이는 몇 m인지 구하시오. (단, A－C, C－B는 직선도로이고, $\sin 13° = 0.2$, $\sin 35° = 0.6$으로 계산한다.)

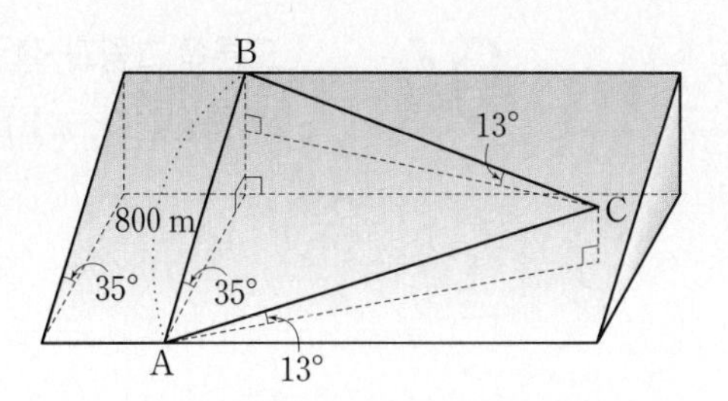

STEP UP

02

다음 그림과 같이 $\angle B = 90°$이고 $\overline{AB} = 10$인 직각삼각형 ABC의 변 BC 위의 16개의 점 B_1, B_2, B_3, $\cdots$, B_{16}에 대하여 $\angle BAB_1 = \angle B_1AB_2 = \angle B_2AB_3 = \cdots = \angle B_{15}AB_{16} = \angle B_{16}AC = 5°$이다. 1보다 큰 두 자연수 x, y에 대하여 $\overline{BB_1} \times \overline{BB_2} \times \overline{BB_3} \times \cdots \times \overline{BC} = x^y$일 때, $x+y$의 값을 구하시오.

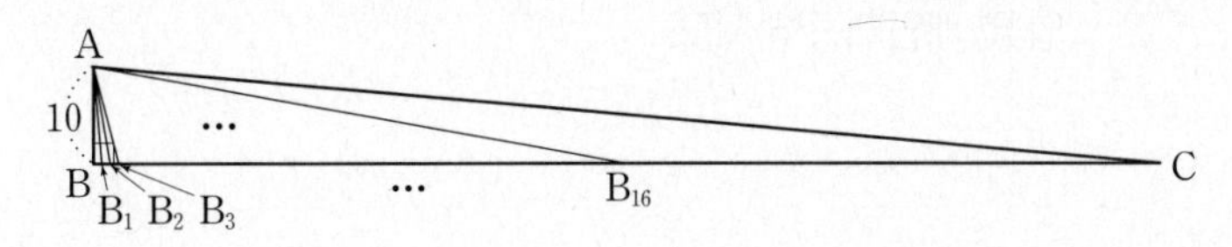

03

오른쪽 그림에서 점 I는 △ABC의 내심이고 $\angle B = 45°$, $\angle DAC = 30°$, $\overline{AD} = 12$일 때, $\overline{AB} + \overline{AC}$의 값을 구하시오.

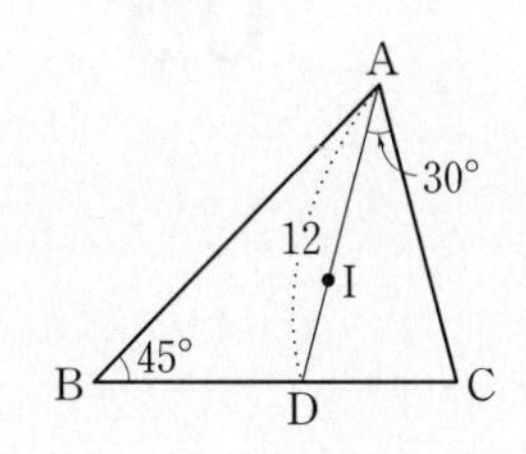

04

오른쪽 그림과 같은 정삼각형 ABC에서 점 D는 $\overline{AB}$의 중점이고 점 E는 $\overline{CD}$의 중점이다. $\angle EBC=x$라고 할 때, $\sin x$의 값을 구하시오.

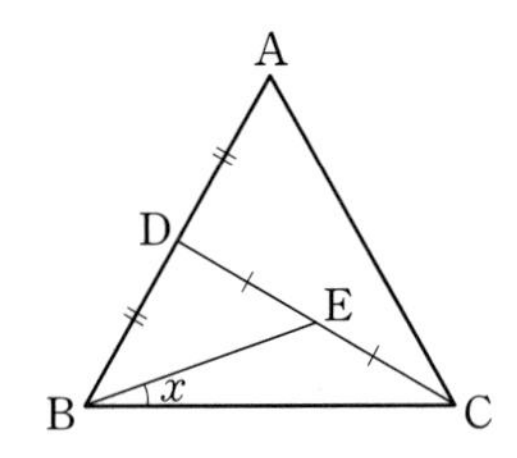

05

오른쪽 그림과 같은 △ABC에서 $\overline{AB}$를 삼등분한 점 중 점 A에 가까운 점을 P, $\overline{BC}$를 삼등분한 점 중 점 B에 가까운 점을 Q, $\overline{CA}$를 삼등분한 점 중 점 C에 가까운 점을 R라고 하자. 이때 △ABC의 넓이는 △PQR의 넓이의 몇 배인지 구하시오.

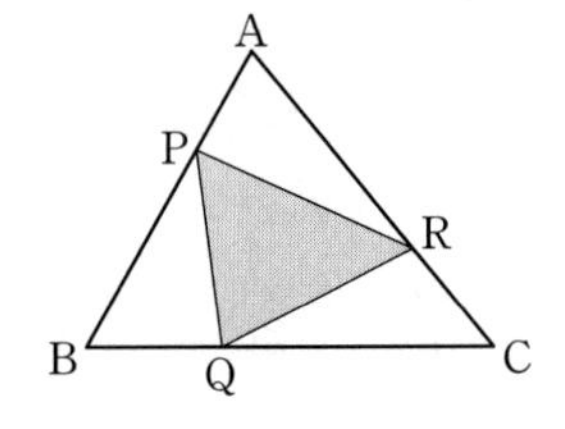

06

창의력

오른쪽 그림과 같이 크기가 같은 6개의 작은 원이 서로 외접하면서 반지름의 길이가 15인 큰 원 O에 내접하고 있다. 이때 색칠한 부분의 넓이를 구하시오.

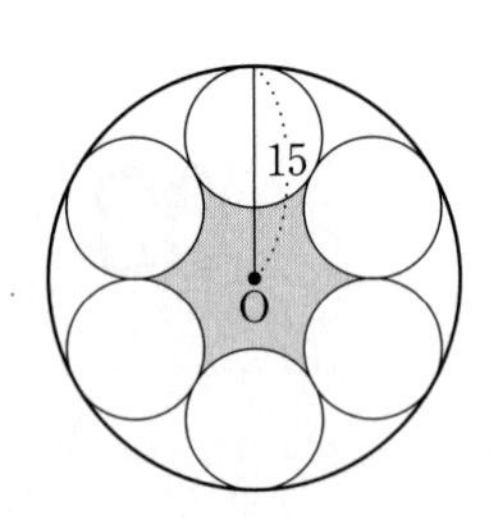

교과서 속 창의 사고력

01

오른쪽 그림과 같이 $\overline{AD}=4$인 □ABCD에서 $\angle ABC=\angle ACD=\angle AED=90^\circ$, $\angle CAB=45^\circ$, $\angle ADE=15^\circ$일 때, $\sin 75^\circ$의 값을 구하시오.

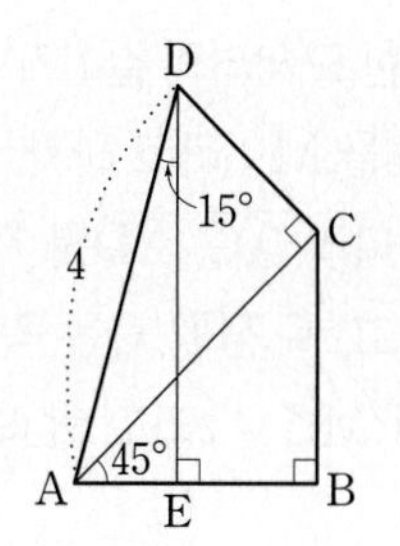

풀이▶

답▶

생각 Plus+

크기가 75°인 각을 찾고 특수한 각의 삼각비의 값을 이용한다.

02

오른쪽 그림과 같이 지면으로부터 높이가 80 m인 전망대의 꼭대기 C 지점에서 직선도로를 일정한 속력으로 달리고 있는 자동차를 내려다보았다. 전망대의 꼭대기 C 지점에서 자동차가 A 지점에 있을 때 자동차를 내려다본 각의 크기는 60°이고, 4초 후 자동차가 B 지점에 있을 때 자동차를 내려다본 각의 크기는 30°이었다. 이 자동차가 4초 동안 움직인 거리를 구하시오.

(단, 도로의 폭은 생각하지 않는다.)

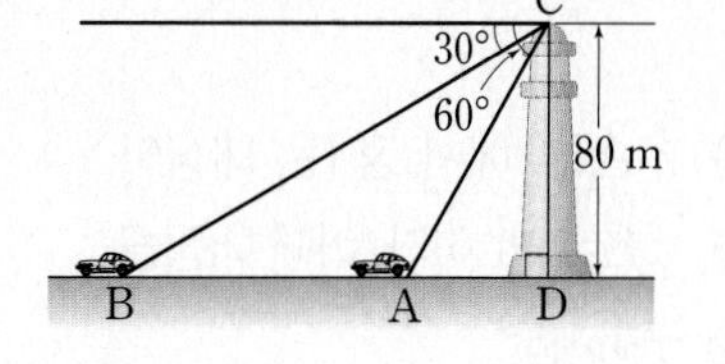

풀이▶

답▶

먼저 $\angle BCD$, $\angle ACD$의 크기를 각각 구한다.

03

오른쪽 그림과 같이 한 모서리의 길이가 4 cm인 정사면체에서 $\overline{BC}$의 중점을 M이라고 하자. 실을 점 M에서 출발하여 겉면을 따라 $\overline{AC}$, $\overline{AD}$를 지나 꼭짓점 B까지 가장 짧게 감았고, 두 점 P, Q는 각각 실과 $\overline{AC}$, $\overline{AD}$의 교점이다. $\angle PMC = x$라고 할 때, $\cos x$의 값을 구하시오.

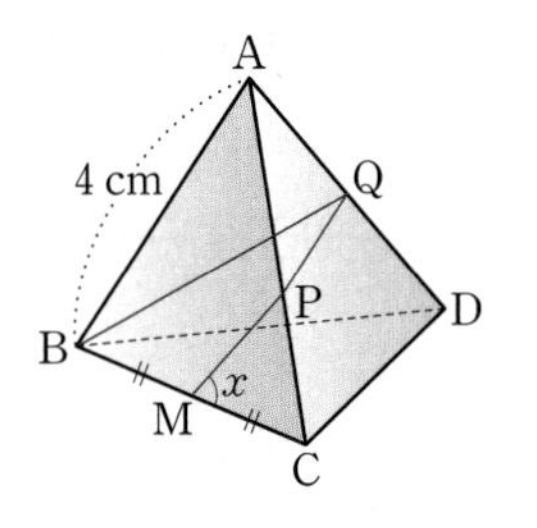

풀이▶

답▶

생각 Plus+

정사면체의 전개도를 그려 본다.

04

오른쪽 그림과 같은 $\triangle ABC$에서 점 I는 내심이고 $\overline{AB}=4$, $\overline{BC}=6$, $\angle B=60^\circ$이다. 이때 내접원 I의 반지름의 길이를 구하시오.

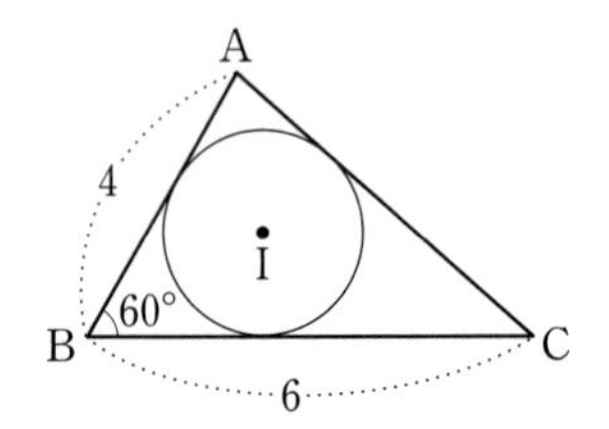

풀이▶

답▶

$\overline{IA}$, $\overline{IB}$, $\overline{IC}$를 긋고
$\triangle ABC$
$=\triangle ABI+\triangle BCI+\triangle CAI$임을 이용한다.

II

원의 성질

1 원과 직선

1 원의 중심과 현의 수직이등분선

(1) 원의 중심에서 현에 내린 수선은 그 현을 수직이등분한다.

➡ $\overline{OM}\perp\overline{AB}$이면 $\overline{AM}=\overline{BM}$ ⟶ $\overline{AB}=2\overline{AM}=2\overline{BM}$

(2) 원에서 현의 수직이등분선은 그 원의 중심을 지난다.

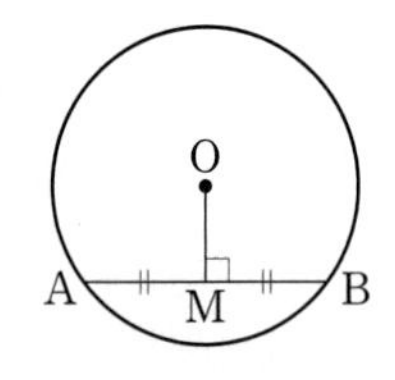

참고 (1) 오른쪽 그림의 $\triangle OAM$과 $\triangle OBM$에서

$\angle OMA=\angle OMB=90^\circ$, $\overline{OA}=\overline{OB}$, $\overline{OM}$은 공통이므로

$\triangle OAM\equiv\triangle OBM$ (RHS 합동)

$\therefore \overline{AM}=\overline{BM}$

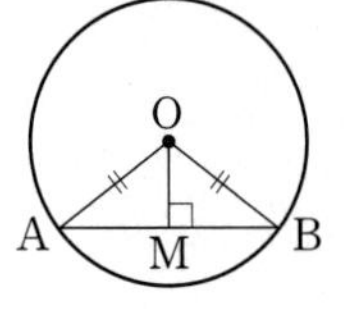

(2) 오른쪽 그림과 같이 원 O 위에 현 AB를 긋고 점 C를 잡아 $\triangle ABC$를 그리면 원 O는 $\triangle ABC$의 외접원이므로 점 O는 $\triangle ABC$의 외심이다.
따라서 점 O는 $\triangle ABC$의 세 변의 수직이등분선의 교점이므로 현 AB의 수직이등분선은 원의 중심 O를 지난다.

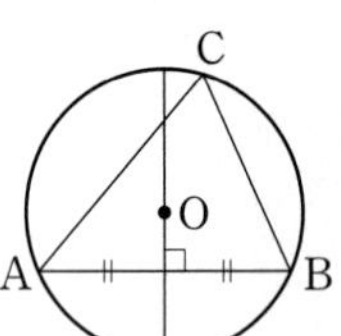

- 한 원에서 길이가 같은 두 호에 대한 현의 길이는 같다.
- 한 원에서 중심각의 크기와 호의 길이는 정비례하고, 중심각의 크기와 현의 길이는 정비례하지 않는다.

2 원의 중심에서 현까지의 거리와 현의 길이

(1) 한 원에서 중심으로부터 같은 거리에 있는 두 현의 길이는 같다.

➡ $\overline{OM}=\overline{ON}$이면 $\overline{AB}=\overline{CD}$

(2) 한 원에서 길이가 같은 두 현은 원의 중심으로부터 같은 거리에 있다.

➡ $\overline{AB}=\overline{CD}$이면 $\overline{OM}=\overline{ON}$

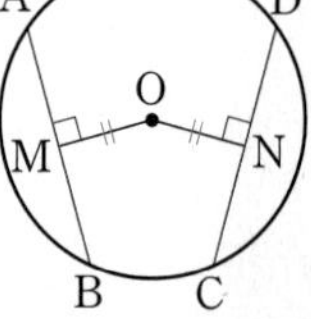
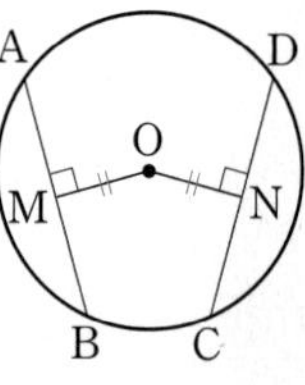

참고 (1) 오른쪽 그림의 $\triangle OAM$과 $\triangle ODN$에서

$\angle OMA=\angle OND=90^\circ$, $\overline{OA}=\overline{OD}$, $\overline{OM}=\overline{ON}$이므로

$\triangle OAM\equiv\triangle ODN$ (RHS 합동)

$\therefore \overline{AM}=\overline{DN}$

이때 $\overline{AB}=2\overline{AM}$, $\overline{CD}=2\overline{DN}$이므로 $\overline{AB}=\overline{CD}$

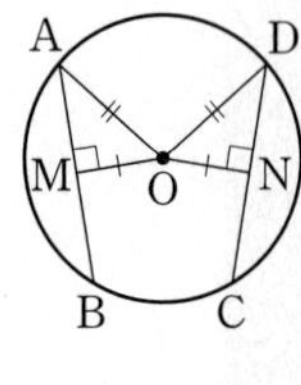

(2) 오른쪽 그림에서 $\overline{AM}=\frac{1}{2}\overline{AB}$, $\overline{DN}=\frac{1}{2}\overline{CD}$

이때 $\overline{AB}=\overline{CD}$이므로 $\overline{AM}=\overline{DN}$

$\triangle OAM$과 $\triangle ODN$에서

$\angle OMA=\angle OND=90^\circ$, $\overline{OA}=\overline{OD}$, $\overline{AM}=\overline{DN}$이므로

$\triangle OAM\equiv\triangle ODN$ (RHS 합동)

$\therefore \overline{OM}=\overline{ON}$

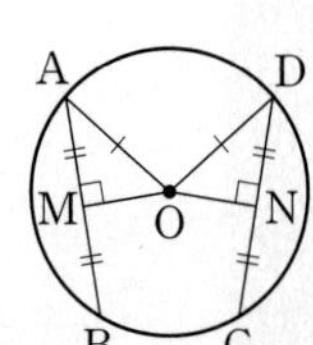

- $\triangle ABC$의 외접원 O에서 $\overline{OM}=\overline{ON}$이면 $\overline{AB}=\overline{AC}$이므로 $\triangle ABC$는 이등변삼각형이다.

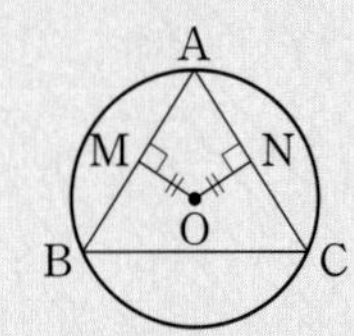

3 원의 접선

(1) 원 O 밖의 한 점 P에서 이 원에 그을 수 있는 접선은 2개이고, 점 P에서 두 접점 A, B까지의 거리를 각각 점 P에서 원 O에 그은 접선의 길이라고 한다.

(2) 원 밖의 한 점에서 그 원에 그은 두 접선의 길이는 같다.

⇒ $\overline{PA}=\overline{PB}$

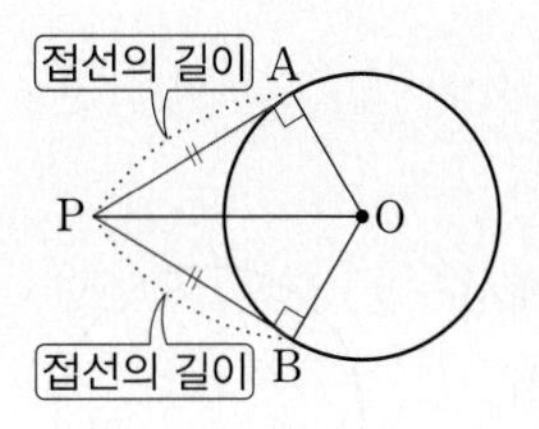

참고 (2) △PAO와 △PBO에서
$\angle PAO=\angle PBO=90^\circ$, $\overline{OA}=\overline{OB}$, $\overline{OP}$는 공통이므로
△PAO≡△PBO (RHS 합동)
$\therefore \overline{PA}=\overline{PB}$

• 원의 접선은 그 접점을 지나는 원의 반지름에 수직이다.

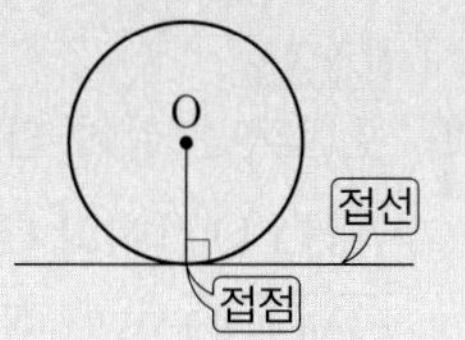

4 삼각형의 내접원

(1) 삼각형의 내접원

원 O가 △ABC의 내접원이고 세 점 D, E, F가 접점일 때

① $\overline{AD}=\overline{AF}$, $\overline{BD}=\overline{BE}$, $\overline{CE}=\overline{CF}$

② (△ABC의 둘레의 길이)$=a+b+c$

$=2(x+y+z)$

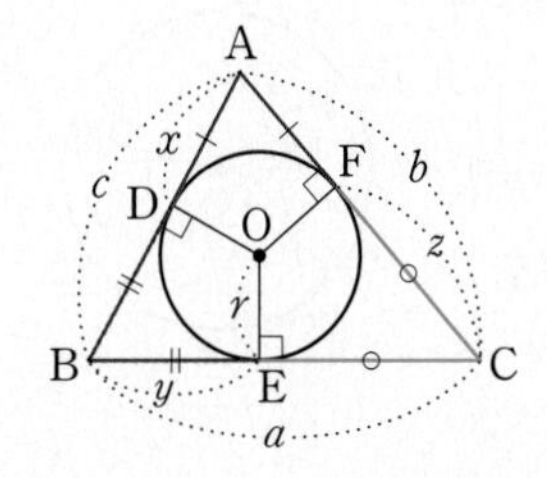

세 점 D, E, F는 접점이므로 세 꼭짓점 A, B, C에서 접점에 이르는 거리는 각각 같아. 즉 $\overline{AD}=\overline{AF}$, $\overline{BD}=\overline{BE}$, $\overline{CE}=\overline{CF}$야.

(2) 직각삼각형의 내접원

원 O가 $\angle C=90^\circ$인 직각삼각형 ABC의 내접원이고 내접원의 반지름의 길이가 r일 때

① □OECF는 한 변의 길이가 r인 정사각형이다.

② $\triangle ABC=\frac{1}{2}r(a+b+c)=\frac{1}{2}ab$

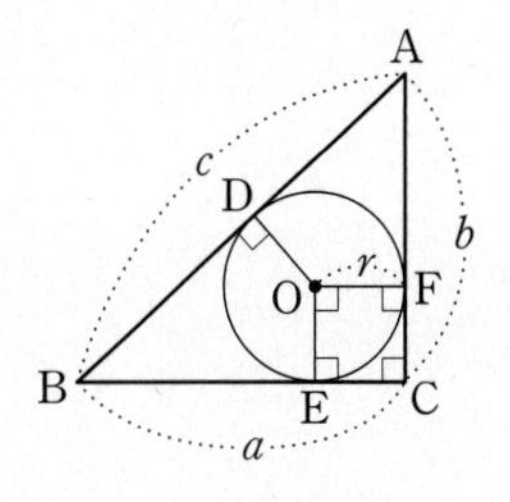

5 원에 외접하는 사각형의 성질

(1) 원에 외접하는 사각형의 두 쌍의 대변의 길이의 합은 같다.

⇒ $\overline{AB}+\overline{CD}=\overline{AD}+\overline{BC}$

(2) 두 쌍의 대변의 길이의 합이 같은 사각형은 원에 외접한다.

참고 (1) $\overline{AB}+\overline{CD}=(\overline{AP}+\overline{BP})+(\overline{CR}+\overline{DR})$
$=(\overline{AS}+\overline{BQ})+(\overline{CQ}+\overline{DS})$ ← $\overline{AP}=\overline{AS}$, $\overline{BP}=\overline{BQ}$, $\overline{CR}=\overline{CQ}$, $\overline{DR}=\overline{DS}$
$=(\overline{AS}+\overline{DS})+(\overline{BQ}+\overline{CQ})$
$=\overline{AD}+\overline{BC}$

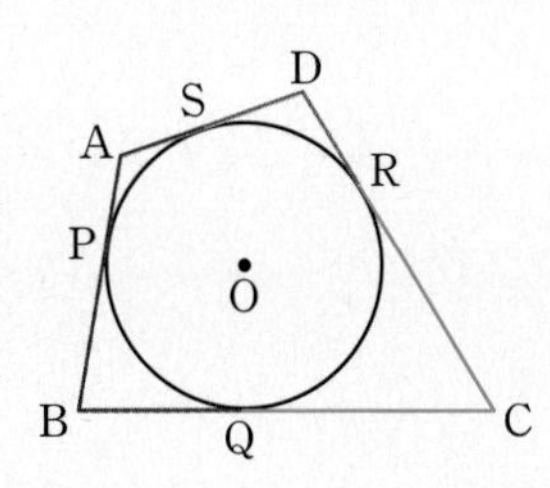

최고 수준 입문하기

1 현의 수직이등분선

필수

01 오른쪽 그림과 같은 원 O에서 $\overline{AB}\perp\overline{OM}$이고 $\overline{OA}=8$ cm, $\overline{OM}=4$ cm일 때, $\overline{AB}$의 길이를 구하시오.

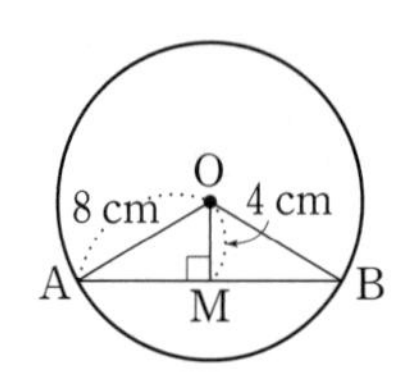

02 오른쪽 그림과 같은 원 O에서 $\overline{AB}\perp\overline{OM}$, $\overline{CD}\perp\overline{ON}$이고 $\overline{AB}=10$, $\overline{OM}=2$, $\overline{ON}=4$일 때, 현 CD의 길이를 구하시오.

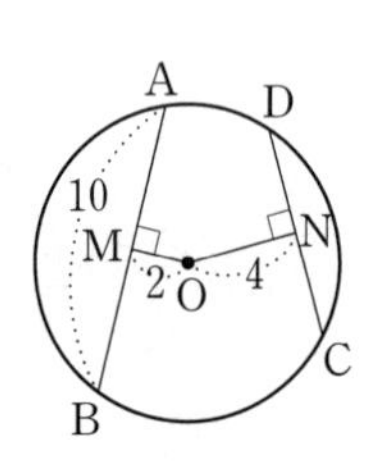

03 오른쪽 그림과 같은 원 O에서 $\overline{AB}\perp\overline{OC}$이고 $\overline{AM}=6$, $\overline{CM}=3$일 때, 원 O의 반지름의 길이를 구하시오.

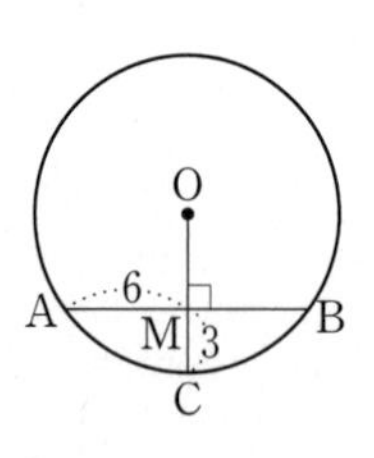

서술형

04 오른쪽 그림과 같이 $\overline{AB}$가 원 O의 지름이고 $\overline{AB}\perp\overline{CD}$, $\overline{AM}=16$ cm, $\overline{MB}=2$ cm일 때, $\overline{CD}$의 길이를 구하시오.

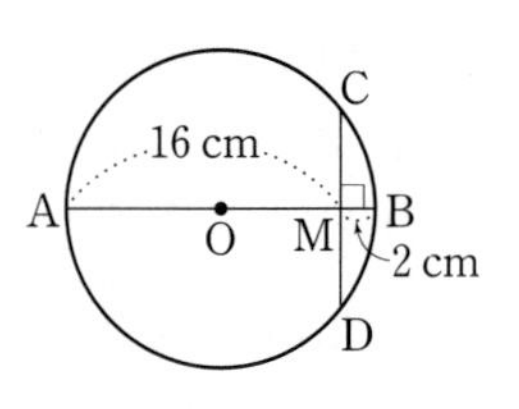

필수

05 오른쪽 그림에서 $\widehat{AB}$는 원의 일부분이고 $\overline{AB}\perp\overline{CD}$이다. $\overline{AD}=\overline{BD}=8$ cm, $\overline{CD}=4$ cm일 때, 이 원의 반지름의 길이를 구하시오.

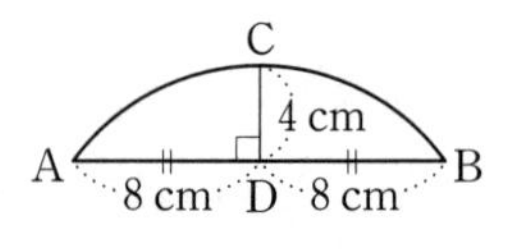

06 오른쪽 그림은 깨진 접시의 일부분이다. 깨지기 전 원래 원 모양의 접시의 둘레의 길이를 구하시오.

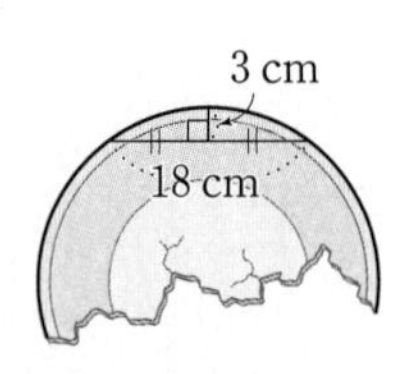

07 오른쪽 그림은 반지름의 길이가 10인 원 모양의 종이를 원주 위의 한 점이 원의 중심 O에 겹쳐지도록 접은 것이다. 이때 $\overline{AB}$의 길이를 구하시오.

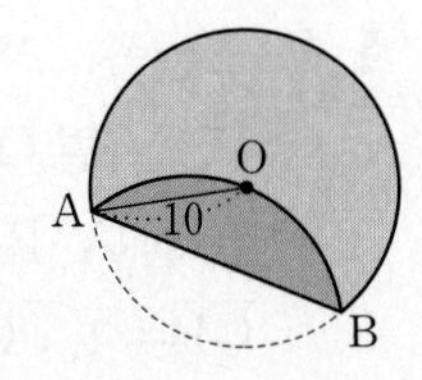

서술형

08 오른쪽 그림과 같이 원 모양의 종이를 원주 위의 한 점이 원의 중심 O에 겹쳐지도록 접었을 때, 접힌 현 AB의 길이가 $12\sqrt{3}$ cm이었다. 이때 원의 반지름의 길이를 구하시오.

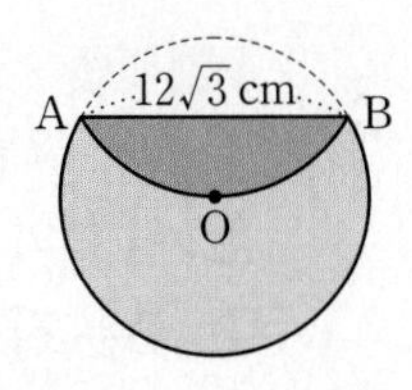

2 원의 중심에서 현까지의 거리와 현의 길이

필수

09 오른쪽 그림과 같은 원 O에서 $\overline{AB}\perp\overline{OM}$, $\overline{CD}\perp\overline{ON}$이다. $\overline{OA}=8$, $\overline{OM}=\overline{ON}=6$일 때, $\overline{AB}+\overline{CD}$의 값을 구하시오.

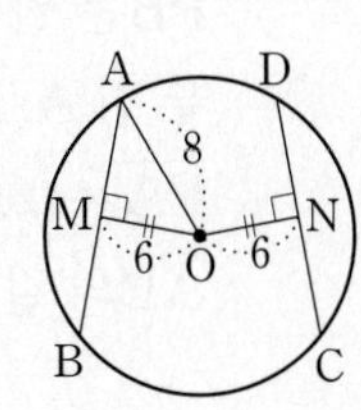

10 오른쪽 그림과 같은 원 O에서 $\overline{AB}\perp\overline{OM}$, $\overline{CD}\perp\overline{ON}$이고 $\overline{OM}=\overline{ON}$이다. $\angle ABO=30°$, $\overline{CD}=4\sqrt{3}$일 때, 원 O의 넓이를 구하시오.

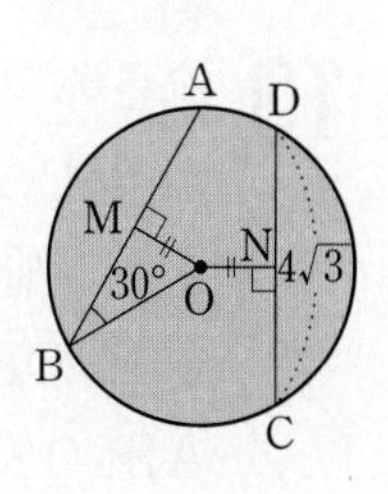

11 오른쪽 그림과 같이 △ABC가 원 O에 내접하고 $\overline{AB}\perp\overline{OM}$, $\overline{AC}\perp\overline{ON}$, $\overline{OM}=\overline{ON}$이다. $\angle B=70°$일 때, $\angle A$의 크기를 구하시오.

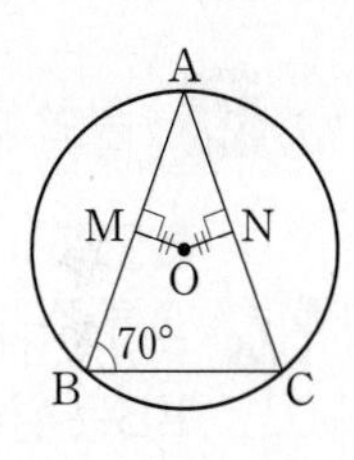

12 오른쪽 그림과 같이 원 O에 내접하는 △ABC에서 $\overline{AB}\perp\overline{OM}$, $\overline{AC}\perp\overline{ON}$이고 $\overline{OM}=\overline{ON}$이다. $\angle MON=104°$일 때, $\angle B$의 크기를 구하시오.

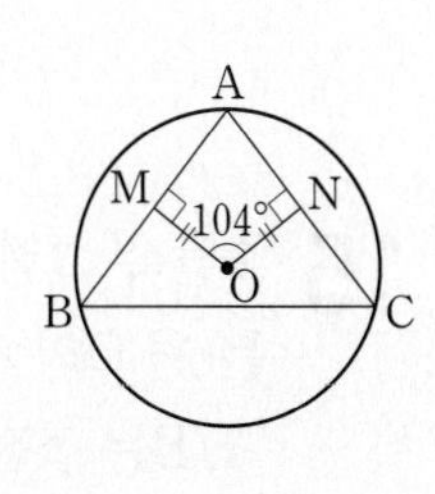

서술형

13 오른쪽 그림과 같이 원 O의 중심에서 $\overline{AB}$, $\overline{BC}$, $\overline{CA}$에 내린 수선의 발을 각각 D, E, F라고 할 때, $\overline{OD}=\overline{OE}=\overline{OF}$이다. $\overline{AB}=12$일 때, 원 O의 넓이를 구하시오.

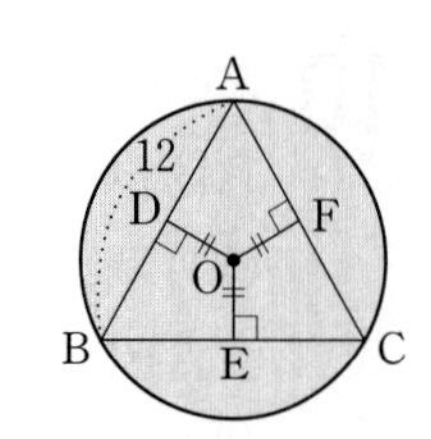

3 원의 접선의 성질

필수

14 오른쪽 그림에서 $\overrightarrow{PA}$, $\overrightarrow{PB}$는 원 O의 접선이고 두 점 A, B는 접점이다. $\angle P=52°$일 때, $\angle OBA$의 크기를 구하시오.

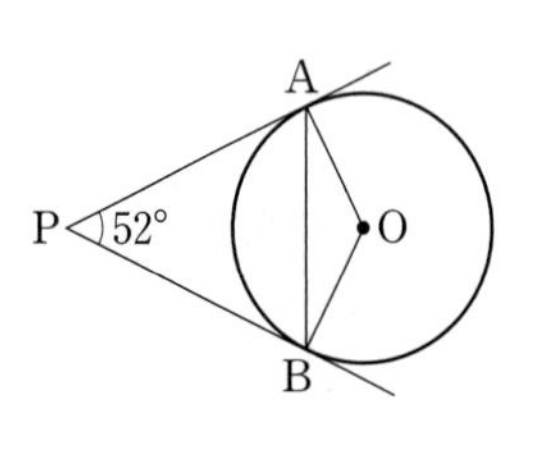

15 오른쪽 그림에서 $\overline{PA}$, $\overline{PB}$는 원 O의 접선이고 두 점 A, B는 접점이다. $\overline{OA}=4$ cm, $\angle P=70°$일 때, 색칠한 부분의 넓이를 구하시오.

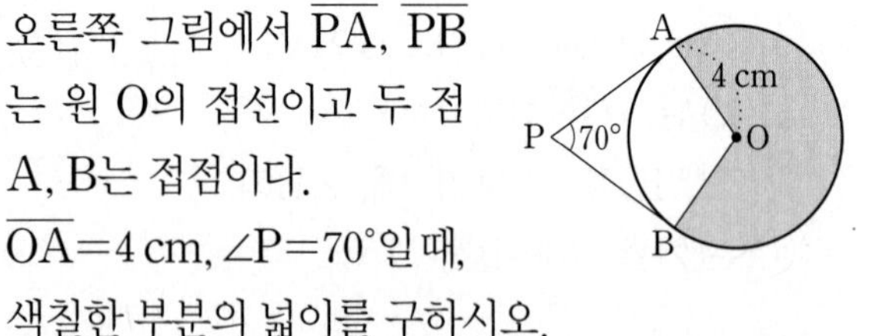

16 오른쪽 그림에서 $\overline{PA}$, $\overline{PB}$는 원 O의 접선이고 두 점 A, B는 접점이다. $\overline{OB}=4$, $\overline{PC}=6$일 때, $\overline{PA}$의 길이를 구하시오.

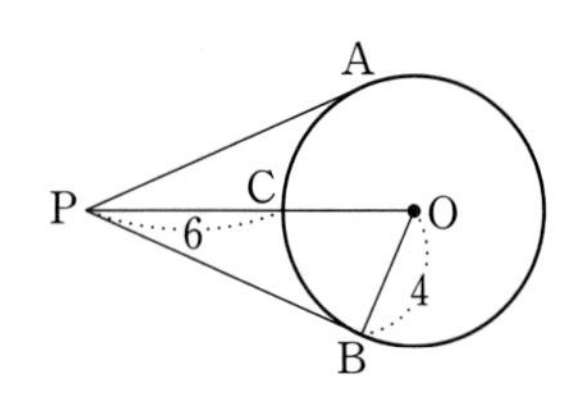

서술형

17 오른쪽 그림에서 $\overrightarrow{PA}$, $\overrightarrow{PB}$는 원 O의 접선이고 두 점 A, B는 접점이다. $\angle APB=60°$, $\overline{PA}=6$ cm일 때, 원 O의 반지름의 길이를 구하시오.

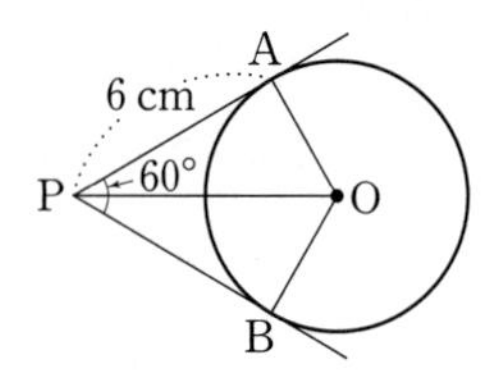

18 오른쪽 그림에서 $\overrightarrow{PA}$, $\overrightarrow{PB}$는 원 O의 접선이고 두 점 A, B는 접점이다. $\overline{PA}=12$, $\overline{OA}=5$일 때, $\overline{AB}$의 길이를 구하시오.

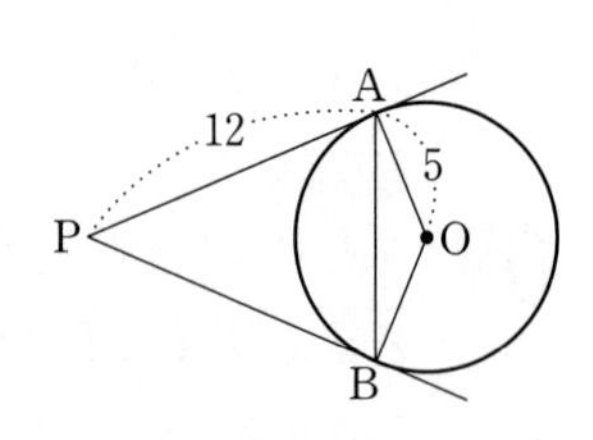

4 원의 접선의 성질의 활용

19 오른쪽 그림에서 $\overrightarrow{AE}$, $\overrightarrow{AF}$, $\overline{BC}$는 원 O의 접선이고 세 점 D, E, F는 접점이다. $\overline{AB}=8$, $\overline{AC}=10$, $\overline{AE}=13$일 때, $\overline{BC}$의 길이를 구하시오.

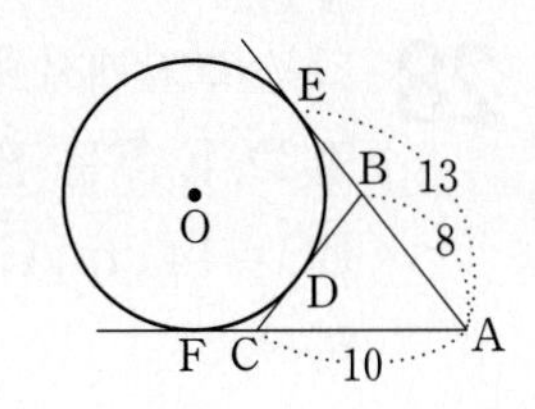

필수✓

20 오른쪽 그림에서 $\overrightarrow{AE}$, $\overrightarrow{AF}$, $\overline{BC}$는 원 O의 접선이고 세 점 D, E, F는 접점이다. $\overline{AB}=6$, $\overline{AC}=7$, $\overline{BC}=5$일 때, $\overline{CF}$의 길이를 구하시오.

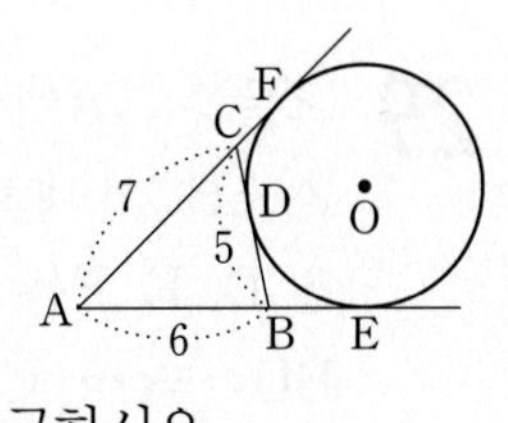

21 오른쪽 그림에서 $\overrightarrow{AE}$, $\overrightarrow{AF}$, $\overline{BC}$는 원 O의 접선이고 세 점 D, E, F는 접점이다. $\overline{OA}=17$ cm, $\overline{OF}=8$ cm일 때, △ABC의 둘레의 길이를 구하시오.

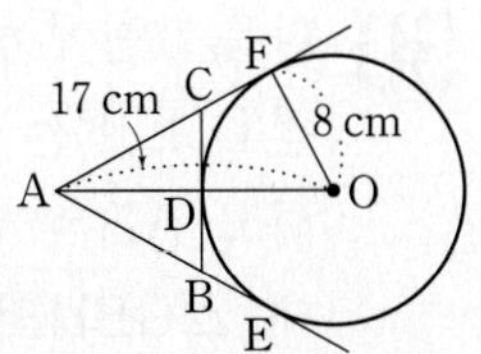

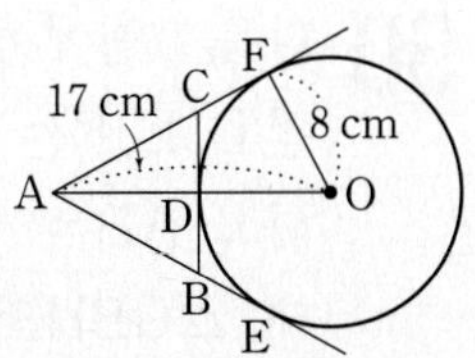

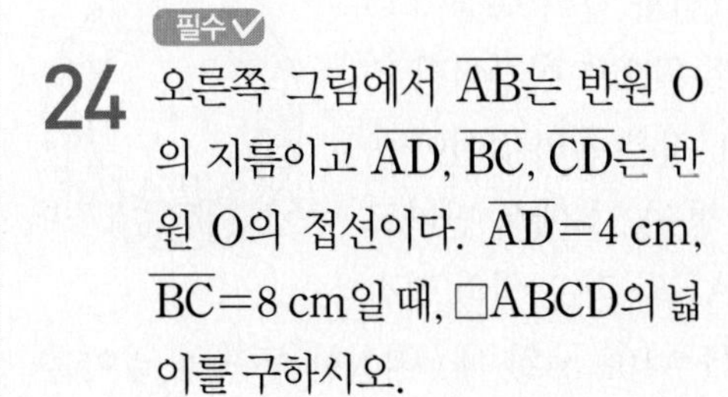

22 오른쪽 그림에서 $\overrightarrow{AE}$, $\overrightarrow{AF}$, $\overline{BC}$는 원 O의 접선이고 세 점 D, E, F는 접점이다. $\angle EAF=60°$이고 원 O의 반지름의 길이가 3 cm일 때, △ABC의 둘레의 길이를 구하시오.

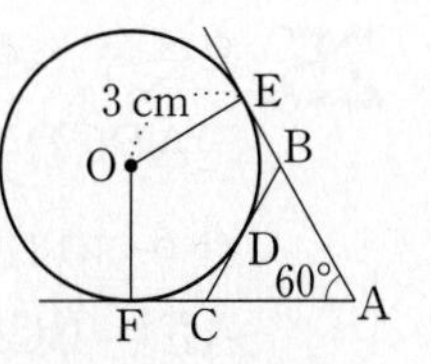

5 반원에서의 접선

23 오른쪽 그림에서 $\overline{BC}$는 반원 O의 지름이고 $\overline{AB}$, $\overline{AD}$, $\overline{CD}$는 반원 O의 접선이다. $\overline{AB}=5$ cm, $\overline{CD}=8$ cm일 때, 반원 O의 반지름의 길이를 구하시오.

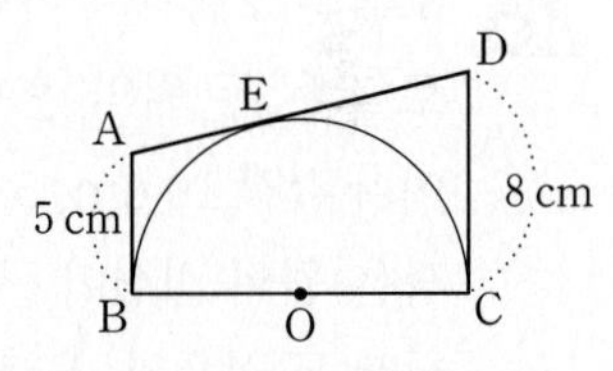

필수✓

24 오른쪽 그림에서 $\overline{AB}$는 반원 O의 지름이고 $\overline{AD}$, $\overline{BC}$, $\overline{CD}$는 반원 O의 접선이다. $\overline{AD}=4$ cm, $\overline{BC}=8$ cm일 때, □ABCD의 넓이를 구하시오.

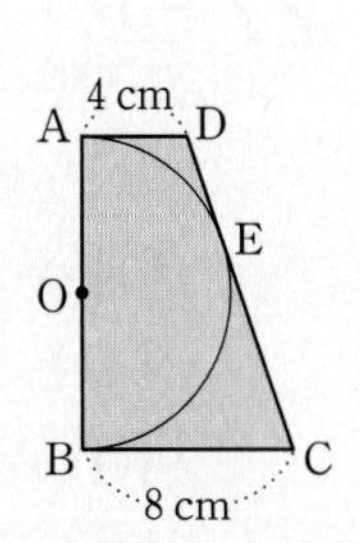

25 오른쪽 그림에서 □ABCD는 한 변의 길이가 6 cm인 정사각형이다. $\overline{AE}$는 $\overline{BC}$를 지름으로 하는 반원 O의 접선이고 점 F는 접점일 때, $\overline{AE}$의 길이를 구하시오.

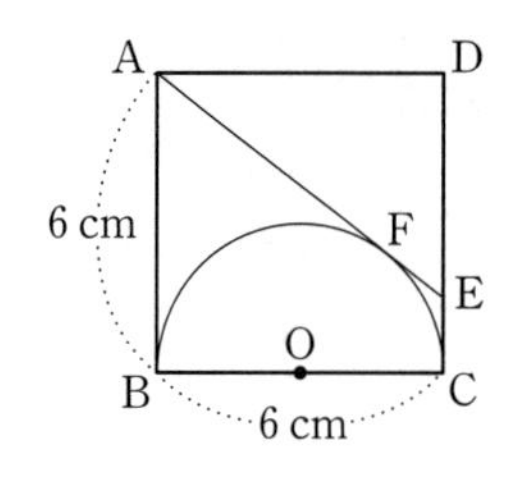

6 중심이 같은 두 원의 접선의 성질

26 오른쪽 그림과 같이 중심이 O로 같은 두 원의 반지름의 길이가 각각 10 cm, 5 cm이다. 작은 원의 접선이 큰 원과 만나는 두 점을 A, B라고 할 때, $\overline{AB}$의 길이를 구하시오.

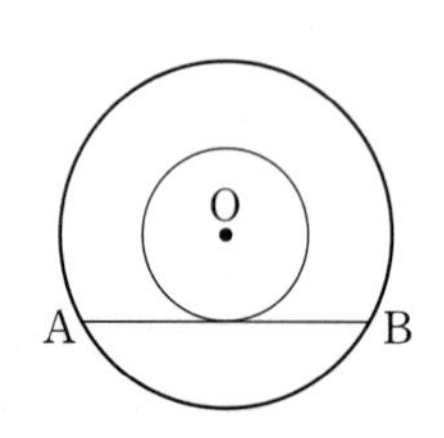

서술형

27 오른쪽 그림과 같이 중심이 O로 같은 두 원으로 이루어진 트랙이 있다. 작은 원의 접선이 큰 원과 두 점 A, B에서 만나고 점 H는 $\overline{AB}$와 작은 원의 접점이다. $\overline{AB}$=100 m일 때, 색칠한 트랙의 넓이를 구하시오.

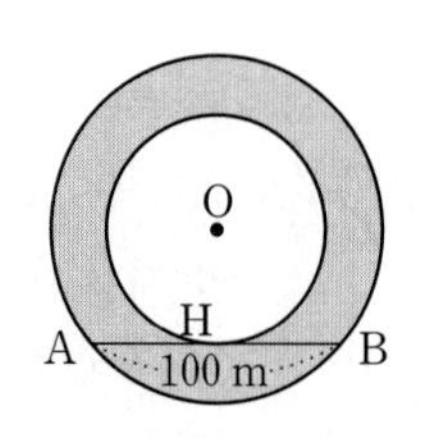

7 삼각형의 내접원

필수

28 다음 그림에서 원 O는 △ABC의 내접원이고 세 점 D, E, F는 접점이다. $\overline{AB}$=10 cm, $\overline{BC}$=14 cm, $\overline{CA}$=8 cm일 때, $\overline{BE}$의 길이를 구하시오.

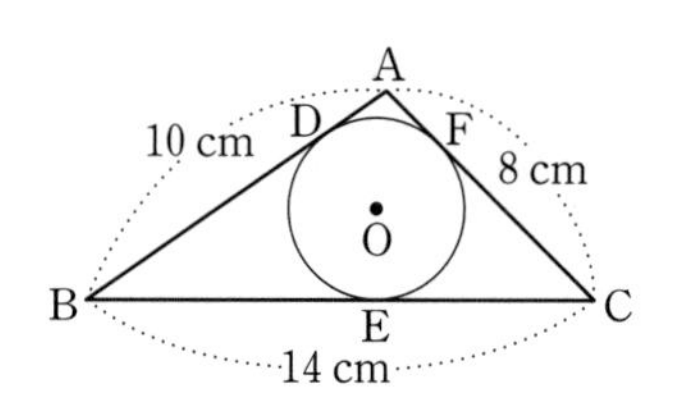

29 오른쪽 그림에서 원 O는 △ABC의 내접원이고 세 점 D, E, F는 접점이다. $\overline{BD}$=5 cm, $\overline{CE}$=7 cm이고 △ABC의 둘레의 길이가 32 cm일 때, $\overline{AC}$의 길이를 구하시오.

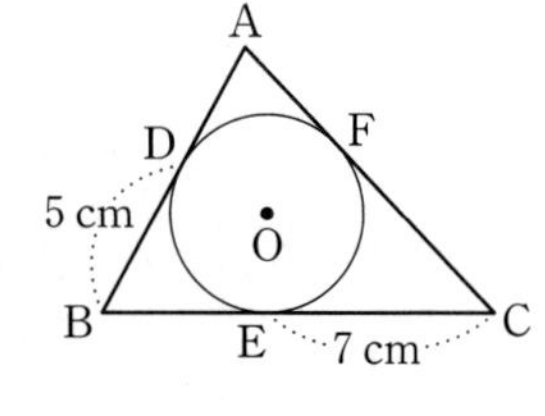

30 다음 그림에서 원 O는 △ABC의 내접원이고 세 점 D, E, F는 접점이다. $\overline{GH}$는 원 O와 점 I에서 접하고 $\overline{AB}$=8 cm, $\overline{BC}$=12 cm, $\overline{CA}$=6 cm일 때, △GBH의 둘레의 길이를 구하시오.

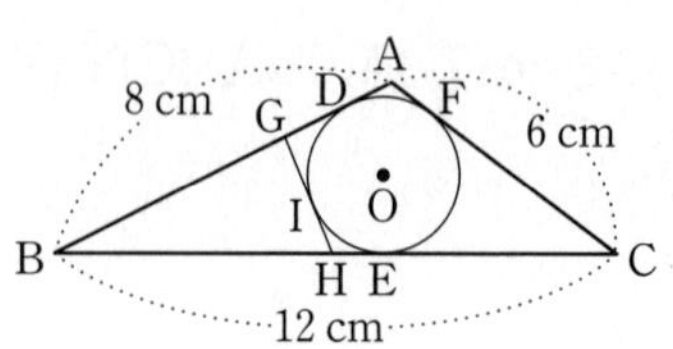

31 오른쪽 그림에서 원 O는 $\angle B=90°$인 직각삼각형 ABC의 내접원이고 세 점 D, E, F는 접점이다. $\overline{AB}=6$ cm, $\overline{AC}=10$ cm일 때, 원 O의 반지름의 길이를 구하시오.

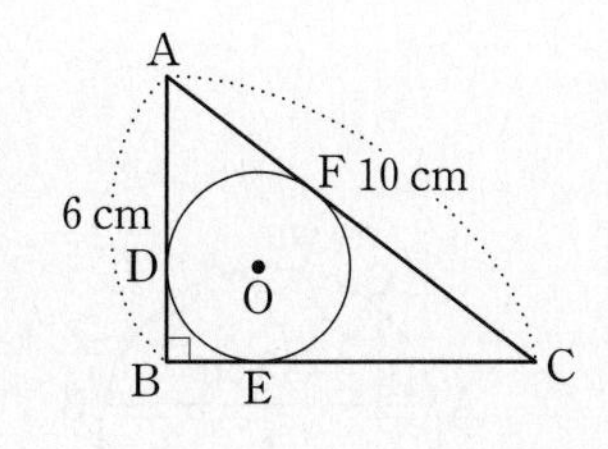

서술형

32 다음 그림에서 원 O는 $\angle A=90°$인 직각삼각형 ABC의 내접원이고 세 점 D, E, F는 접점이다. $\overline{BE}=9$ cm, $\overline{EC}=6$ cm일 때, 원 O의 넓이를 구하시오.

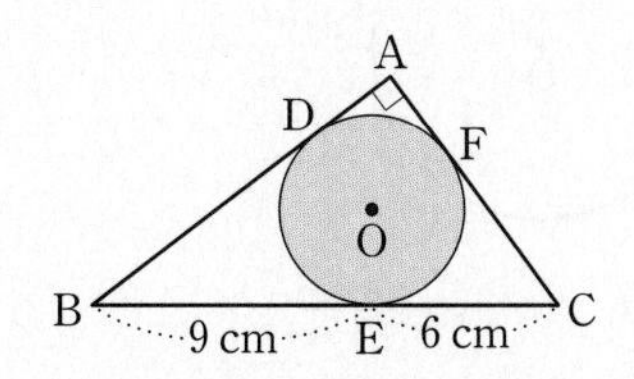

8 원에 외접하는 사각형의 성질

33 오른쪽 그림에서 □ABCD는 원 O에 외접한다. $\overline{AD}=7$ cm, $\overline{BC}=10$ cm일 때, □ABCD의 둘레의 길이를 구하시오.

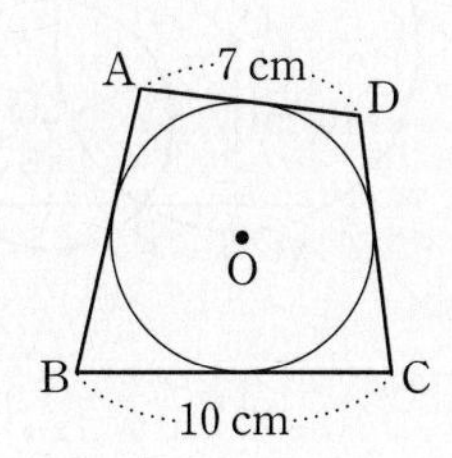

34 오른쪽 그림과 같이 원 O에 외접하는 등변사다리꼴 ABCD에서 $\overline{AD}=8$ cm, $\overline{BC}=14$ cm일 때, 원 O의 반지름의 길이를 구하시오.

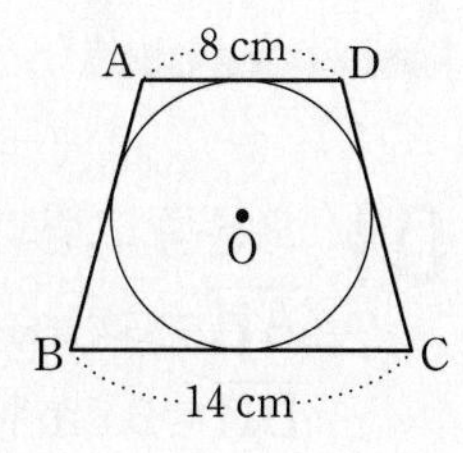

필수

35 오른쪽 그림과 같이 $\angle A=\angle B=90°$인 사다리꼴 ABCD가 반지름의 길이가 4 cm인 원 O에 외접한다. $\overline{CD}=11$ cm일 때, □ABCD의 넓이를 구하시오.

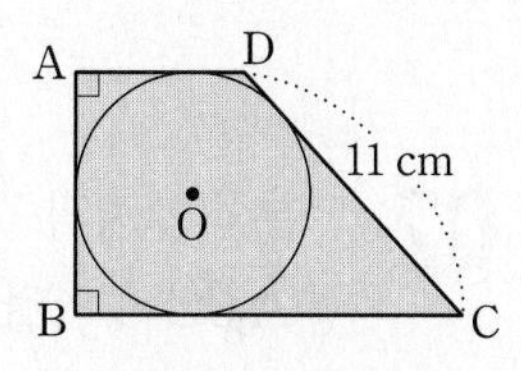

36 오른쪽 그림에서 원 O는 직사각형 ABCD의 세 변과 접하고 $\overline{AE}$는 원 O의 접선이다. $\overline{AB}=8$, $\overline{AE}=10$일 때, $\overline{CE}$의 길이를 구하시오.

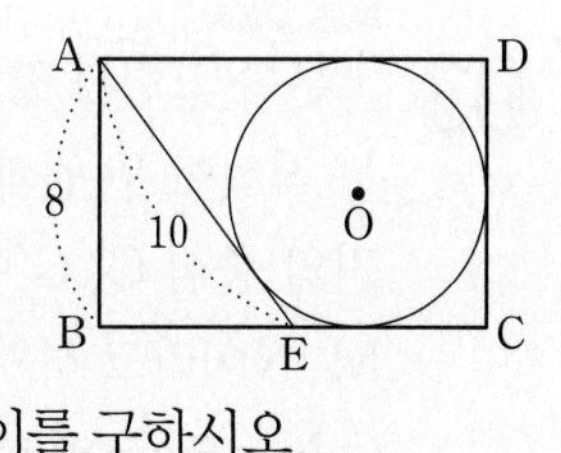

II 원의 성질

최고 수준 완성하기

01 오른쪽 그림과 같은 원 O에서 $\overline{AB} \perp \overline{CD}$이고 $\overline{AH}=3\text{ cm}$, $\overline{BH}=15\text{ cm}$, $\overline{CH}=5\text{ cm}$, $\overline{DH}=9\text{ cm}$일 때, 원 O의 반지름의 길이를 구하시오.

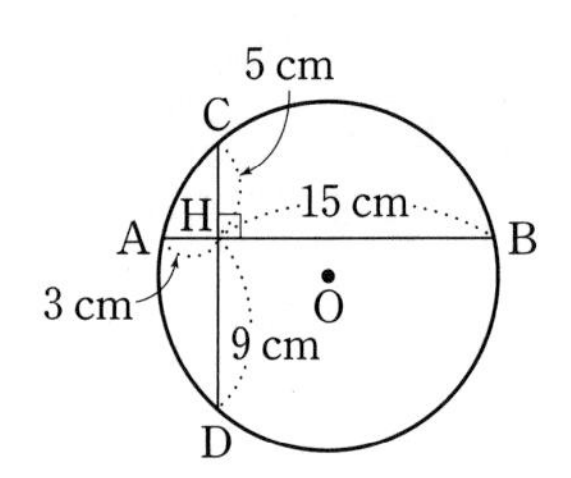

해결 Plus⁺

원의 중심 O에서 두 현 AB, CD에 각각 수선을 내린다.

서술형

02 오른쪽 그림과 같이 $\overline{AB}=\overline{AC}$이고 $\overline{BC}=16$인 이등변삼각형 ABC의 외접원 O의 반지름의 길이가 10일 때, $\overline{AB}$의 길이를 구하시오.

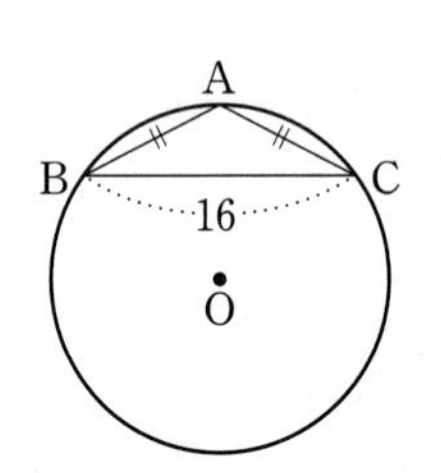

이등변삼각형의 꼭지각의 꼭짓점에서 밑변에 그은 수선은 밑변을 수직이등분한다.

창의력

03 오른쪽 그림과 같이 두 원 O, O′의 한 교점 P를 지나는 직선이 두 원과 만나는 점을 각각 A, B라 하고 두 원의 중심 O, O′에서 $\overline{AB}$에 내린 수선의 발을 각각 M, N이라고 하자. $\overline{OO'}=13\text{ cm}$, $\overline{OM}=10\text{ cm}$, $\overline{O'N}=5\text{ cm}$일 때, $\overline{AB}$의 길이를 구하시오.

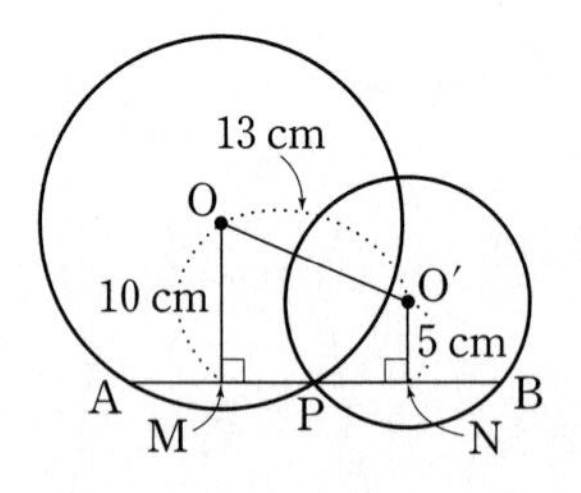

$\overline{OO'}$을 빗변으로 하는 직각삼각형을 그려 본다.

04 오른쪽 그림에서 $\overline{AB}$는 두 원 O, O′의 공통인 현이고 $\overline{OA}\perp\overline{O'A}$이다. $\overline{OA}=3$, $\overline{O'A}=4$일 때, $\overline{AB}$의 길이를 구하시오.

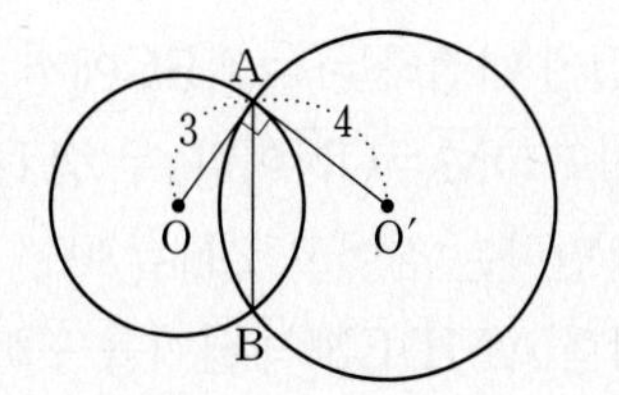

해결 Plus+

05 오른쪽 그림과 같이 반지름의 길이가 $2\sqrt{3}$ cm인 원 O를 현 AB를 접는 선으로 하여 접었더니 $\widehat{AB}$가 원의 중심 O와 만났다. 이때 색칠한 부분의 넓이를 구하시오.

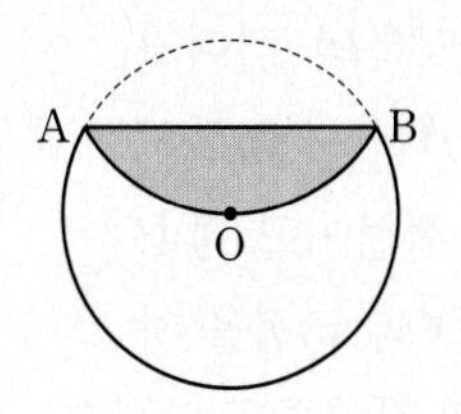

06 오른쪽 그림과 같이 △ABC가 원 O에 내접하고 $\overline{AB}\perp\overline{OM}$, $\overline{AC}\perp\overline{ON}$, $\overline{OM}=\overline{ON}=3$ cm이다. ∠A=60°일 때, △ABC의 넓이를 구하시오.

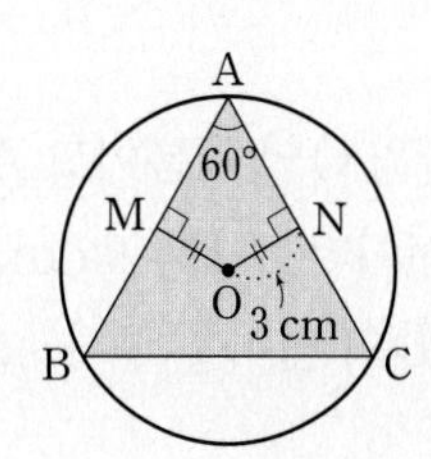

$\overline{OM}=\overline{ON}$이면 $\overline{AB}=\overline{AC}$임을 이용한다.

창의력

07

오른쪽 그림과 같이 원 O에 내접하는 △ABC에서 $\overline{AB}\perp\overline{OM}$, $\overline{AC}\perp\overline{ON}$이고 $\overline{OM}=\overline{ON}$이다. 두 점 D, E는 $\overline{BC}$와 $\overline{OM}$, $\overline{ON}$이 각각 만나는 점이고 $\angle B=30°$, $\overline{AB}=12$ cm일 때, 오각형 AMDEN의 넓이를 구하시오.

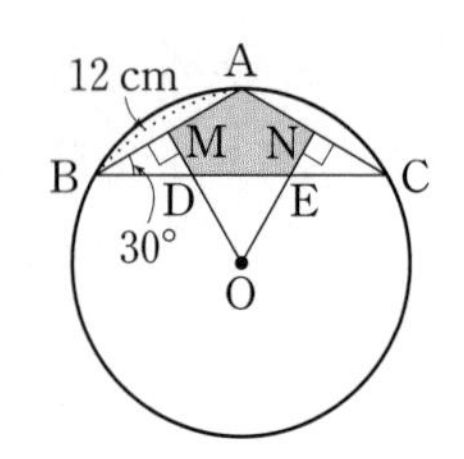

해결 Plus+

08

오른쪽 그림과 같이 반지름의 길이가 15 cm인 세 원 O, O′, O″이 서로 접하고 있다. $\overrightarrow{AB}$는 원 O″의 접선이고 점 B는 접점이다. $\overrightarrow{AB}$와 원 O′의 교점을 각각 P, Q라고 할 때, $\overline{PQ}$의 길이를 구하시오.

(단, 네 점 A, O, O′, O″은 한 직선 위에 있다.)

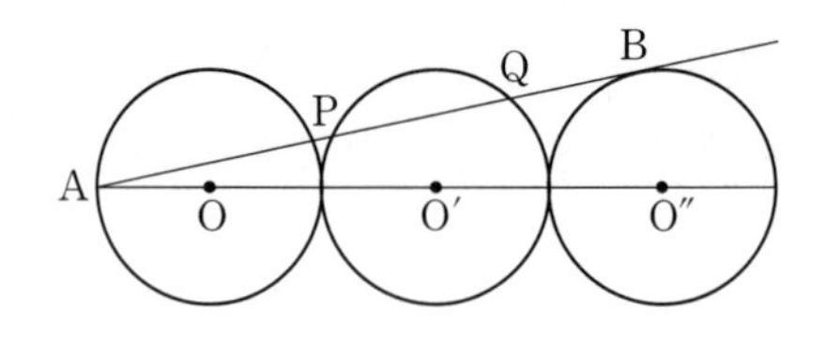

점 O′에서 $\overline{AB}$에 수선을 긋고 닮은 삼각형을 찾는다.

서술형

09

오른쪽 그림에서 $\overline{BC}$는 반원 O의 지름이고 $\overline{AB}$, $\overline{AD}$, $\overline{CD}$는 반원 O의 접선이다. $\overline{AB}=9$ cm, $\overline{CD}=4$ cm일 때, △AOD의 넓이를 구하시오.

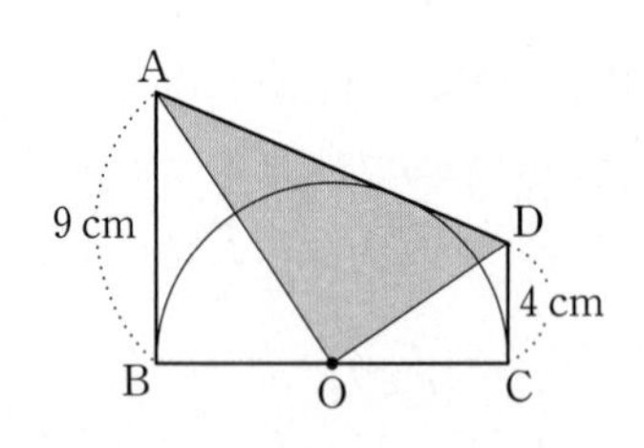

10 오른쪽 그림에서 □ABCD는 가로의 길이가 24 cm, 세로의 길이가 27 cm인 직사각형이고 점 A는 원 O 위의 점이다. $\overline{BC}$, $\overline{CD}$는 원 O와 각각 두 점 E, F에서 접하고, $\overline{AB}$, $\overline{AD}$는 각각 원 O와 두 점 G, H에서 만난다. $\overline{GB}$=3 cm일 때, $\overline{DH}$의 길이를 구하시오.

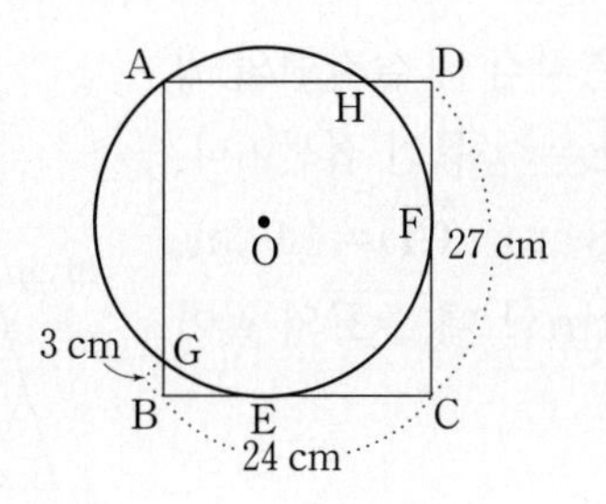

해결 Plus⁺

점 O를 지나고 $\overline{AB}$, $\overline{AD}$에 평행한 선분을 각각 그어 현의 수직이등분선의 성질을 이용한다.

서술형

11 오른쪽 그림에서 원 O는 △ABC의 내접원이고 $\overline{DI}$, $\overline{EF}$, $\overline{GH}$는 원 O의 접선이다. $\overline{AB}$=10 cm, $\overline{BC}$=7 cm, $\overline{CA}$=8 cm일 때, △ADI, △BFE, △CHG의 둘레의 길이의 합을 구하시오.

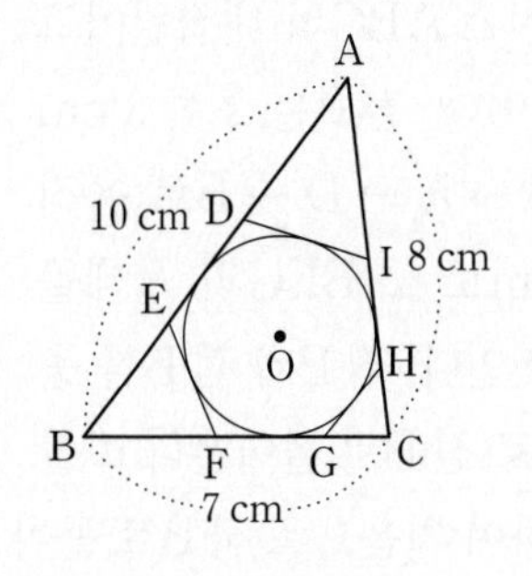

12 오른쪽 그림에서 원 O는 △ABC의 내접원이고 세 점 P, Q, R는 접점이다. 또, $\overline{AC}$, $\overrightarrow{BD}$, $\overrightarrow{BF}$는 원 O′의 접선이고 세 점 D, E, F는 접점이다. $\overline{AB}$=5 cm, $\overline{BC}$=8 cm, $\overline{CA}$=7 cm일 때, $\overline{RE}$의 길이를 구하시오.

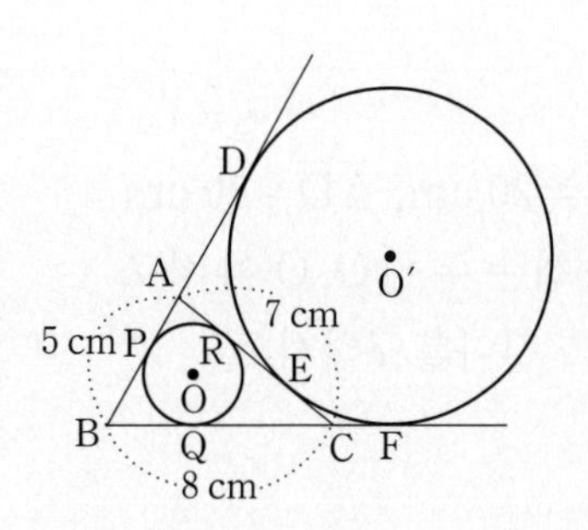

13 오른쪽 그림에서 네 원은 각각 네 삼각형의 내접원이고 $\overline{AC}$, $\overline{AD}$, $\overline{AE}$는 공통인 접선이다. $\overline{AB}=30$ cm, $\overline{BC}=18$ cm, $\overline{CD}=14$ cm, $\overline{DE}=10$ cm, $\overline{EF}=7$ cm일 때, $\overline{AF}$의 길이를 구하시오.

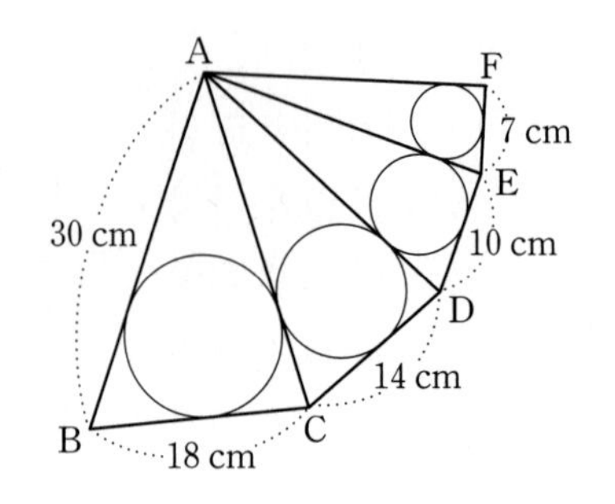

해결 Plus+

창의·융합

14 오른쪽 그림에서 원 O는 △ABC의 내접원이고 $\overline{DE}$, $\overline{FG}$는 원 O의 접선이다. 점 P는 초속 3 cm로 △BDE의 둘레를 B → E → D → B로 움직이고, 점 Q는 초속 2 cm로 △BFG의 둘레를 B → F → G → B로 움직인다. 점 P가 점 B를 출발한 지 4초 후에 처음으로 점 B로 돌아온다고 할 때, 점 Q가 점 B를 출발하여 처음으로 점 B로 돌아오는 데 걸리는 시간은 몇 초인지 구하시오.

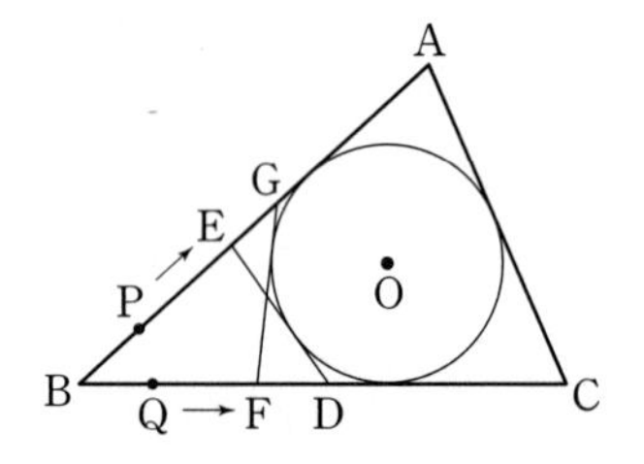

점 P가 초속 3 cm로 △BDE의 둘레를 한 바퀴 도는 데 걸린 시간이 4초이므로 △BDE의 둘레의 길이는
$3\times4=12$ (cm)이다.

15 오른쪽 그림과 같이 $\overline{AB}=20$ cm, $\overline{AD}=30$ cm인 직사각형 ABCD에 접하는 두 원 O, O′이 서로 접할 때, 원 O′의 반지름의 길이를 구하시오.

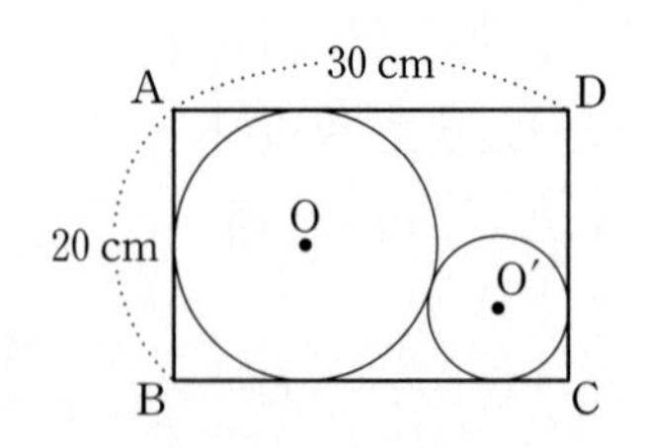

최고 수준 뛰어넘기

01

오른쪽 그림과 같이 반지름의 길이가 5 cm인 원 O의 지름 AB와 현 CD가 평행하고 $\overline{PO}=3$ cm, $\overline{PD}=7$ cm일 때, $\overline{PC}$의 길이를 구하시오.

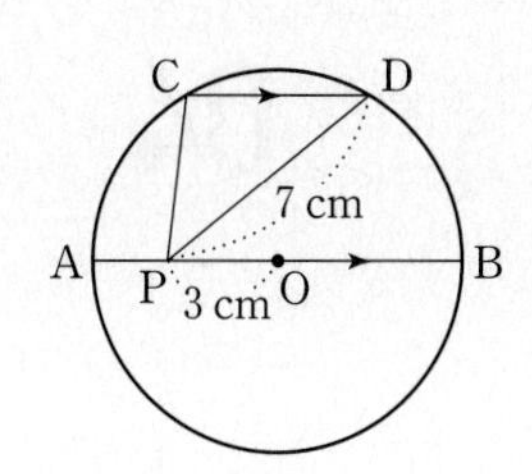

02

융합형

오른쪽 그림과 같이 반지름의 길이가 각각 10 cm, 35 cm인 원 모양의 두 바퀴의 테두리에 벨트를 걸려고 한다. 두 바퀴의 중심 사이의 거리가 50 cm일 때, 필요한 벨트의 길이를 구하시오.

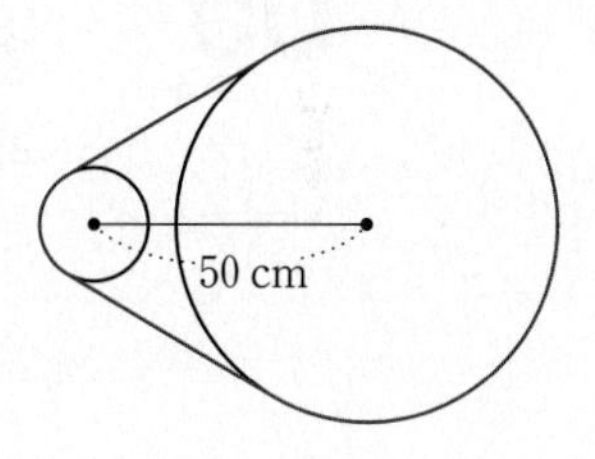

03

STEP UP

오른쪽 그림과 같이 $\overline{AB}$를 지름으로 하는 원 O에서 $\overline{AC}$, $\overline{BD}$, $\overline{CD}$는 원 O의 접선이고 세 점 A, B, P는 접점이다. $\overline{AD}$와 $\overline{BC}$의 교점을 Q, $\overline{PQ}$의 연장선이 $\overline{AB}$와 만나는 점을 R라 하고 $\overline{AC}=3$ cm, $\overline{BD}=6$ cm일 때, $\overline{OR}$의 길이를 구하시오.

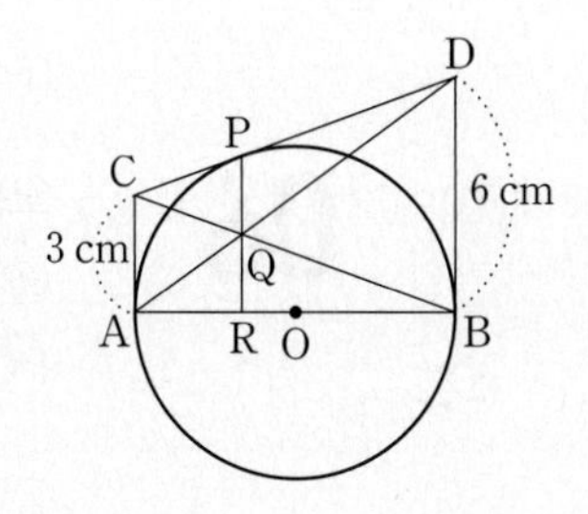

II 원의 성질

04

오른쪽 그림에서 직사각형 ABCD의 둘레의 길이는 70이고, 반지름의 길이가 5인 두 원 O, O′은 각각 △ABC와 △ACD의 내접원이다. 두 원 O, O′과 $\overline{AC}$의 접점을 각각 E, F라고 할 때, □EOFO′의 넓이를 구하시오.
(단, $\overline{AB}<\overline{BC}$)

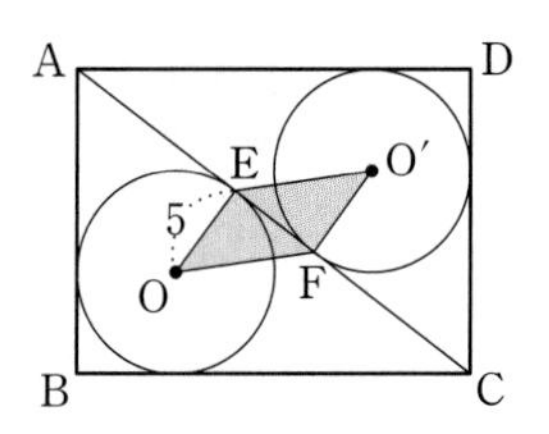

STEP UP

05

오른쪽 그림과 같이 $\overline{AD}/\!/\overline{BC}$인 사다리꼴 ABCD는 $\overline{PQ}$를 지름으로 하는 원 O에 외접한다. □ABCD의 둘레의 길이가 30이고 $\overline{BQ}=6$, $\overline{CQ}=4$일 때, $\overline{AP}$의 길이를 구하려고 한다. 다음 물음에 답하시오.

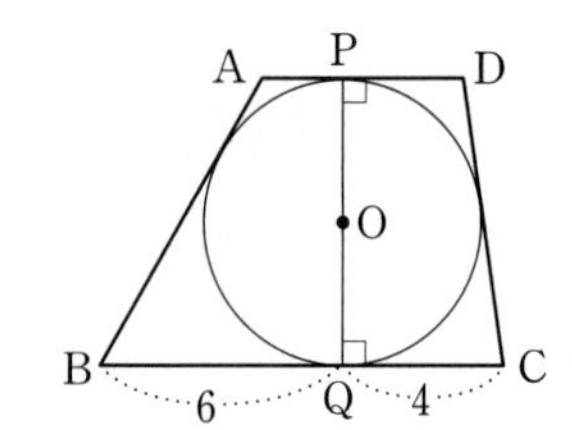

(1) $\overline{AP}=x$, $\overline{DP}=y$라고 할 때, $x+y$의 값을 구하시오.
(2) $\overline{OA}$, $\overline{OB}$를 긋고 △OAP∽△BOQ임을 이용하여 $\overline{OP}\times\overline{OQ}$를 x의 식으로 나타내시오.
(3) $\overline{OC}$, $\overline{OD}$를 긋고 △ODP∽△COQ임을 이용하여 $\overline{OP}\times\overline{OQ}$를 y의 식으로 나타내시오.
(4) $\overline{AP}$의 길이를 구하시오.

06

오른쪽 그림과 같이 직사각형 ABCD의 세 변에 접하는 원 O와 두 변에 접하는 원 O′이 서로 접한다. $\overline{DP}$는 원 O의 접선이고 $\overline{AB}=12$ cm, $\overline{PC}=5$ cm일 때, 원 O′의 반지름의 길이를 구하시오.

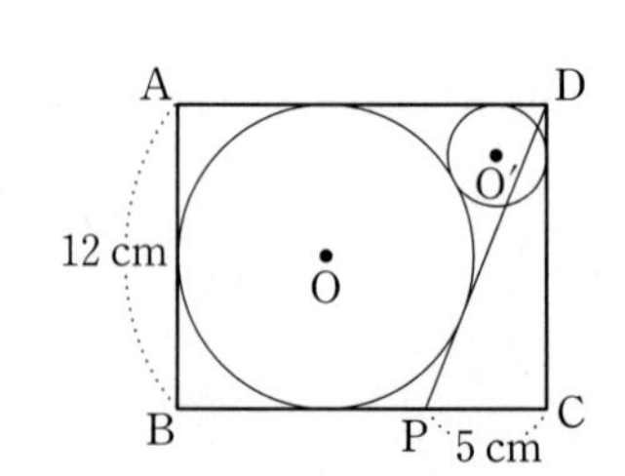

2 원주각

1 원주각과 중심각의 크기

(1) **원주각**

원 O에서 호 AB 위에 있지 않은 원 위의 한 점 P에 대하여 ∠APB를 호 AB에 대한 원주각이라고 한다.

→ 호의 양 끝 점을 지나는 두 현이 이루는 각

(2) **원주각과 중심각의 크기**

원에서 한 호에 대한 원주각의 크기는 그 호에 대한 중심각의 크기의 $\frac{1}{2}$이다.

→ 호의 양 끝 점을 지나는 두 반지름이 이루는 각

➡ $\angle APB=\frac{1}{2}\angle AOB$

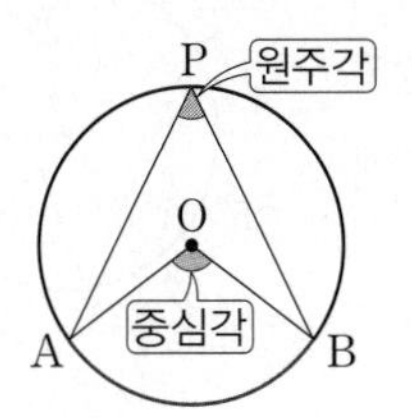

• 호 AB를 원주각 APB에 대한 호라고 한다.

2 원주각의 성질

(1) 원에서 한 호에 대한 원주각의 크기는 모두 같다.

➡ $\angle APB=\angle AQB=\angle ARB$

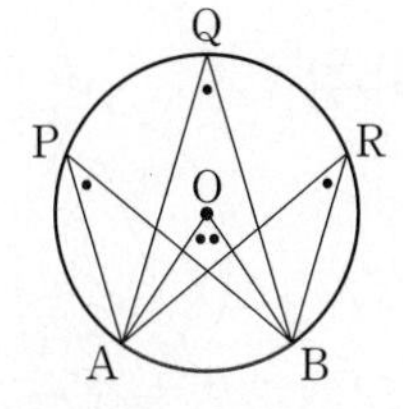

$\overset{\frown}{AB}$에 대한 중심각은 하나로 정해지지만 원주각은 여러 개 그릴 수 있어!

(2) 반원에 대한 원주각의 크기는 90°이다.

➡ $\overline{AB}$가 원 O의 지름이면 $\angle APB=90°$

참고 원주각의 크기가 90°이면 그에 대한 호의 길이는 원의 둘레의 길이의 $\frac{1}{2}$이다. 즉 $\angle APB=90°$이면 $\overline{AB}$는 원 O의 지름이다.

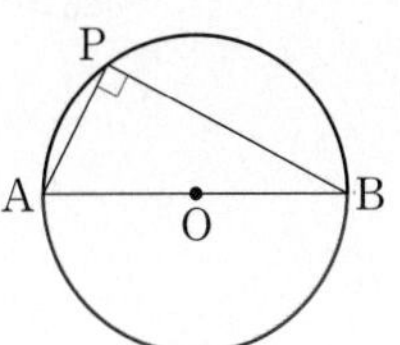

• 한 원에서 모든 호에 대한 원주각의 크기의 합은 180°이다.

• 원에 내접하는 직각삼각형의 빗변은 원의 지름이다.

개념 Plus+

원주각과 삼각비의 값

△ABC가 원 O에 내접할 때, 지름 A′B를 그어 원 O에 내접하는 직각삼각형 A′BC를 그리면

$\sin A=\sin A'=\frac{\overline{BC}}{\overline{A'B}}$, $\cos A=\cos A'=\frac{\overline{A'C}}{\overline{A'B}}$,

$\tan A=\tan A'=\frac{\overline{BC}}{\overline{A'C}}$

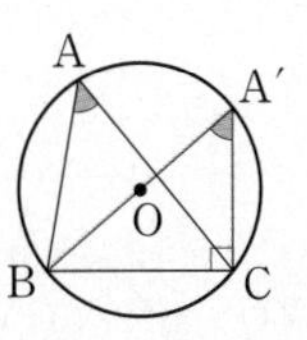

3 원주각의 크기와 호의 길이

(1) 한 원에서 길이가 같은 호에 대한 원주각의 크기는 서로 같다.

➡ $\overset{\frown}{AB}=\overset{\frown}{CD}$이면 $\angle APB=\angle CQD$

(2) 한 원에서 크기가 같은 원주각에 대한 호의 길이는 서로 같다.

➡ $\angle APB=\angle CQD$이면 $\overset{\frown}{AB}=\overset{\frown}{CD}$

(3) 원주각의 크기와 호의 길이는 정비례한다.

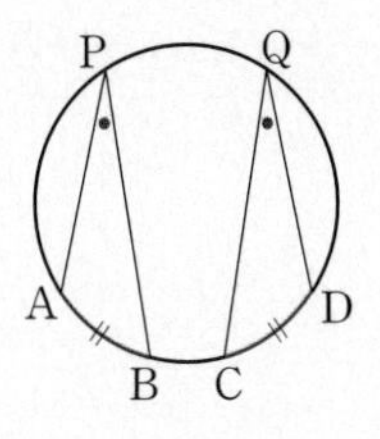

• 중심각의 크기와 호의 길이는 정비례하므로 원주각의 크기와 호의 길이도 정비례한다.

• 원주각의 크기와 현의 길이는 정비례하지 않는다.

최고 수준 입문하기

1 원주각과 중심각의 크기

필수✓

01 오른쪽 그림과 같은 원 O에서 $\angle APB=15°$, $\angle BQC=23°$ 일 때, $\angle AOC$의 크기를 구하시오.

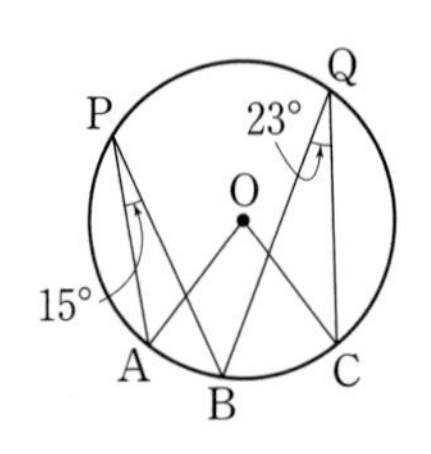

02 오른쪽 그림과 같이 반지름의 길이가 6 cm인 원 O에서 $\angle BAC=50°$일 때, 부채꼴 BOC의 넓이를 구하시오.

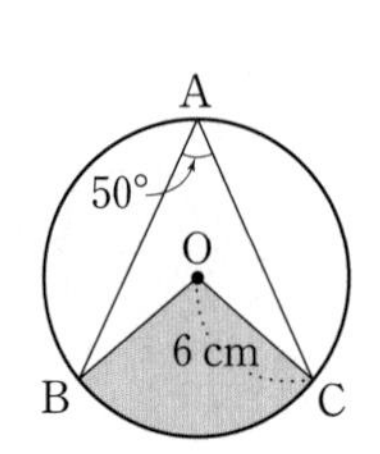

03 오른쪽 그림과 같은 원 O에서 $\angle ABC=72°$일 때, $\angle x$의 크기를 구하시오.

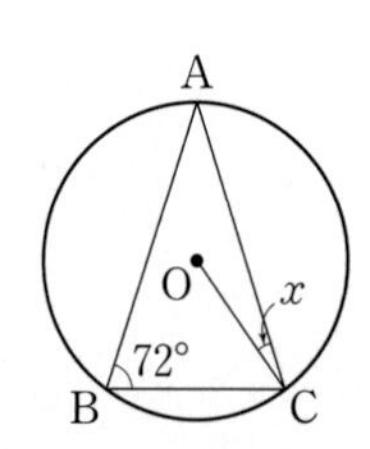

04 오른쪽 그림과 같은 원 O에서 $\angle BCD=104°$일 때, $\angle x+\angle y$의 크기를 구하시오.

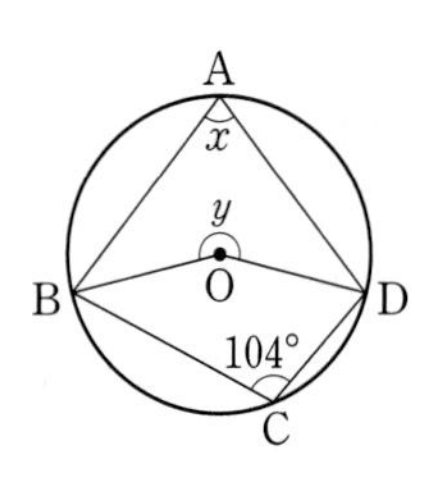

05 오른쪽 그림과 같은 원 O에서 $\angle BCO=53°$, $\angle AOC=140°$ 일 때, $\angle x$의 크기를 구하시오.

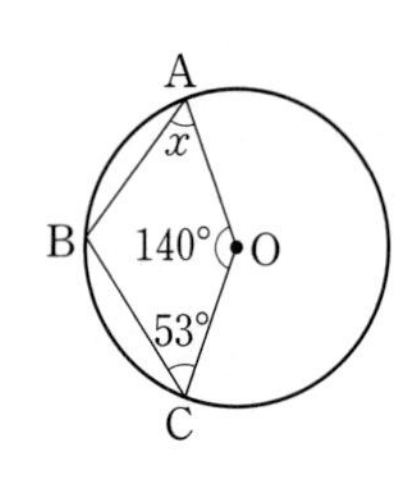

서술형

06 다음 그림과 같은 원 O에서 두 현 AB, CD의 연장선의 교점을 P라고 하자. $\angle P=40°$, $\angle BOD=150°$일 때, $\angle x$의 크기를 구하시오.

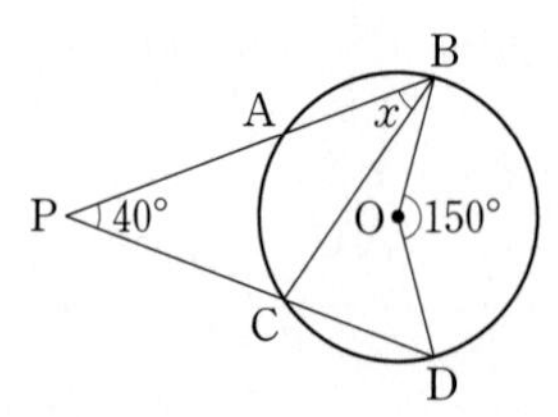

07 오른쪽 그림에서 $\overrightarrow{PA}$, $\overrightarrow{PB}$는 원 O의 접선이고 두 점 A, B는 접점이다. $\angle ACB=55^\circ$일 때, $\angle APB$의 크기를 구하시오.

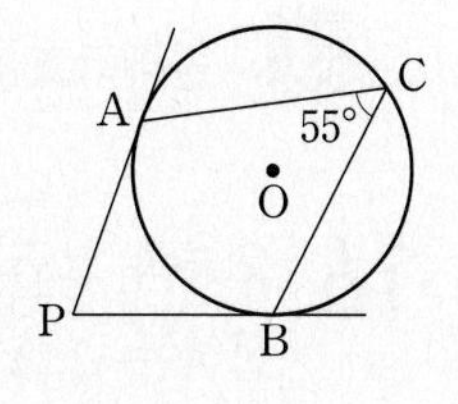

08 오른쪽 그림에서 $\overrightarrow{PA}$, $\overrightarrow{PB}$는 원 O의 접선이고 두 점 A, B는 접점이다. $\angle APB=48^\circ$일 때, $\angle ACB$의 크기를 구하시오.

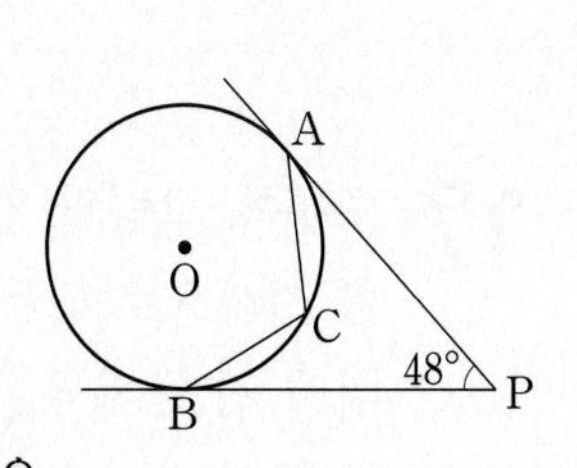

2 원주각의 성질

09 오른쪽 그림과 같은 원에서 점 P는 $\overline{AC}$, $\overline{BD}$의 교점이고 $\angle ABD=30^\circ$, $\angle APD=68^\circ$일 때, $\angle x+\angle y+\angle z$의 크기를 구하시오.

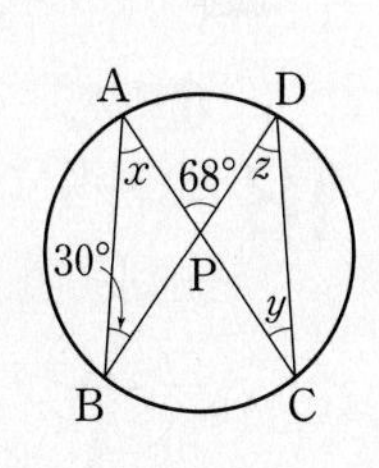

필수✓

10 오른쪽 그림과 같은 원 O에서 $\angle AQC=80^\circ$, $\angle BOC=100^\circ$일 때, $\angle x$의 크기를 구하시오.

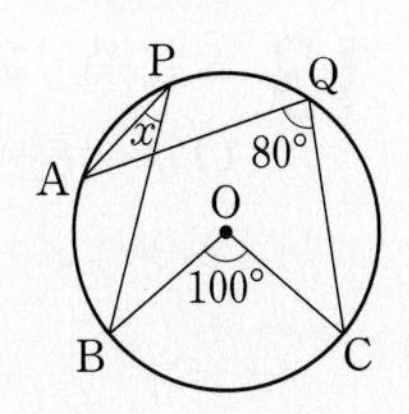

11 오른쪽 그림에서 □ABCD는 원에 내접하고 $\angle ABD=30^\circ$, $\angle BDC=72^\circ$, $\angle DAC=25^\circ$일 때, $\angle x$의 크기를 구하시오.

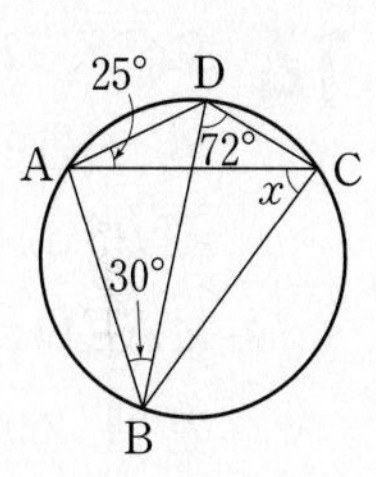

12 오른쪽 그림에서 $\overline{AB}$는 원 O의 지름이고 $\angle ACD=58^\circ$일 때, $\angle x$의 크기를 구하시오.

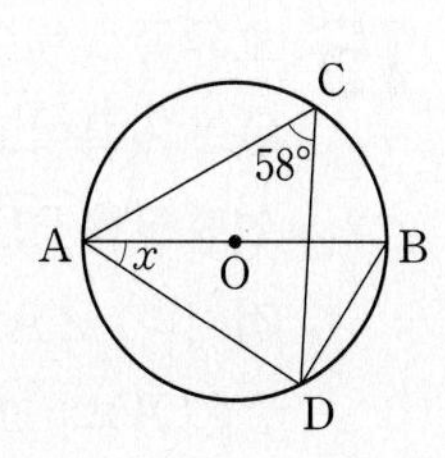

필수✓

13 오른쪽 그림에서 $\overline{AB}$는 원 O의 지름이고 $\angle ACD=56°$일 때, $\angle x$의 크기를 구하시오.

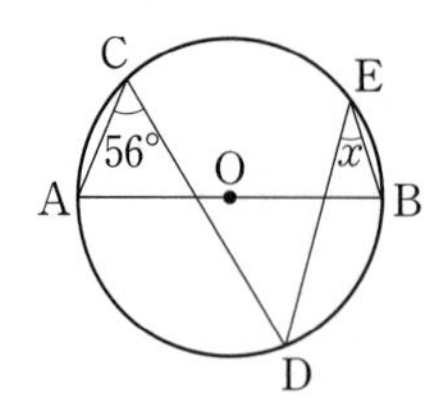

14 오른쪽 그림에서 $\overline{AB}$는 원 O의 지름이고 점 P는 $\overline{AB}$와 $\overline{CD}$의 교점이다.
$\angle ACD=40°$, $\angle ADC=30°$일 때, $\angle x$의 크기를 구하시오.

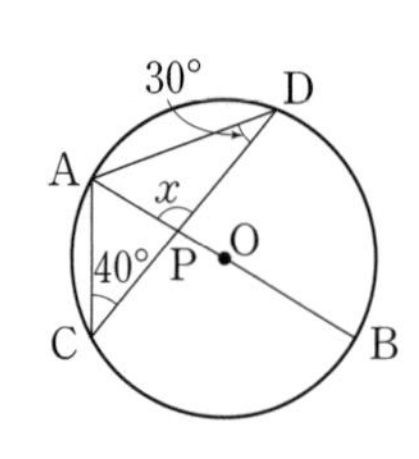

서술형

15 오른쪽 그림에서 $\overline{AB}$는 반원 O의 지름이고 점 P는 $\overline{AC}$의 연장선과 $\overline{BD}$의 연장선의 교점이다. $\angle APB=50°$일 때, $\angle COD$의 크기를 구하시오.

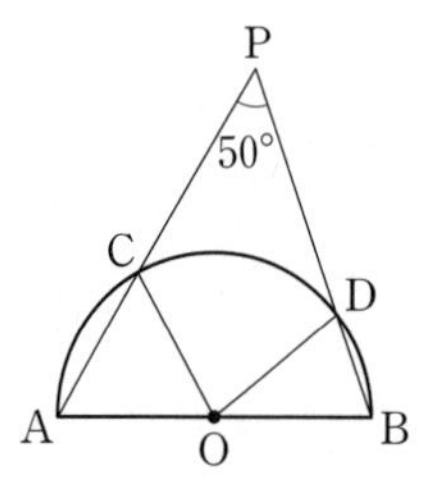

3 원주각과 삼각비의 값

16 오른쪽 그림과 같이 원 O에 내접하는 $\triangle ABC$에서 $\tan A=3\sqrt{2}$, $\overline{BC}=6\sqrt{2}$일 때, 원 O의 지름의 길이를 구하시오.

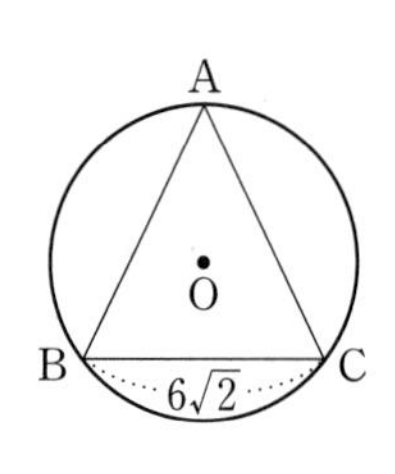

17 오른쪽 그림과 같이 $\overline{AB}$를 지름으로 하는 반원 O 위의 점 C에서 $\overline{AB}$에 내린 수선의 발을 D라고 하자. $\overline{AB}=9$, $\overline{AC}=3\sqrt{5}$, $\angle BCD=x$일 때, $\sin x \times \cos x$의 값을 구하시오.

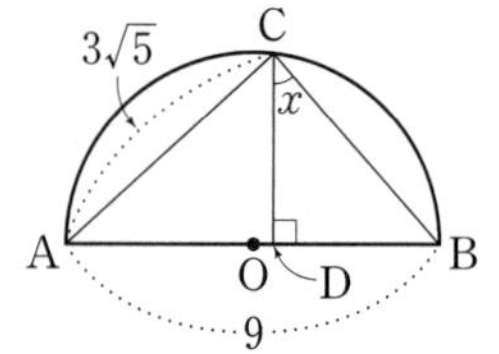

4 원주각의 크기와 호의 길이

필수✓

18 오른쪽 그림의 원에서 점 P는 두 현 AB, CD의 교점이고 $\overset{\frown}{AC}=\overset{\frown}{BD}$, $\angle DCB=26°$일 때, $\angle APC$의 크기를 구하시오.

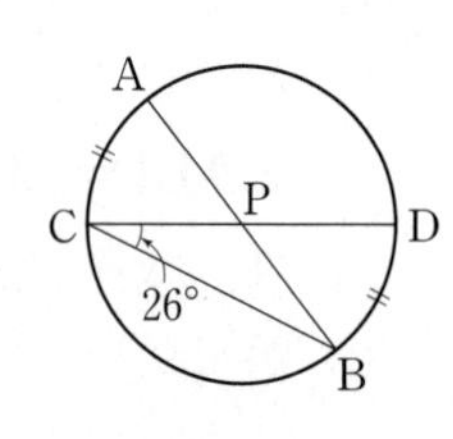

19 오른쪽 그림에서 $\overline{AB}$는 원 O의 지름이고 $\widehat{AD}=\widehat{DC}$이다. $\angle CAB=20^\circ$일 때, $\angle x$의 크기를 구하시오.

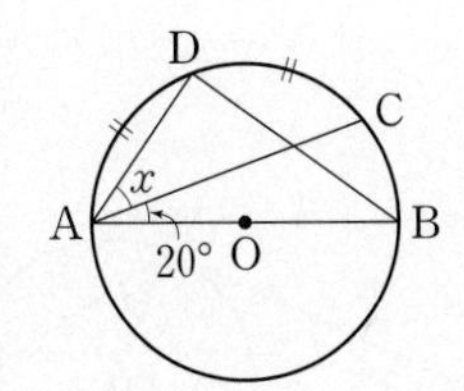

20 오른쪽 그림과 같은 원에서 5개의 점 A, B, C, D, E는 원주를 5등분하는 점이고 점 P는 $\overline{BD}$와 $\overline{CE}$의 교점이다. 이때 $\angle x+\angle y+\angle z$의 크기를 구하시오.

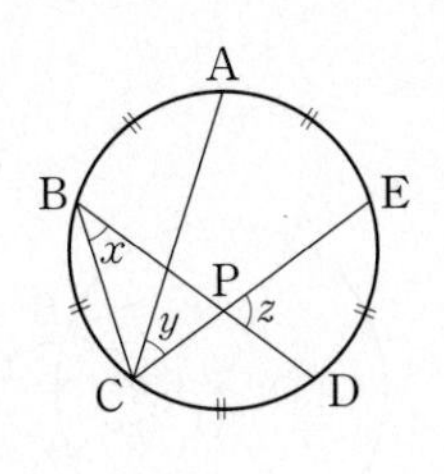

21 오른쪽 그림과 같은 원에서 점 P는 두 현 AB, CD의 교점이다. $\angle APC=120^\circ$이고 $\widehat{AC}:\widehat{BD}=5:3$일 때, $\angle ABC$의 크기를 구하시오.

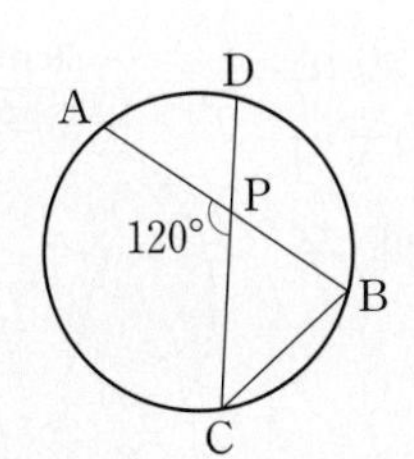

서술형

22 오른쪽 그림과 같은 원에서 점 P는 $\overline{AB}$, $\overline{CD}$의 교점이다. $\widehat{AC}$의 길이는 원주의 $\frac{1}{9}$이고 $\widehat{AC}:\widehat{BD}=1:4$일 때, $\angle APC$의 크기를 구하시오.

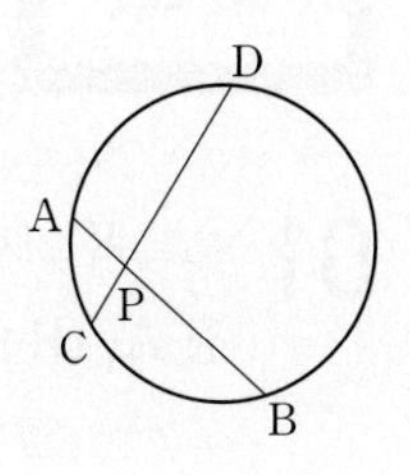

23 오른쪽 그림과 같이 원에 내접하는 $\triangle ABC$에서 $\widehat{AB}:\widehat{BC}:\widehat{CA}=3:4:5$일 때, $\angle BAC$, $\angle ABC$, $\angle BCA$의 크기를 각각 구하시오.

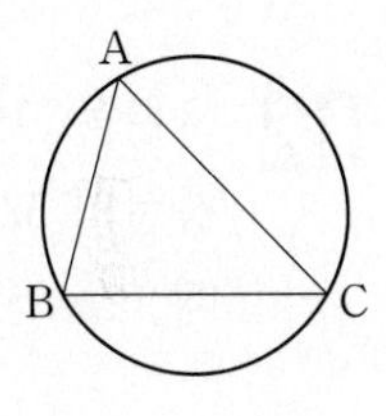

24 오른쪽 그림은 놀이공원에 있는 원 모양의 대관람차이다. 대관람차의 10개의 칸이 일정한 간격으로 놓여 있을 때, $\angle x$, $\angle y$의 크기를 각각 구하시오.

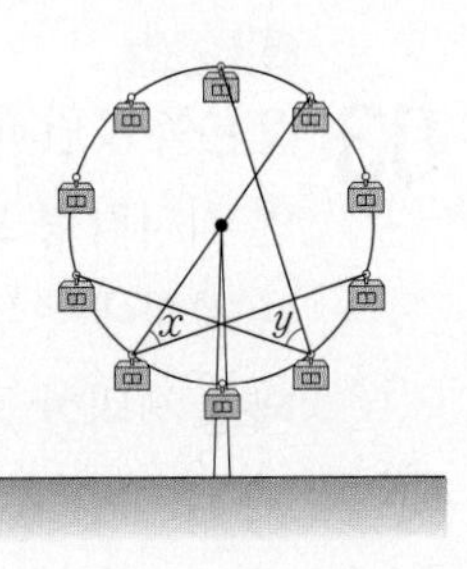

최고 수준 완성하기

01 오른쪽 그림에서 $\overline{PA}$, $\overline{PB}$는 원 O의 접선이고 두 점 A, B는 접점이다. $\angle P=48°$일 때, $\angle x+\angle y$의 크기를 구하시오.

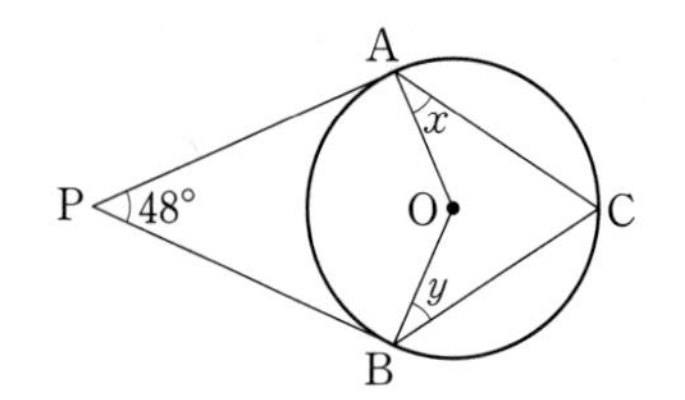

해결 Plus+

02 오른쪽 그림에서 점 P는 원 O의 두 현 AB, CD의 연장선의 교점이다. $\angle AOC=130°$, $\angle BOD=40°$일 때, $\angle x$의 크기를 구하시오.

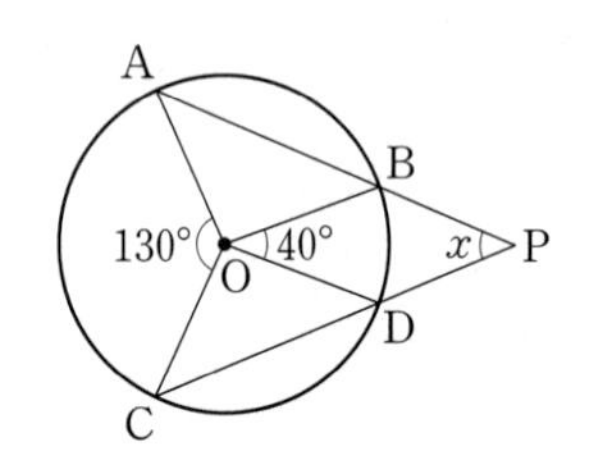

$\overline{BC}$를 긋고 $\triangle BCP$에서 한 외각의 크기는 그와 이웃하지 않는 두 내각의 크기의 합과 같음을 이용한다.

융합형

03 오른쪽 그림과 같이 원 모양의 공연장에 가로의 길이가 30 m인 직사각형 모양의 무대를 설치하였다. 미진이가 공연장의 A 지점에서 무대의 양 끝을 바라본 각의 크기가 30°일 때, 무대를 제외한 공연장의 넓이를 구하시오.

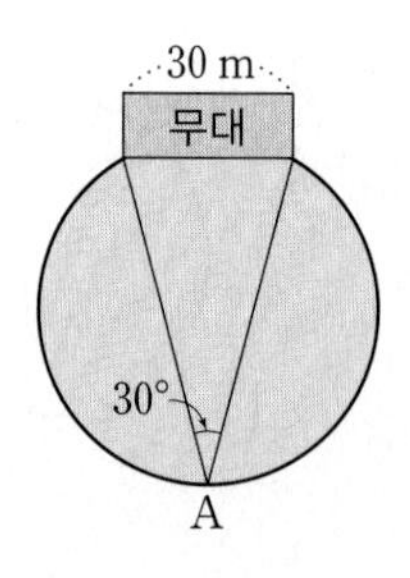

서술형

04

오른쪽 그림은 원 O의 원주 위의 한 점이 원의 중심 O에 겹쳐지도록 접은 것이다. 원 위의 한 점 P에 대하여 $\overline{PA}=12$ cm, $\overline{PB}=10$ cm일 때, 다음 물음에 답하시오.

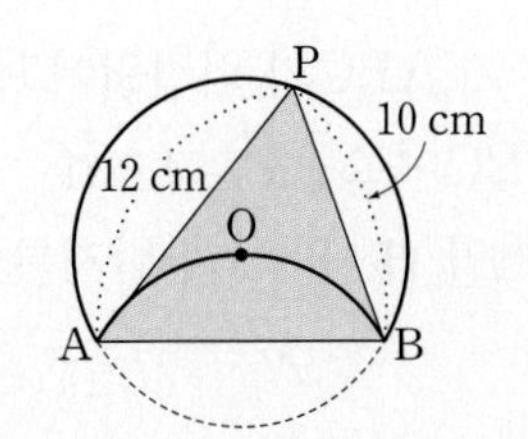

(1) ∠APB의 크기를 구하시오.

(2) △PAB의 넓이를 구하시오.

해결 Plus+

05

오른쪽 그림에서 △ABC, △ABD는 원 O에 내접하는 삼각형이고 $\overline{DE}$는 ∠ADB의 이등분선이다. ∠ACB=50°, ∠DFB=70°일 때, ∠DAO의 크기를 구하시오.

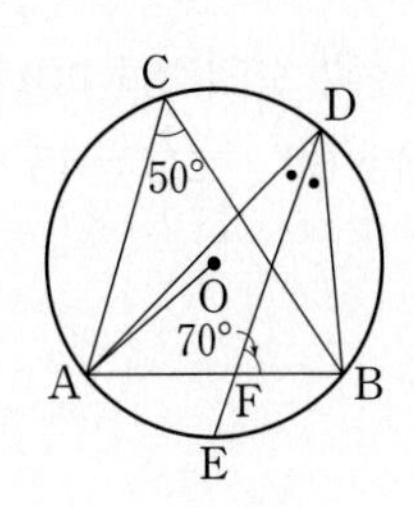

06

오른쪽 그림과 같이 $\overline{AB}$와 $\overline{BC}$를 각각 지름으로 하는 두 반원에서 큰 원의 현 AQ는 작은 반원의 접선이고 점 P는 접점이다. $\overline{AC}=4$, $\overline{BC}=8$일 때, 다음 물음에 답하시오.

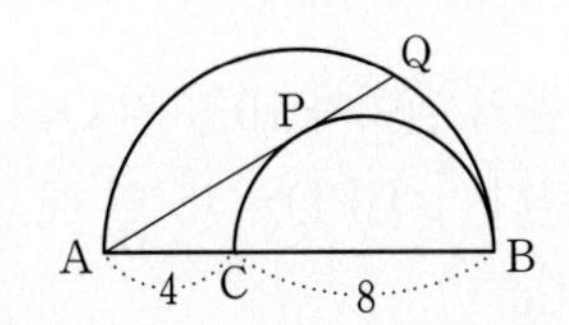

(1) $\overline{AP}$의 길이를 구하시오.

(2) $\overline{AQ}$의 길이를 구하시오.

$\overline{BQ}$를 그으면 ∠AQB는 반원에 대한 원주각이므로 ∠AQB=90°이다.

07 오른쪽 그림에서 원 O는 △ABC의 외접원이고 $\overline{AD}$는 원 O의 지름이다. $\overline{AH}\perp\overline{BC}$이고 $\overline{AB}=4$ cm, $\overline{AC}=6$ cm, $\overline{AH}=3$ cm일 때, 원 O의 반지름의 길이를 구하시오.

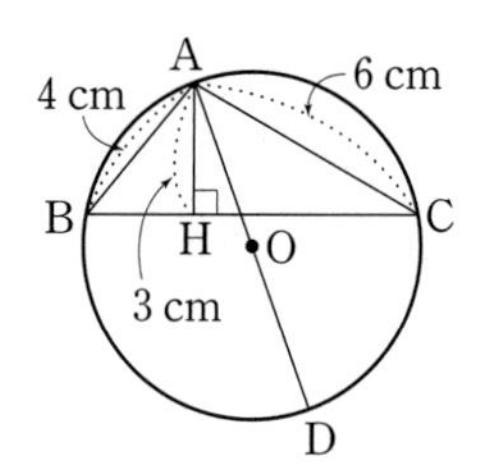

해결 Plus+

$\overline{CD}$를 그으면 ∠ABC=∠ADC임을 이용한다.

창의력

08 오른쪽 그림과 같이 반지름의 길이가 1 cm인 원 O에 내접하는 △ABC에서 ∠B=60°, ∠C=45°일 때, $\overline{BC}$의 길이를 구하시오.

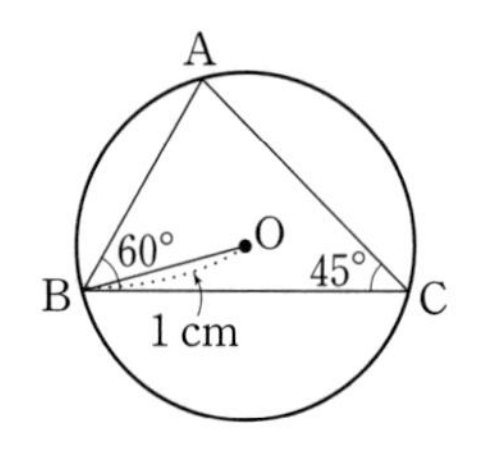

보조선을 긋고 삼각비를 이용하여 $\overline{AB}$의 길이를 먼저 구한다.

09 오른쪽 그림과 같이 반지름의 길이가 10인 원 O의 두 현 AB, CD가 점 P에서 만난다. ∠BPD=45°일 때, $\widehat{AC}+\widehat{BD}$의 값을 구하시오.

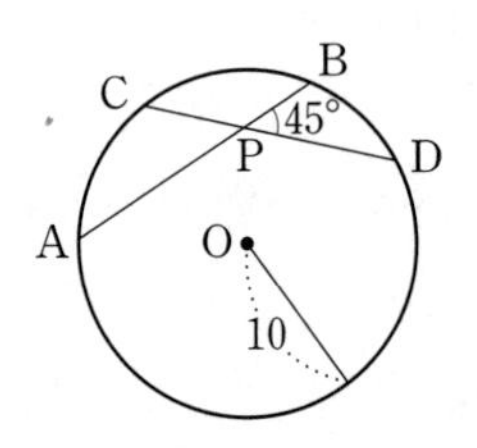

한 원에서 모든 호에 대한 원주각의 크기의 합은 180°임을 이용한다.

서술형

10 오른쪽 그림과 같이 원 O 위에 $\overset{\frown}{AB}=\overset{\frown}{BC}=\overset{\frown}{CD}$인 네 점 A, B, C, D를 잡고 두 현 AB와 CD의 연장선의 교점을 E라고 하자. $\angle E=32^\circ$일 때, $\angle x$의 크기를 구하시오.

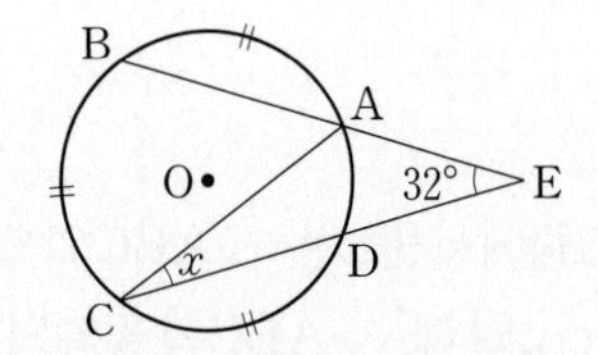

해결 Plus+

한 원에서 길이가 같은 호에 대한 원주각의 크기가 같음을 이용한다.

11 오른쪽 그림에서 $\overline{AB}$는 원 O의 지름이고 $\overset{\frown}{AD}=\overset{\frown}{DE}=\overset{\frown}{EB}$이다. $\overset{\frown}{AC}:\overset{\frown}{CB}=7:2$일 때, $\angle x+\angle y$의 크기를 구하시오.

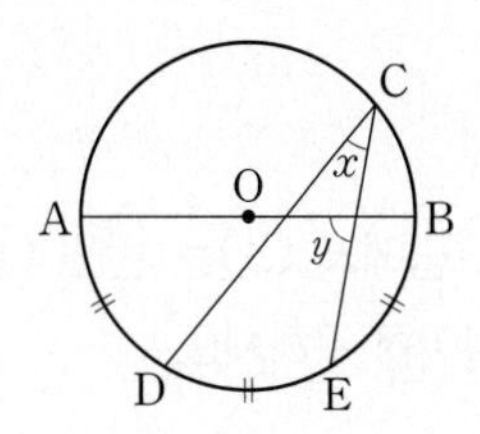

한 원에서 원주각의 크기와 호의 길이는 정비례함을 이용한다.

12 오른쪽 그림과 같은 원에서 $\overset{\frown}{AB}$, $\overset{\frown}{AC}$의 중점을 각각 M, N이라 하고 $\overline{MN}$과 $\overline{AB}$, $\overline{AC}$의 교점을 각각 P, Q라고 하자. $\angle ABQ=20^\circ$, $\angle PQB=48^\circ$일 때, $\angle AQP$의 크기를 구하시오.

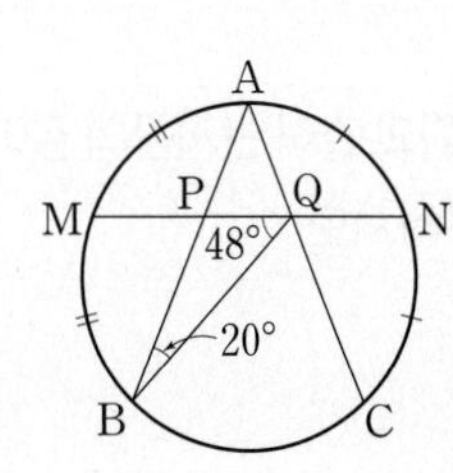

최고 수준 뛰어넘기

01

오른쪽 그림에서 원 O는 $\triangle ABC$의 외접원이고 $\angle ABC=45°$, $\angle BOC=150°$, $\overline{BC}=8$ cm일 때, $\triangle ABC$의 둘레의 길이를 구하시오.

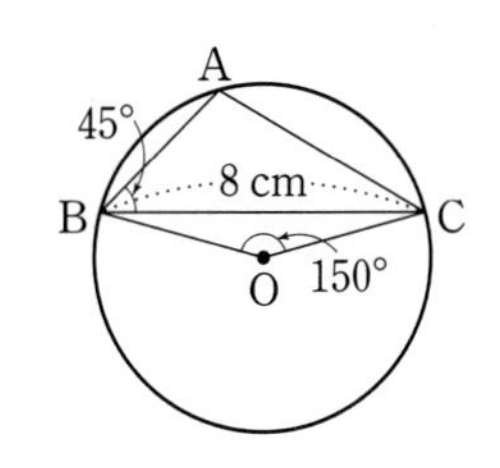

02

오른쪽 그림에서 $\overline{CD}$는 반원 O의 지름이다. $\overline{AB}=\overline{BC}=2$, $\overline{CD}=8$일 때, $\overline{AD}$의 길이를 구하시오.

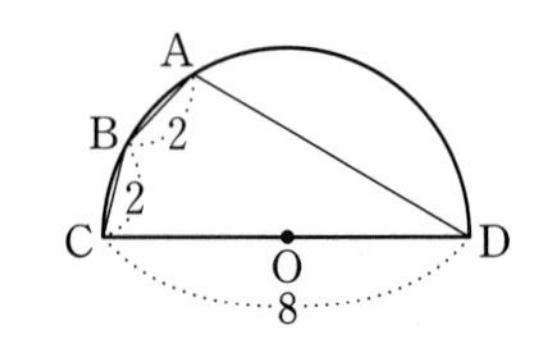

03

창의력

오른쪽 그림과 같이 반지름의 길이가 10인 원 O에서 $\overline{AC}\perp\overline{BD}$일 때, $\overline{AB}^2+\overline{CD}^2$의 값을 구하시오.

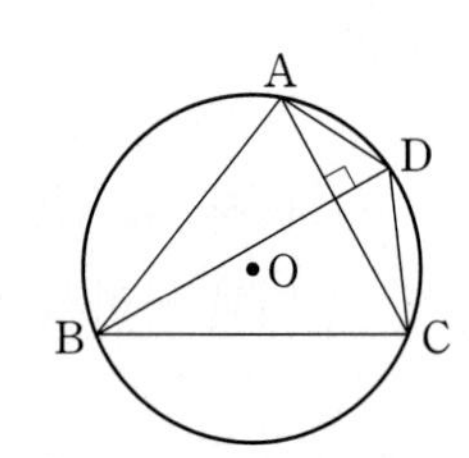

3 원주각의 활용

최·고·수·준·수·학

1 네 점이 한 원 위에 있을 조건

두 점 C, D가 직선 AB에 대하여 같은 쪽에 있을 때,
$\angle ACB = \angle ADB$이면 네 점 A, B, C, D는 한 원 위에 있다.

참고 네 점 A, B, C, D가 한 원 위에 있으면 $\angle ACB = \angle ADB$이다.
→ □ABDC는 원에 내접하는 사각형이다.

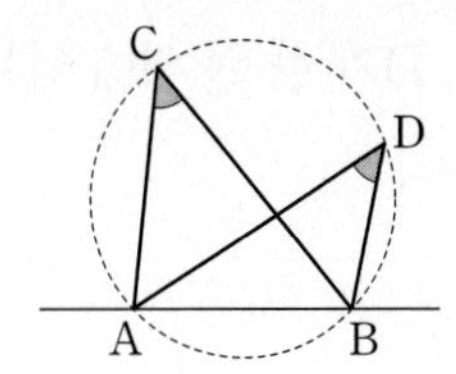

2 원에 내접하는 사각형의 성질

(1) 원에 내접하는 사각형에서 한 쌍의 대각(→ 서로 마주 보고 있는 각)의 크기의 합은 180°이다.
➡ $\angle A + \angle C = 180°$, $\angle B + \angle D = 180°$

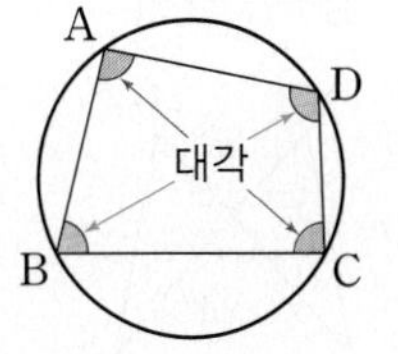

(2) 원에 내접하는 사각형에서 한 외각의 크기는 그와 이웃하는 내각에 대한 대각의 크기와 같다.
➡ $\angle DCE = \angle A$

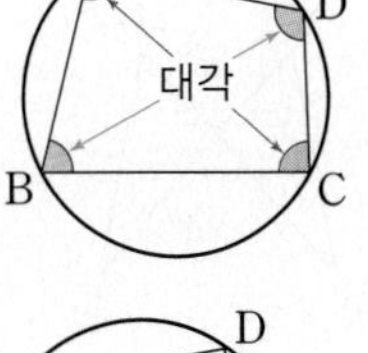

(3) **사각형이 원에 내접하기 위한 조건**
① 한 쌍의 대각의 크기의 합이 180°인 사각형은 원에 내접한다.
② 한 외각의 크기가 그와 이웃하는 내각에 대한 대각의 크기와 같은 사각형은 원에 내접한다.

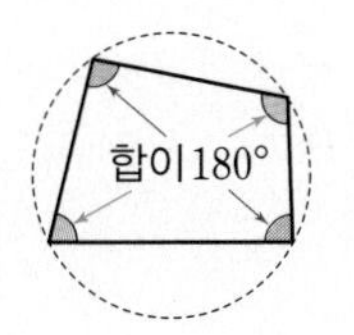

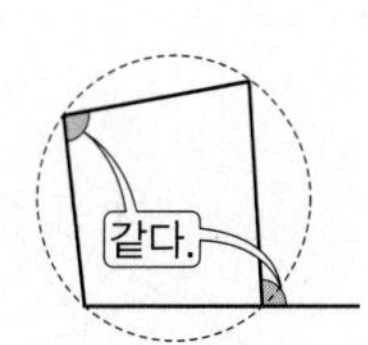

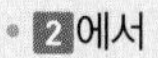
• 2에서

(1)

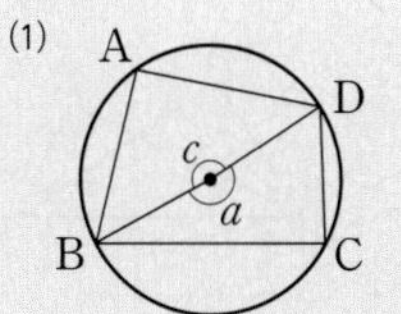

$\angle A$, $\angle C$에 대한 중심각을 각각 $\angle a$, $\angle c$라고 하면
$\angle a + \angle c = 360°$이므로
$\angle A + \angle C$
$= \frac{1}{2}\angle a + \frac{1}{2}\angle c$
$= \frac{1}{2}(\angle a + \angle c)$
$= \frac{1}{2} \times 360° = 180°$

3 원의 접선과 현이 이루는 각

(1) 원의 접선과 그 접점을 지나는 현이 이루는 각의 크기는 그 각의 내부에 있는 호에 대한 원주각의 크기와 같다.
➡ $\overleftrightarrow{AT}$가 원 O의 접선이면 $\angle BAT = \angle BCA$

(2) 원 O에서 $\angle BAT = \angle BCA$이면 $\overleftrightarrow{AT}$는 원 O의 접선이다.

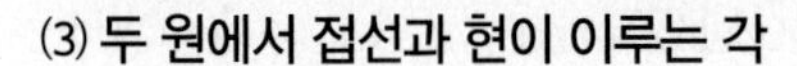

(3) **두 원에서 접선과 현이 이루는 각**
$\overleftrightarrow{PQ}$가 두 원의 공통인 접선이고 점 T가 접점일 때, $\overline{AB} /\!/ \overline{CD}$이다.

①

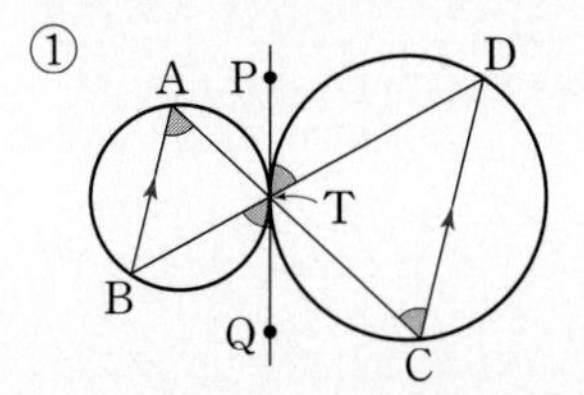

$\angle BAT = \angle BTQ$
$= \angle DTP = \angle DCT$
➡ 엇각의 크기가 같으므로
$\overline{AB} /\!/ \overline{CD}$

②

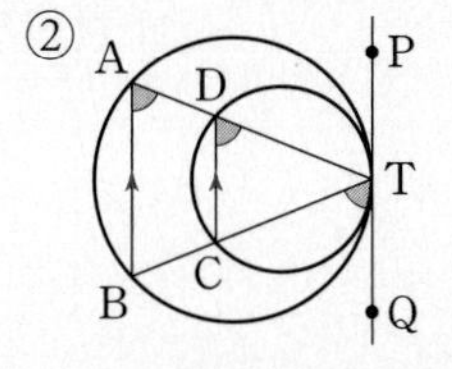

$\angle BAT = \angle BTQ = \angle CDT$
➡ 동위각의 크기가 같으므로
$\overline{AB} /\!/ \overline{CD}$

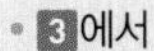
• 3에서

(1)

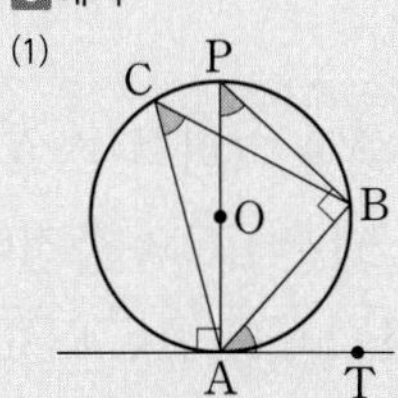

지름 AP를 그으면
$\angle PBA = \angle PAT = 90°$이므로
$\angle BPA = 90° - \angle BAP$
$= \angle BAT$
한편, $\angle BPA = \angle BCA$
($\widehat{AB}$에 대한 원주각)이므로
$\angle BAT = \angle BCA$

II 원의 성질

최고 수준 **입문하기**

1 네 점이 한 원 위에 있을 조건

필수

01 다음 보기 중 네 점 A, B, C, D가 한 원 위에 있는 것은 모두 몇 개인지 구하시오.

보기

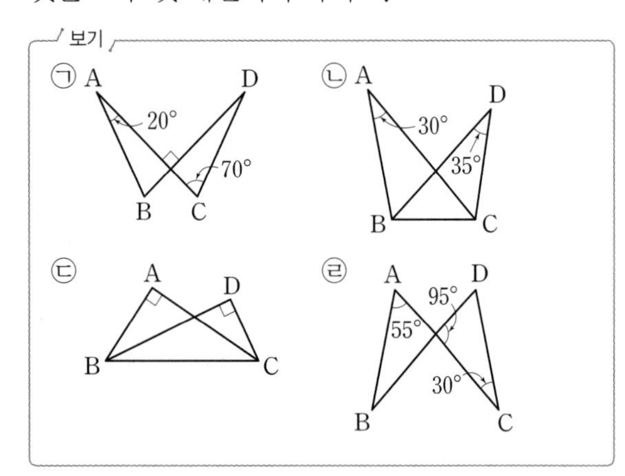

02 오른쪽 그림에서 $\angle DAC=55^\circ$, $\angle DPC=30^\circ$이고 네 점 A, B, C, D가 한 원 위에 있을 때, $\angle x+\angle y$의 크기를 구하시오.

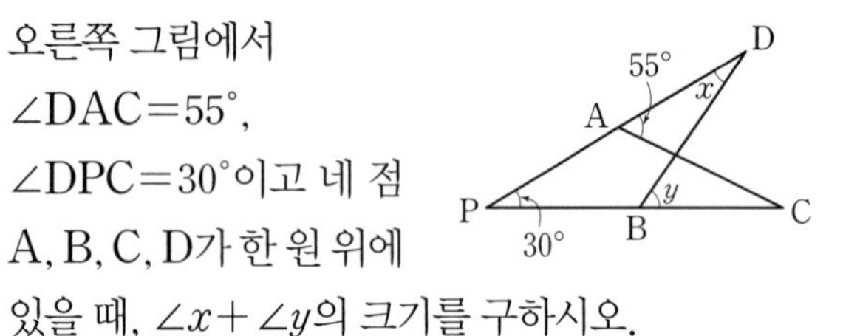

03 오른쪽 그림의 $\triangle ABC$에서 점 M은 $\overline{BC}$의 중점이고 $\overline{AB}\perp\overline{CE}$, $\overline{AC}\perp\overline{BD}$이다. $\angle A=72^\circ$일 때, $\angle EMD$의 크기를 구하시오.

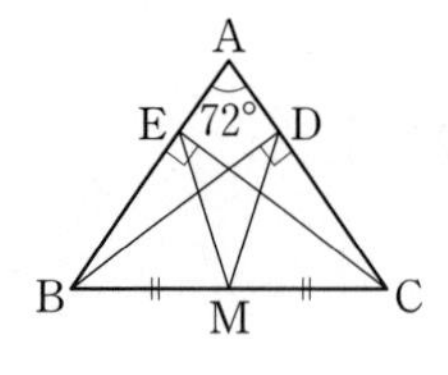

2 원에 내접하는 사각형의 성질

필수

04 오른쪽 그림과 같이 □ABCD가 원에 내접하고 $\angle ABD=45^\circ$, $\angle BCD=100^\circ$일 때, $\angle x$의 크기를 구하시오.

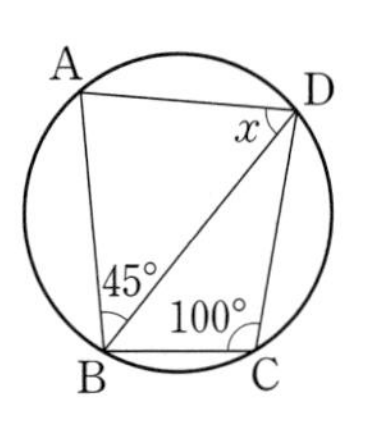

서술형

05 오른쪽 그림과 같이 □ABCD, □EBCD가 원에 내접하고 점 F는 $\overline{AD}$와 $\overline{BE}$의 교점이다. $\angle ABE=37^\circ$, $\angle BED=85^\circ$일 때, $\angle x+\angle y$의 크기를 구하시오.

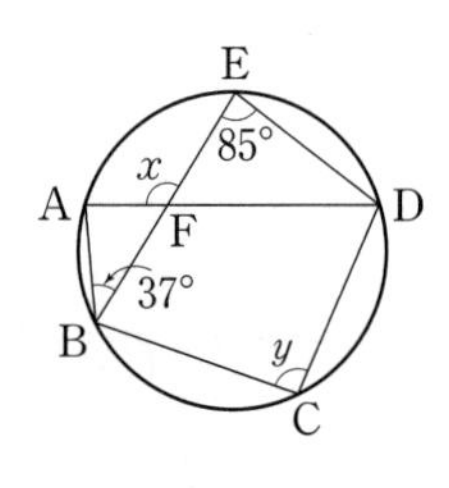

06 오른쪽 그림과 같이 □ABCD가 원 O에 내접하고 $\overline{AC}$는 원 O의 지름이다. $\angle ABE=70^\circ$, $\angle BPD=80^\circ$일 때, $\angle DAB$의 크기를 구하시오.

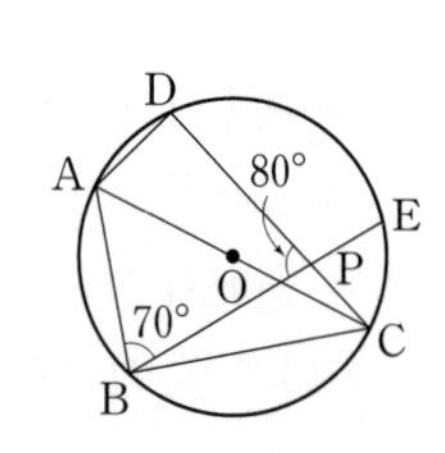

07 오른쪽 그림과 같이 □ABCD가 원에 내접하고 $\angle ABD=52°$, $\angle DAC=36°$, $\angle DCE=80°$일 때, $\angle y-\angle x$의 크기를 구하시오.

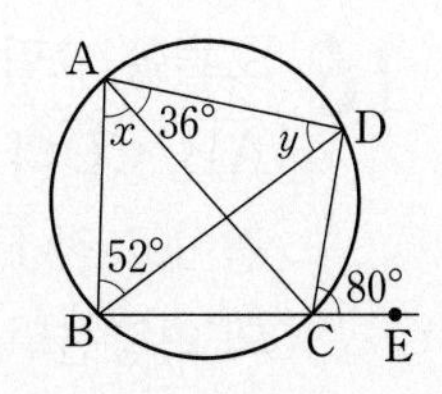

08 오른쪽 그림과 같이 □ABCD가 원 O에 내접하고 $\overline{AD}$는 원 O의 지름이다. $\angle CAB=32°$, $\angle DCE=70°$일 때, $\angle x+\angle y$의 크기를 구하시오.

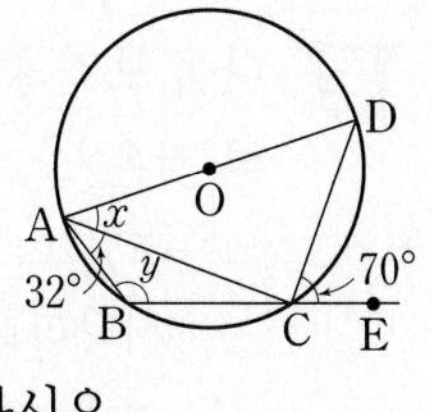

09 오른쪽 그림과 같이 □ABCD는 원에 내접하고 $\widehat{ABC}$, $\widehat{BCD}$의 길이는 각각 원주의 $\frac{2}{3}$, $\frac{4}{9}$이다. 이때 $\angle x-\angle y$의 크기를 구하시오.

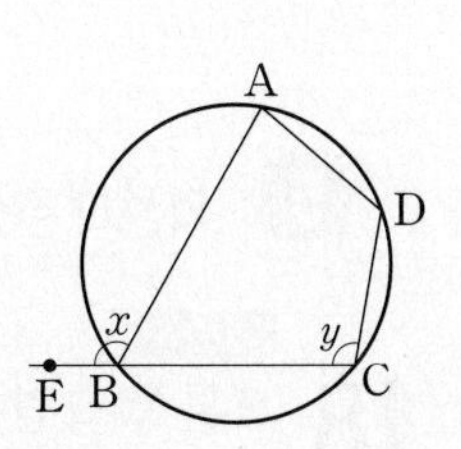

3 원에 내접하는 사각형의 성질의 활용

필수

10 오른쪽 그림과 같이 □ABCD는 원에 내접하고 $\angle BPC=20°$, $\angle AQB=30°$일 때, $\angle x$의 크기를 구하시오.

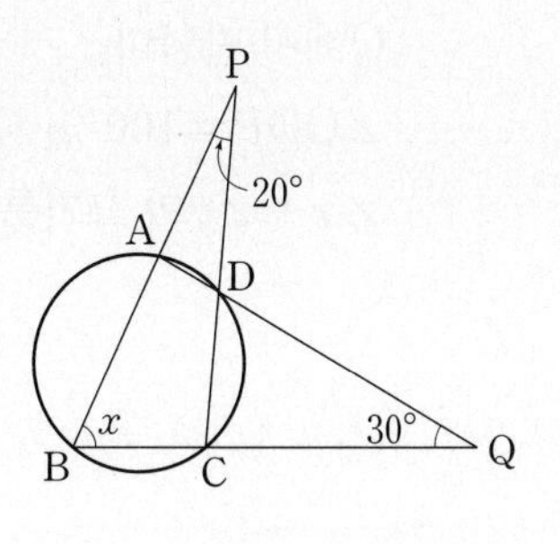

11 오른쪽 그림과 같이 육각형 ABCDEF가 원에 내접하고 $\angle ABC=100°$, $\angle CDE=120°$일 때, $\angle AFE$의 크기를 구하시오.

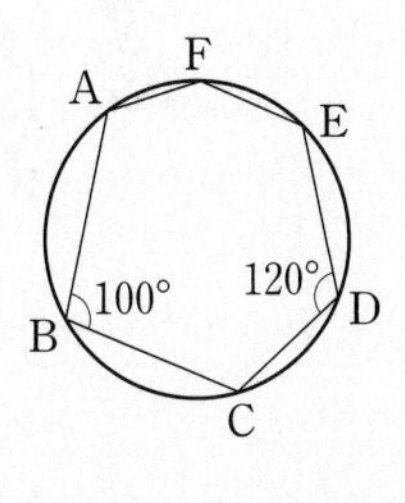

서술형

12 오른쪽 그림과 같이 오각형 ABCDE가 원 O에 내접하고 $\angle COD=40°$일 때, $\angle ABC+\angle AED$의 크기를 구하시오.

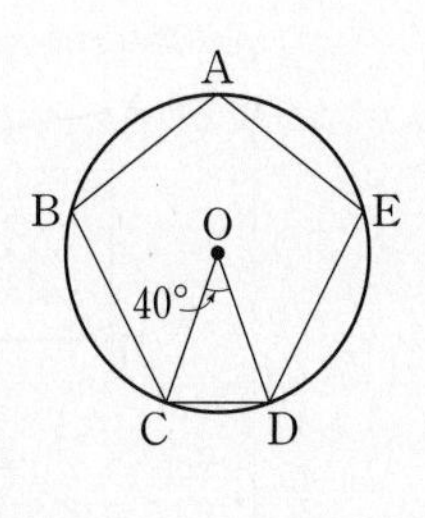

13 오른쪽 그림과 같이 두 원 O, O′은 두 점 P, Q에서 만난다. $\angle CDP=100°$일 때, $\angle x+\angle y$의 크기를 구하시오.

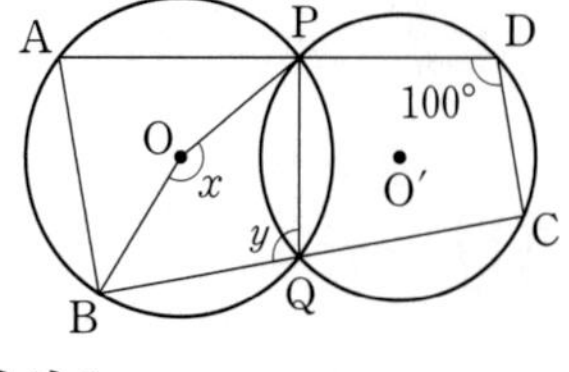

14 다음 그림과 같이 두 원 O_1, O_2는 두 점 P, Q에서 만나고, 두 원 O_2, O_3은 두 점 R, S에서 만난다. $\overleftrightarrow{PR}$와 $\overleftrightarrow{QS}$가 O_1, O_3과 만나는 점을 각각 A, B, C, D라 하고 $\angle PAB=97°$, $\angle ABQ=102°$일 때, $\angle x+\angle y$의 크기를 구하시오.

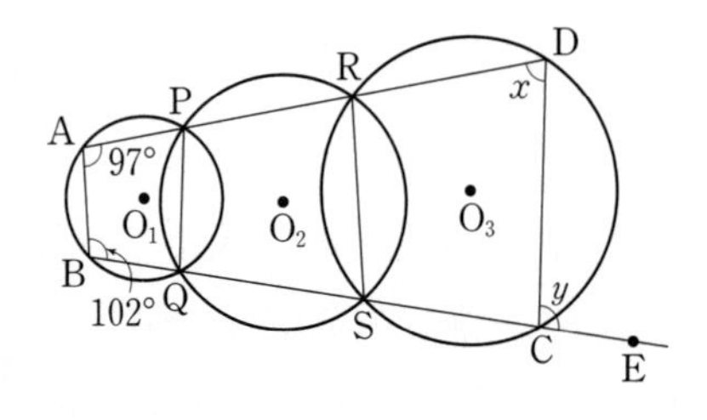

4 사각형이 원에 내접하기 위한 조건

필수

15 다음 보기 중 □ABCD가 원에 내접하는 것을 모두 고르시오.

보기

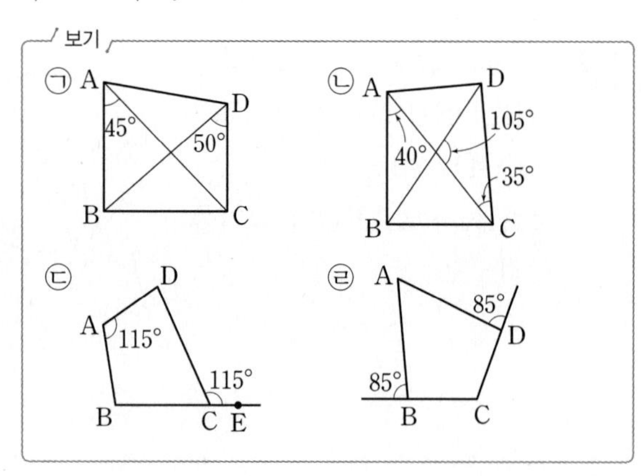

16 오른쪽 그림에서 점 E는 $\overline{AB}$, $\overline{CD}$의 연장선의 교점이고 점 F는 $\overline{AD}$, $\overline{BC}$의 연장선의 교점이다. $\angle ADC=115°$, $\angle AFB=30°$일 때, □ABCD가 원에 내접하도록 하는 $\angle x$의 크기를 구하시오.

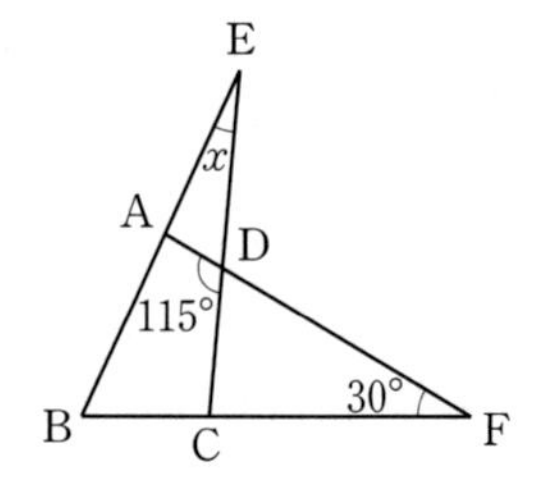

17 다음 보기 중 항상 원에 내접하는 사각형을 모두 고른 것은?

보기

㉠ 사다리꼴	㉡ 등변사다리꼴
㉢ 평행사변형	㉣ 직사각형
㉤ 마름모	㉥ 정사각형

① ㉠, ㉡, ㉣ ② ㉠, ㉢, ㉥ ③ ㉡, ㉣, ㉤
④ ㉡, ㉣, ㉥ ⑤ ㉣, ㉤, ㉥

5 접선과 현이 이루는 각

필수

18 오른쪽 그림에서 $\overleftrightarrow{BT}$는 원 O의 접선이고 점 B는 접점이다. $\angle CBT=65°$일 때, $\angle x-\angle y$의 크기를 구하시오.

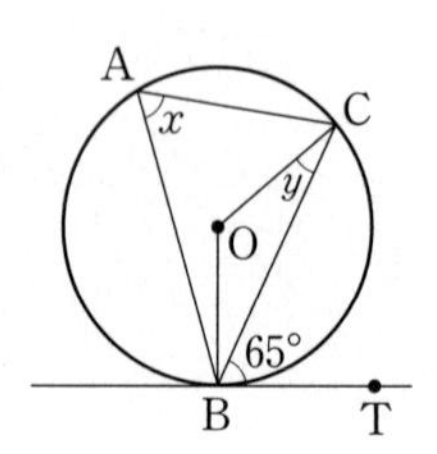

19 오른쪽 그림에서 $\overleftrightarrow{BT}$는 원 O의 접선이고 점 B는 접점이다. $\widehat{AB}:\widehat{BC}:\widehat{CA}=5:7:6$일 때, $\angle CBT$의 크기를 구하시오.

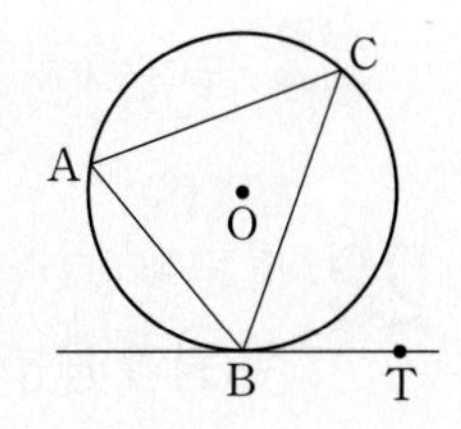

서술형

20 오른쪽 그림에서 $\overline{AT}$는 원의 접선이고 점 A는 접점이다. $\overline{BA}=\overline{BT}$이고 $\angle BTA=40°$일 때, $\angle CAB$의 크기를 구하시오.

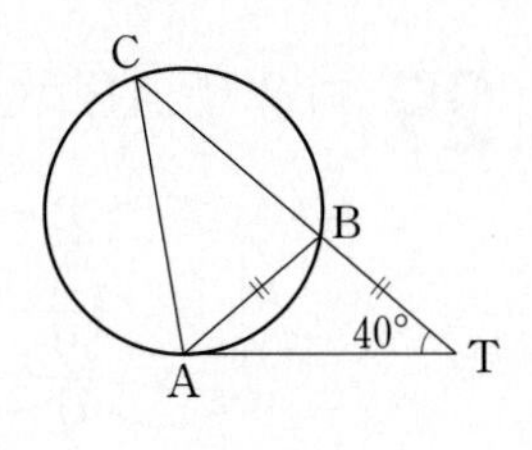

21 오른쪽 그림에서 □ABCD는 원에 내접하고 $\overleftrightarrow{CT}$는 원의 접선이다. $\angle ABD=42°$, $\angle ADB=38°$, $\angle DCT=50°$일 때, $\angle y-\angle x$의 크기를 구하시오.

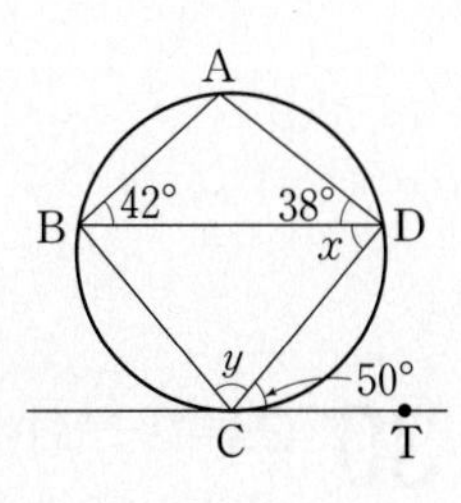

22 오른쪽 그림에서 □ABCD는 원에 내접하고 $\overline{BC}=\overline{CD}$, $\angle BAD=54°$이다. $\overleftrightarrow{CT}$가 원의 접선이고 점 C가 접점일 때, $\angle x$의 크기를 구하시오.

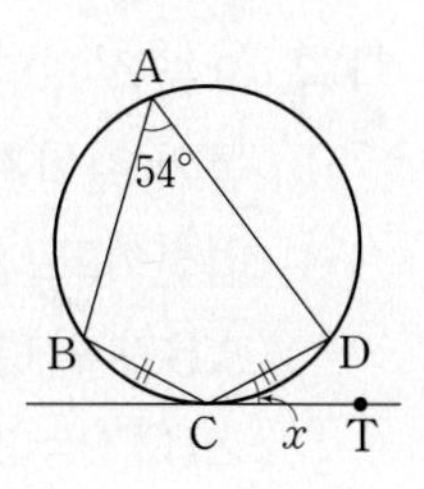

서술형

23 오른쪽 그림에서 $\overleftrightarrow{PC}$는 원 O의 접선이고 점 T는 접점이다. $\overline{PB}$는 원 O의 중심을 지나고 $\angle BTC=70°$일 때, $\angle x$의 크기를 구하시오.

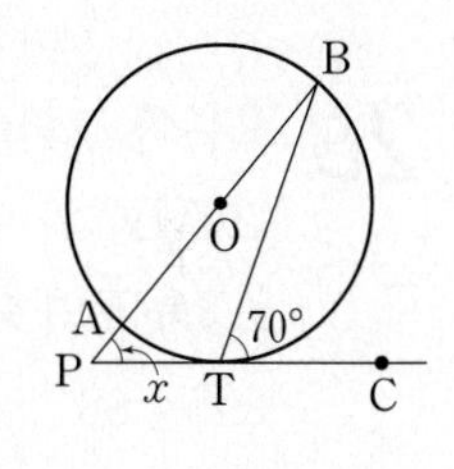

24 오른쪽 그림에서 $\overrightarrow{PT}$는 원 O의 접선이고 점 C는 접점이다. $\overline{PA}$는 원 O의 중심을 지나고 $\overline{AC}=\overline{PC}$일 때, $\angle x$의 크기를 구하시오.

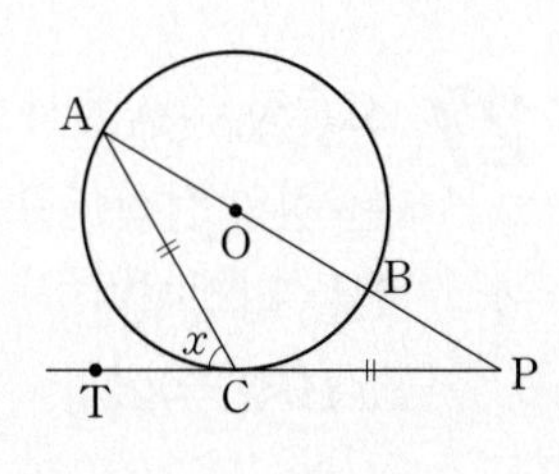

서술형

25 오른쪽 그림에서 $\overleftrightarrow{TP}$는 반지름의 길이가 3 cm인 원 O의 접선이고 점 T는 접점이다. $\overline{AB}$가 원 O의 지름이고 $\angle BTP=30°$일 때, $\triangle ATB$의 넓이를 구하시오.

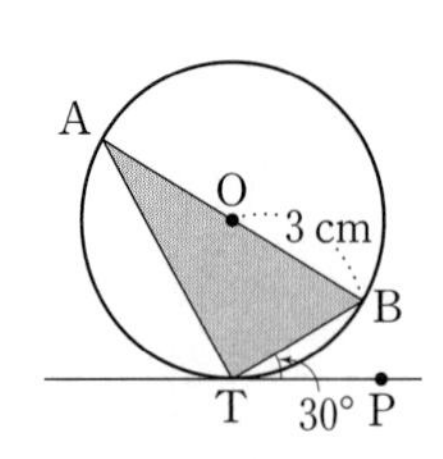

26 오른쪽 그림에서 원 O는 $\triangle ABC$의 내접원이면서 $\triangle DEF$의 외접원이다. $\angle B=68°$, $\angle FDE=62°$일 때, $\angle x$의 크기를 구하시오.

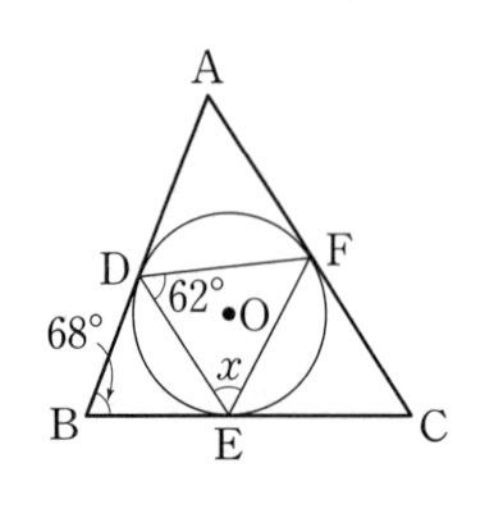

27 오른쪽 그림에서 $\overline{PA}$, $\overline{PC}$는 원의 접선이고 두 점 A, B는 접점이다. $\angle BAC=22°$, $\angle BCA=25°$일 때, $\angle x-\angle y$의 크기를 구하시오.

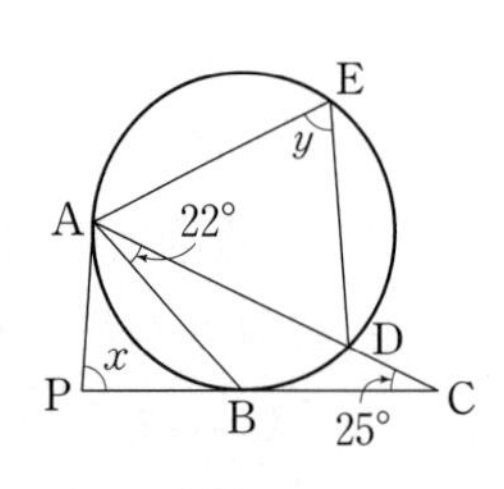

6 두 원에서 접선과 현이 이루는 각

필수

28 오른쪽 그림에서 $\overleftrightarrow{PQ}$는 두 원의 공통인 접선이고 점 T는 접점이다. $\angle BAT=70°$, $\angle CDT=52°$일 때, $\angle x$의 크기를 구하시오.

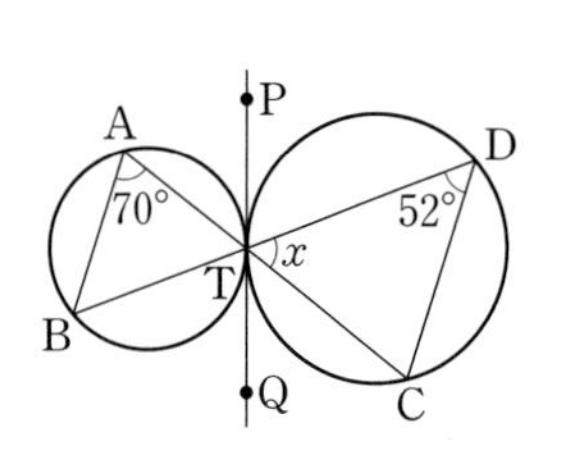

29 다음 중 $\overline{AB} /\!/ \overline{CD}$가 아닌 것은?

①
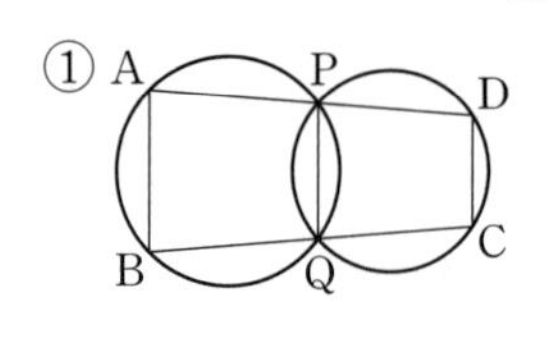

②
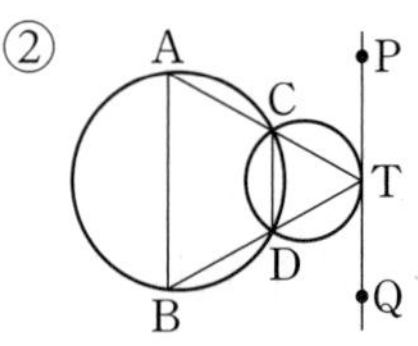

③
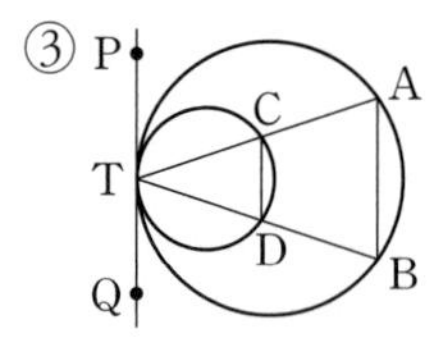

④
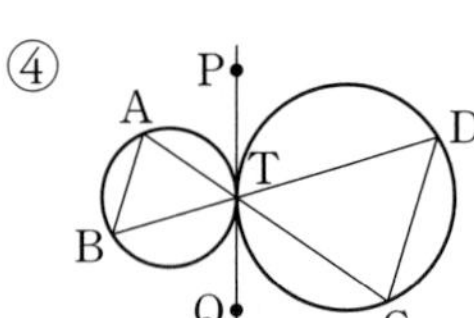

⑤
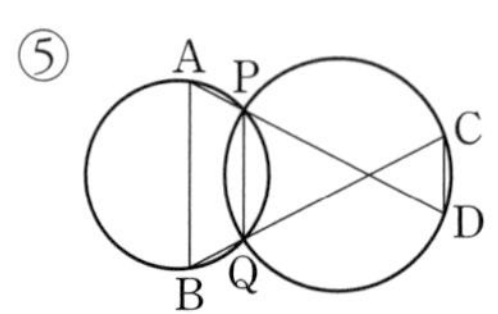

30 오른쪽 그림에서 $\overleftrightarrow{PQ}$는 점 T에서 접하는 두 원의 공통인 접선이다. $\angle CAT=52°$, $\angle BDC=105°$일 때, $\angle x$의 크기를 구하시오.

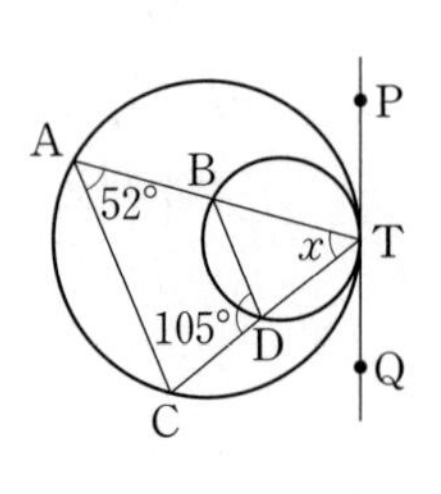

최고 수준 완성하기

정답과 풀이 P 40

01 오른쪽 그림과 같이 $\overline{AB}$를 지름으로 하는 반원 O에서 $\angle OCP=\angle ODP=13°$, $\angle AOC=50°$일 때, $\angle x-\angle y$의 크기를 구하시오.

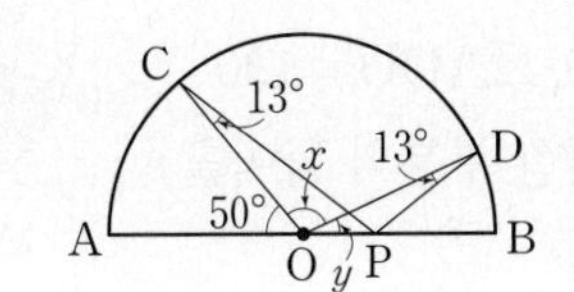

02 오른쪽 그림과 같이 □ABCD가 원 O에 내접하고 $\widehat{AB}=\widehat{AD}$이다. $\overline{BD}=8$ cm, $\angle BCD=120°$일 때, △ABD의 넓이를 구하시오.

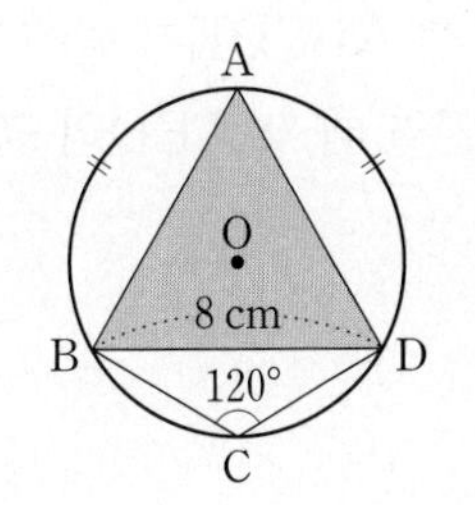

03 오른쪽 그림과 같은 원에서 두 점 P, Q는 각각 $\widehat{AB}$, $\widehat{BC}$를 이등분하는 점이다. $\angle PRQ=48°$일 때, $\angle ABC$의 크기를 구하시오.

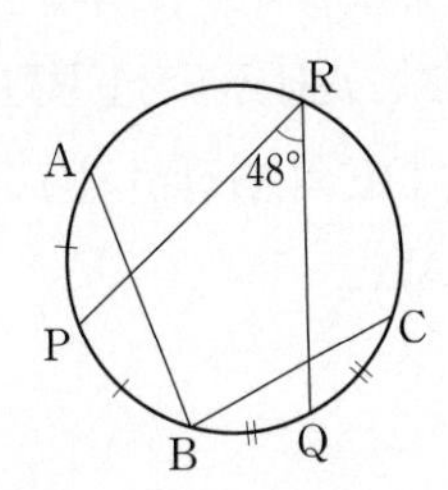

창의력

04 오른쪽 그림에서 △ABC와 △AB′C′은 합동이고 $\angle BAB'=56°$이다. 네 점 A, B, B′, C′이 한 원 위에 있을 때, $\angle ACB$의 크기를 구하시오.

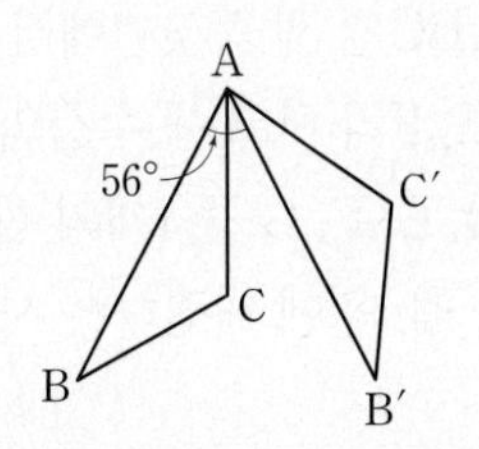

해결 Plus⁺

$\angle OCP=\angle ODP=13°$임을 이용하여 한 원 위에 있는 네 점을 찾는다.

네 점 A, B, B′, C′을 지나는 원을 그린다.

05 오른쪽 그림과 같이 원 O에 내접하는 □ABCD에서 $\overline{AD}$와 $\overline{BC}$의 연장선의 교점을 P라고 하자. $\overline{AB}=6$, $\angle AOD=130°$, $\angle DCP=85°$일 때, 색칠한 부분의 넓이를 구하시오.

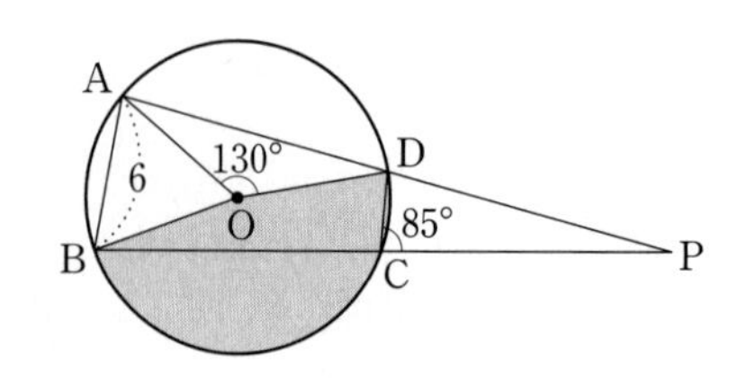

해결 Plus⁺

색칠한 부분은 부채꼴 BOD이므로 부채꼴의 반지름의 길이와 중심각의 크기를 각각 구한다.

06 오른쪽 그림과 같이 오각형 ABCDE가 원에 내접하고 $\overline{AB}=\overline{AD}$, $\angle BCD=72°$일 때, $\angle AED$의 크기를 구하시오.

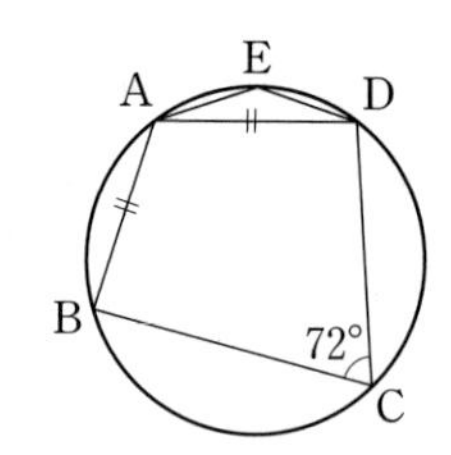

07 오른쪽 그림과 같이 원 O에 내접하는 오각형 ABCDE에서 $\overline{BE}$는 원 O의 지름이고 $\angle ABE=\angle EBD$, $\angle BCD=112°$이다. $\overline{AB}$, $\overline{DE}$의 연장선의 교점을 F라고 할 때, $\angle x$의 크기를 구하시오.

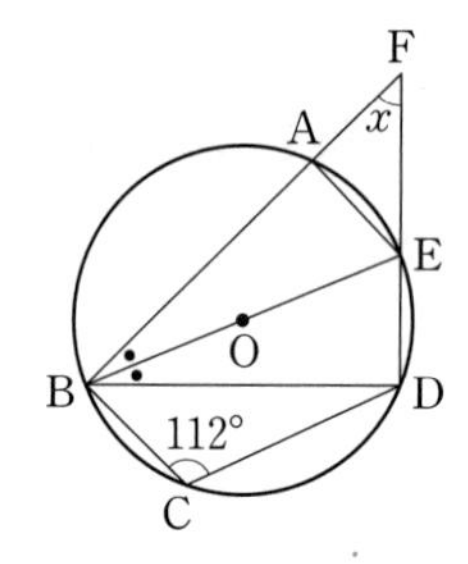

반원에 대한 원주각의 크기는 90°이다.

08 오른쪽 그림과 같이 △ABC의 세 꼭짓점에서 대변에 내린 수선의 발을 각각 D, E, F라 하고 세 수선의 교점을 G라고 하자. 점 A, B, C, D, E, F, G 중 4개의 점을 꼭짓점으로 하는 사각형을 만들 때, 원에 내접하는 사각형은 모두 몇 개인지 구하시오.

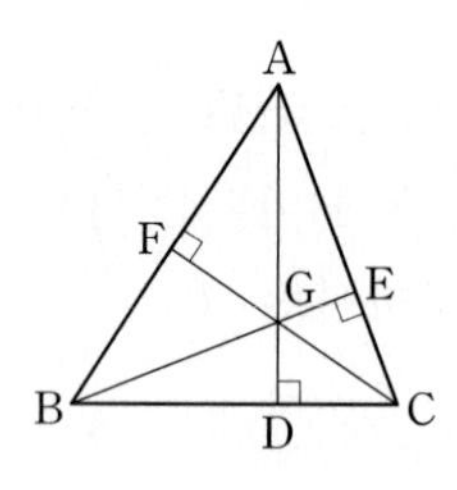

서술형

09 오른쪽 그림에서 $\overline{PT}$는 원의 접선이고 점 T는 접점이다. $\widehat{BC}=\widehat{CT}$이고 $\angle BPT=31°$, $\angle BTC=28°$일 때, $\angle x$의 크기를 구하시오.

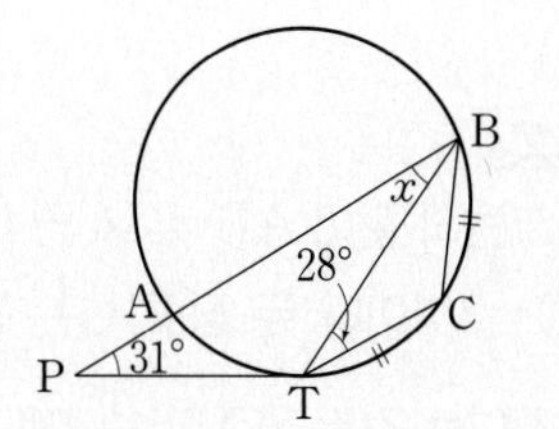

해결 Plus+

원에 내접하는 사각형이 생기도록 보조선을 긋는다.

10 오른쪽 그림에서 $\overline{PT}$는 원의 접선이고 점 T는 접점이다. $\overline{AB}=\overline{BT}$, $\angle BPT=30°$일 때, $\angle x$의 크기를 구하시오.

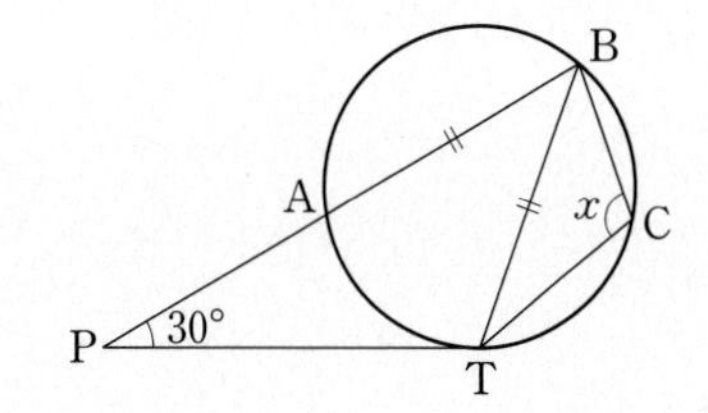

11 오른쪽 그림과 같이 $\angle B=90°$인 직각삼각형 ABC에서 $\overline{AB}$는 원 O의 접선이고 점 A는 접점이다. $\overline{BC}$ 위의 점 M은 $\widehat{AC}$의 중점일 때, $\sin C$의 값을 구하시오.

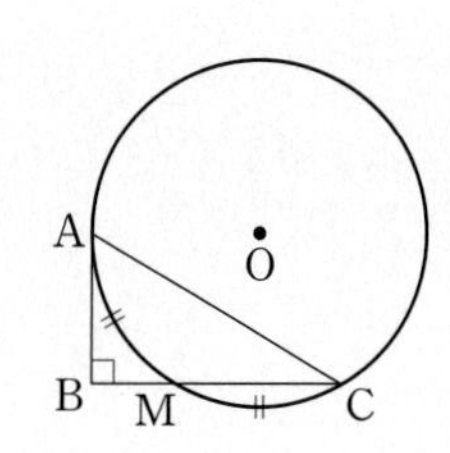

창의력

12 오른쪽 그림에서 $\overleftrightarrow{PQ}$는 점 T에서 두 원과 접하고 큰 원의 현 AB는 작은 원과 점 C에서 접한다. $\angle TAB=35°$, $\angle TBA=55°$일 때, $\angle x$의 크기를 구하시오.

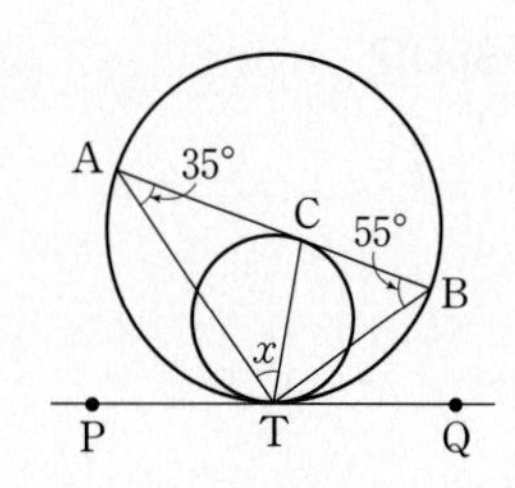

최고 수준 뛰어넘기

정답과 풀이 P 42

STEP UP

01

오른쪽 그림과 같이 $\overline{AB}=\overline{AC}$인 이등변삼각형 ABC가 원에 내접하고 $\angle BAC=30°$이다. 두 점 F, G는 각각 현 DE가 $\overline{AB}$, $\overline{AC}$와 만나는 점이고 $\widehat{AE}$, $\widehat{BD}$의 길이는 각각 원주의 $\frac{1}{12}$이다. $\overline{DE}=4$일 때, $\overline{DF}$의 길이를 구하시오.

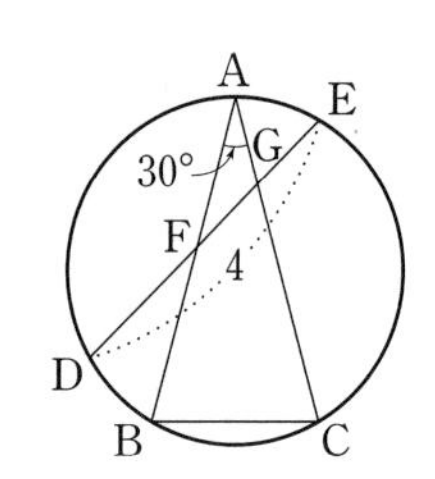

창의력

02

오른쪽 그림과 같이 $\overline{AB}$, $\overline{QB}$를 각각 지름으로 하는 두 반원이 있다. $\overline{AC}$는 점 P에서 작은 반원에 접하고, 점 P에서 $\overline{AB}$에 내린 수선의 발을 H라고 하자. $\angle CAB=34°$일 때, $\angle x$의 크기를 구하시오.

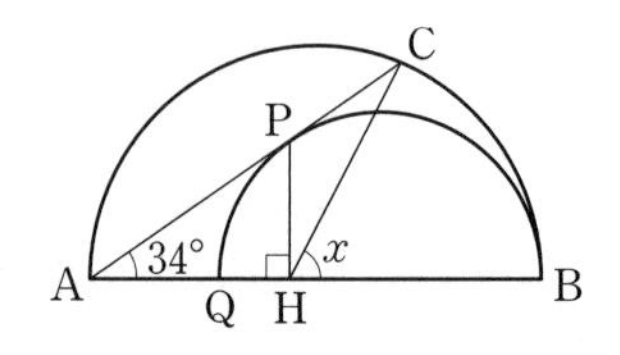

03

오른쪽 그림에서 $\overleftrightarrow{PQ}$는 두 원의 공통인 접선이고 점 T는 접점이다. 점 T를 지나는 두 직선이 두 원과 네 점 A, B, C, D에서 만나고 $\overline{AB}=12$ cm, $\overline{CD}=18$ cm, $\overline{CT}=\overline{DT}=15$ cm일 때, $\triangle ATD$의 넓이를 구하시오.

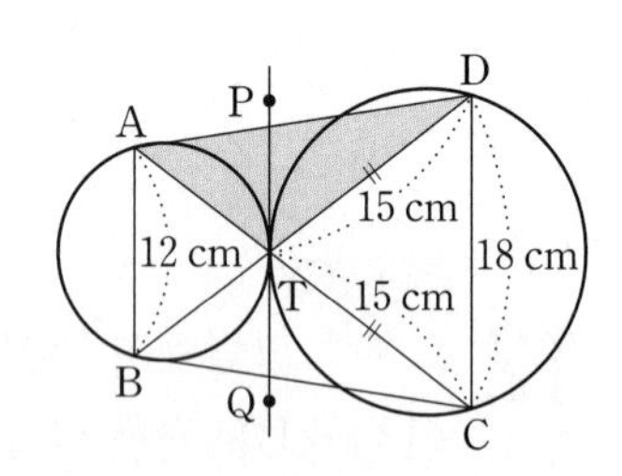

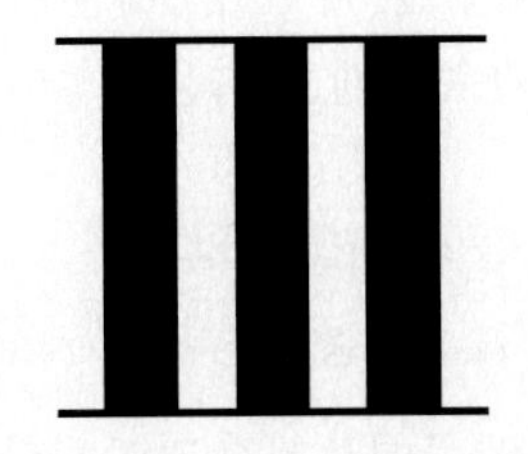

통계

1 대푯값과 산포도

2 산점도와 상관관계

1 대푯값과 산포도

최·고·수·준·수·학

1 대푯값

(1) **대푯값** 자료 전체의 특징을 대표적으로 나타내는 값

(2) **평균** 변량의 총합을 변량의 개수로 나눈 값

$$(\text{평균})=\frac{(\text{변량의 총합})}{(\text{변량의 개수})}$$

(3) **중앙값** 자료의 변량을 작은 값에서부터 크기순으로 나열할 때, 한가운데 놓이는 값

① 변량의 개수가 홀수일 때, 한가운데 놓이는 값이 1개이므로 이 값이 중앙값이다.

② 변량의 개수가 짝수일 때, 한가운데 놓이는 값이 2개이므로 이 두 값의 평균이 중앙값이다.

예 ① 3, 5, 8, 9, 10, 11, 12의 중앙값은 9이다.

② 3, 5, 8, 8, 10, 10, 11, 12의 중앙값은 $\frac{8+10}{2}=9$이다.

(4) **최빈값** 자료의 변량 중에서 가장 많이 나타나는 값

참고 최빈값은 2개 이상일 수도 있다.

예 ① 2, 4, 5, 5, 5, 7, 8의 최빈값은 5이다.

② 2, 4, 4, 5, 5, 7, 8의 최빈값은 4, 5이다.

- 변량은 키, 몸무게, 시험 점수 등과 같이 자료를 수량으로 나타낸 것이다.
- n개의 변량을 작은 값에서부터 크기순으로 나열하였을 때, 중앙값은
  ① n이 홀수 ➡ $\frac{n+1}{2}$번째 변량의 값
  ② n이 짝수 ➡ $\frac{n}{2}$번째 변량과 $\left(\frac{n}{2}+1\right)$번째 변량의 평균
- 수로 나타나지 않는 자료의 대푯값은 최빈값을 이용한다.
  예 좋아하는 과일

변량 중 극단적인 값이 있는 경우 대푯값으로 평균보다 중앙값을 사용하는 것이 합리적이야.

2 산포도

(1) **산포도** 대푯값을 중심으로 자료가 흩어져 있는 정도를 하나의 수로 나타낸 값

(2) **편차** 어떤 자료의 각 변량에서 평균을 뺀 값

$$(\text{편차})=(\text{변량})-(\text{평균})$$

① 편차의 합은 항상 0이다.

② 평균보다 큰 변량의 편차는 양수이고, 평균보다 작은 변량의 편차는 음수이다.

③ 편차의 절댓값이 클수록 그 변량은 평균에서 멀리 떨어져 있고, 편차의 절댓값이 작을수록 그 변량은 평균에 가까이 있다.

(3) **분산** 편차의 제곱의 평균

$$(\text{분산})=\frac{\{(\text{편차})^2\text{의 총합}\}}{(\text{변량의 개수})}$$

(4) **표준편차** 분산의 음이 아닌 제곱근 → 표준편차의 단위는 변량의 단위와 같다.

$$(\text{표준편차})=\sqrt{(\text{분산})}$$

참고 ① 표준편차가 작다. ➡ 자료가 평균 주위에 모여 있다. ➡ 자료의 분포가 고르다.

② 표준편차가 크다. ➡ 자료가 평균으로부터 멀리 흩어져 있다. ➡ 자료의 분포가 고르지 않다.

- (편차)=(변량)−(평균)이므로
  ① (변량)>(평균) ➡ (편차)>0
  ② (변량)<(평균) ➡ (편차)<0
- **분산을 구하는 방법**
  ① $(\text{분산})=\frac{\{(\text{편차})^2\text{의 총합}\}}{(\text{변량의 개수})}$
  ② $(\text{분산})=\frac{\{(\text{변량})^2\text{의 총합}\}}{(\text{변량의 개수})}-(\text{평균})^2$

개념 Plus+

변화된 변량의 평균, 분산, 표준편차

n개의 변량 $x_1, x_2, x_3, \cdots, x_n$의 평균이 m이고 표준편차가 s일 때, n개의 변량 $ax_1+b, ax_2+b, ax_3+b, \cdots, ax_n+b$($a$, b는 상수)에 대하여

(1) $(\text{평균})=am+b$ (2) $(\text{분산})=a^2s^2$ (3) $(\text{표준편차})=|a|s$

최고 수준 입문하기

정답과 풀이 P 44

1 평균

01 다음은 어느 농구 선수의 최근 6번의 경기에서의 득점을 조사하여 나타낸 것이다. 이 6번의 경기에서의 평균 득점이 15점일 때, x의 값을 구하시오.

(단위 : 점)

14, 11, x, 16, 8, 19

02 네 수 $2a+3$, $2b+3$, $2c+3$, $2d+3$의 평균이 13일 때, 네 수 a, b, c, d의 평균을 구하시오.

03 육상부 학생 20명의 키의 평균이 165 cm이었는데 5명의 학생이 새로 입단하여 전체 25명의 키의 평균이 167 cm가 되었다. 육상부에 새로 입단한 학생 5명의 키의 평균을 구하시오.

2 중앙값과 최빈값

필수

04 다음 자료의 평균, 중앙값, 최빈값을 각각 A, B, C라고 할 때, $A+2B-3C$의 값을 구하시오.

5, 4, 5, 9, 6, 8, 6, 5

05 다음 그림은 미진이네 반 학생들의 윗몸일으키기 기록을 조사하여 나타낸 줄기와 잎 그림이다. 윗몸일으키기 기록의 평균을 a회, 중앙값을 b회, 최빈값을 c회라고 할 때, a, b, c의 대소 관계로 옳은 것은?

(0|3은 3회)

줄기	잎
0	3 6 7 9
1	0 4 4 6 8
2	1 1 1 4 6 7 7

① $a>b>c$　② $a>c>b$　③ $b>a>c$
④ $c>a>b$　⑤ $c>b>a$

06 다음은 A, B 두 모둠의 9명의 학생들의 수학 성적을 조사하여 나타낸 것이다. 이 자료에 대한 설명으로 옳은 것을 보기에서 모두 고르시오.

(단위 : 점)

[A 모둠] 74, 86, 80, 78, 82, 80, 80, 76, 84
[B 모둠] 90, 45, 90, 80, 92, 78, 86, 90, 78

보기
㉠ A 모둠과 B 모둠의 평균은 같다.
㉡ A 모둠의 중앙값은 평균보다 크다.
㉢ B 모둠의 평균과 중앙값은 같다.
㉣ A 모둠의 최빈값은 중앙값보다 작다.
㉤ B 모둠의 중앙값은 최빈값보다 작다.
㉥ B 모둠의 평균과 중앙값 중 대푯값으로 적절한 것은 중앙값이다.

III 통계

3 대푯값이 주어질 때 변량 구하기

07 다음 두 조건을 만족하는 정수 a의 값의 개수를 구하시오.

조건
(가) 5개의 변량 5, 10, 15, 20, a의 중앙값은 15이다.
(나) 4개의 변량 20, 30, 37, a의 중앙값은 25이다.

필수

08 두 자연수 a, b에 대하여 5개의 변량 3, 5, a, b, 8의 중앙값은 7이고 6개의 변량 4, a, b, 10, 13, 14의 중앙값은 11일 때, $a+b$의 값을 구하시오.
(단, $a<b$)

서술형

09 학생 6명의 수학 성적을 낮은 점수부터 차례로 나열하면 세 번째 학생의 수학 성적은 80점이고, 중앙값은 84점이다. 이때 수학 성적이 92점인 학생을 포함한 7명의 학생의 수학 성적의 중앙값을 구하시오.

10 다음 7개의 변량의 평균과 최빈값이 모두 2일 때, $a-b$의 값을 구하시오. (단, $a>b$)

-3, 5, 2, 1, -6, a, b

필수

11 다음은 사과 5개의 무게를 조사하여 나타낸 것이다. 평균과 최빈값이 서로 같을 때, x의 값을 구하시오.

(단위 : g)

65, 68, x, 70, 69

12 다음 10개 변량의 평균이 3이고 $a-b=2$일 때, 최빈값을 구하시오.

-4, 3, -5, a, b, -2, 4, 10, -1, 9

4 편차

13 다음 표는 5명의 학생 A, B, C, D, E의 영어 성적의 편차를 조사하여 나타낸 것이다. 5명의 영어 성적의 평균이 72점일 때, 학생 B의 영어 성적을 구하시오.

학생	A	B	C	D	E
편차(점)	1	x	-5	2	0

14 다음은 어떤 자료의 편차를 조사하여 나타낸 것이다. 평균이 8일 때, 중앙값을 구하시오.

-6, 1, 5, 0, -4, x

5 분산과 표준편차

15 다음 중 옳지 않은 것은?

① 자료가 흩어진 정도를 하나의 수로 나타낸 값을 산포도라고 한다.
② 편차의 합은 항상 0이다.
③ 편차의 절댓값이 작은 변량일수록 평균에 가깝다.
④ 편차의 제곱의 평균을 표준편차라고 한다.
⑤ 분산이 작을수록 자료가 고르게 분포되어 있다.

서술형

16 다음은 어느 양궁선수가 5번의 화살을 쏘아 얻은 점수를 조사하여 나타낸 것이다. 이 점수의 평균이 8점일 때, 분산을 구하시오.

(단위 : 점)

6, 9, x, 7, 10

필수

17 다음 표는 7명의 학생 A, B, C, D, E, F, G의 몸무게의 편차를 조사하여 나타낸 것이다. 이때 7명의 학생의 몸무게의 표준편차를 구하시오.

학생	A	B	C	D	E	F	G
편차(kg)	-1	2	-3	x	0	1	3

필수

18 4개의 변량 2, 5, a, b의 평균이 3이고 분산이 4일 때, a^2+b^2의 값을 구하시오.

19 5개의 변량 3, a, 6, $9-a$, 12의 분산이 10.8일 때, 이를 만족하는 a의 값을 모두 구하시오.

20 네 수 a, b, c, d의 평균이 20이고 표준편차가 4일 때, 네 수 $2a-3$, $2b-3$, $2c-3$, $2d-3$의 평균과 분산을 각각 구하시오.

21 다음 표는 어느 반의 남학생과 여학생의 음악 실기 점수의 평균과 표준편차를 조사하여 나타낸 것이다. 이 반 전체 학생 20명의 음악 실기 점수의 표준편차를 구하시오.

	학생 수(명)	평균(점)	표준편차(점)
남학생	11	28	3
여학생	9	28	2

6 자료의 분석

22 다음 자료 중 표준편차가 가장 작은 것은?

① 2, 3, 4, 5, 6, 7, 8
② 3, 5, 7, 5, 6, 5, 4
③ 5, 5, 5, 5, 5, 5, 5
④ 6, 8, 3, 7, 4, 2, 5
⑤ 6, 4, 6, 4, 6, 4, 5

필수✓

23 아래 표는 어느 중학교 3학년 네 반의 과학 성적의 평균과 표준편차를 조사하여 나타낸 것이다. 다음 설명 중 옳은 것을 모두 고르면? (정답 2개)

반	1	2	3	4
평균(점)	76	72	79	75
표준편차(점)	6.2	9.5	7.1	3.1

① 최고 득점자는 3반에 있다.
② 편차의 합은 2반이 제일 크다.
③ 3반의 성적이 가장 우수하다.
④ 4반 학생들의 성적이 가장 고르다.
⑤ 분산이 가장 큰 반은 알 수 없다.

24 아래 그림은 병훈, 정우 두 사람이 10발씩 사격을 한 과녁판이다. 다음 설명 중 옳지 않은 것은?

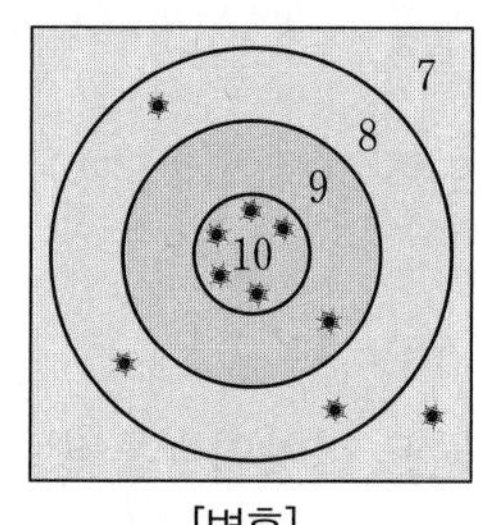

[병훈]　[정우]

① 병훈이의 사격 점수의 평균은 9점이다.
② 병훈이와 정우의 사격 점수의 평균은 같다.
③ 정우의 사격 점수의 표준편차는 $\sqrt{0.4}$점이다.
④ 병훈이의 사격 점수의 분산이 정우의 사격 점수의 분산보다 작다.
⑤ 병훈이에 비하여 정우의 사격 점수의 분포 상태가 고르다.

25 다음은 어느 중학교 3학년 A, B, C 세 반의 턱걸이 기록을 조사하여 나타낸 막대그래프이다. 각 반의 학생 수는 30명으로 모두 같고 턱걸이 기록의 평균도 3회로 모두 같을 때, 표준편차가 가장 큰 반과 가장 작은 반을 차례로 구하시오.

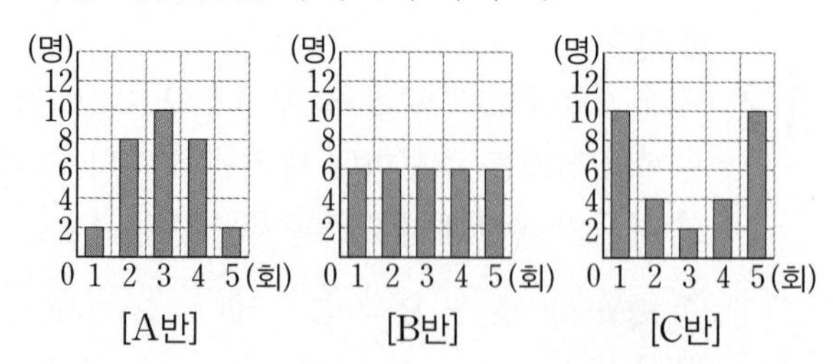

[A반]　[B반]　[C반]

최고 수준 완성하기

01 어느 마을의 남녀 전체의 평균 나이가 62세라고 한다. 남자들의 평균 나이는 65세이고 여자들의 평균 나이는 60세일 때, 남자의 수와 여자의 수의 비를 가장 간단한 자연수의 비로 나타내시오.

해결 Plus⁺

02 경민이네 반 학생 20명의 체육 성적의 평균을 구하는데 85점인 어느 학생의 점수를 잘못 보아 실제보다 평균이 1점 낮게 나왔다. 이 학생의 점수를 몇 점으로 잘못 보았는지 구하시오.

(점수를 잘못 보았을 때의 평균)
=(점수를 바르게 보았을 때의 평균)
-1
임을 이용한다.

창의력

03 다음 두 자료 A, B에 대하여 자료 A의 중앙값이 18이고, 두 자료 A, B를 섞은 전체 자료의 중앙값이 19일 때, a, b의 값을 각각 구하시오. (단, a, b는 자연수)

[자료 A] 11, 13, a, b, 21
[자료 B] 16, 21, 22, a, $b-1$

자료의 변량을 작은 값에서부터 크기 순으로 나열할 때, 변량의 개수가 짝수이면 한가운데 놓이는 두 값의 평균이 중앙값임을 이용한다.

서술형

04 다음 표는 4개의 귤 상자 A, B, C, D의 무게와 편차를 조사하여 나타낸 것이다. 이때 $x+y+z$의 값을 구하시오.

귤 상자	A	B	C	D
무게(kg)	8.7	7.6	y	6.8
편차(kg)	x	-0.2	z	-1

05 다음 표는 6개의 변량 A, B, C, D, E, F의 편차를 조사하여 나타낸 것이다. 6개의 변량의 평균이 60일 때, 변량 A의 값을 모두 구하시오.

변량	A	B	C	D	E	F
편차	$-x^2+2$	-6	$2x^2+3$	$x-2$	-3	$2x-4$

06 아래 표는 5명의 학생의 수학 점수의 편차를 조사하여 나타낸 것이다. 다음 보기 중 옳은 것을 모두 고르시오.

학생	진호	예지	성훈	나래	형우
편차(점)	3	-1	0	-4	2

보기

ㄱ 예지와 형우의 점수의 차는 1점이다.

ㄴ 분산은 6이다.

ㄷ 성훈이의 점수는 5명의 평균 점수와 같다.

ㄹ 5명 중 나래의 점수가 가장 높다.

해결 Plus+

(편차)=(변량)−(평균)이므로 (평균)=(변량)−(편차)이다.

편차의 합은 항상 0임을 이용한다.

07 4개의 변량 a, b, c, d의 합은 20이고 제곱의 합은 140이다. 이때 4개의 변량 $3a+1$, $3b+1$, $3c+1$, $3d+1$의 분산을 구하시오.

해결 Plus+

08 5개의 변량 x_1, x_2, x_3, x_4, x_5의 평균이 4이고 분산이 5일 때, 5개의 변량 x_1^2, x_2^2, x_3^2, x_4^2, x_5^2의 평균을 구하시오.

융합형

09 오른쪽 그림과 같이 가로의 길이가 x, 세로의 길이가 y, 높이가 z인 직육면체가 있다. 이 직육면체의 12개의 모서리의 길이의 평균이 10, 표준편차가 3일 때, $x^2+y^2+z^2$의 값을 구하시오.

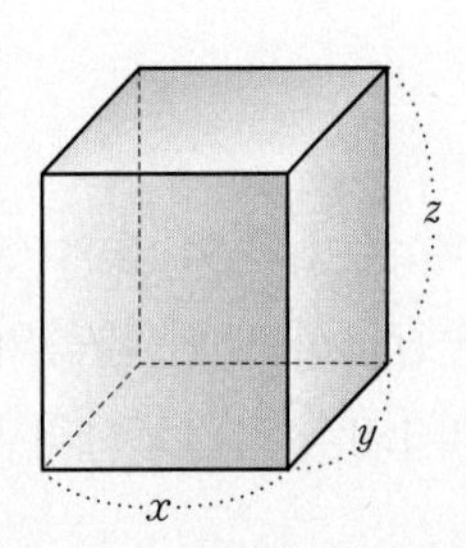

직육면체의 12개의 모서리의 길이의 합은 $4(x+y+z)$이다.

10 세 수 a, b, c의 중앙값이 6, 평균이 7, 분산이 14일 때, a, b, c의 값을 각각 구하시오. (단, $a<b<c$)

해결 Plus+

창의력

11 다음 표는 어느 반 학생 5명의 과학 점수에서 세훈이의 과학 점수를 각각 뺀 값을 조사하여 나타낸 것이다. 이 학생 5명의 과학 점수의 표준편차를 구하시오.

학생	진아	연준	혜리	승우	민영
{(점수)−(세훈이의 점수)}(점)	−2	1	5	−1	7

세훈이의 점수를 x점으로 놓고 학생 5명의 과학 점수를 각각 x에 대한 식으로 나타내어 본다.

서술형

12 호준이는 1학기 기말고사의 국어, 영어, 수학 성적이 1학기 중간고사 때보다 모두 5점씩 올랐다. 1학기 중간고사 때 세 과목의 성적의 평균이 85점, 표준편차가 2점이었을 때, 호준이의 1학기 기말고사의 세 과목의 성적의 평균과 분산을 각각 구하시오.

해결 Plus+

13 국어 성적이 75점인 신혜를 포함한 학생 5명의 국어 성적의 평균이 75점, 분산이 6이라고 한다. 신혜를 제외한 4명의 국어 성적의 분산을 구하시오.

14 오른쪽 표는 어느 반 여학생과 남학생의 수와 시험 점수의 평균과 분산을 조사하여 나타낸 것인데 일부가 찢어져서 보이지 않는다. 반 전체 학생의 시험 점수의 분산이 12일 때, 남학생의 시험 점수의 분산을 구하시오.

	학생 수(명)	평균(점)	분산
여학생	12	70	15
남학생	18	70	

{(편차)²의 총합}
=(변량의 개수)×(분산)
임을 이용한다.

15 다음 표는 A, B, C, D, E 다섯 반의 영어 단어 시험 예선 결과를 조사하여 나타낸 것이다. 이 중에서 전체 상위 5 % 이내에 드는 학생들이 본선에 진출한다고 할 때, 본선 진출자가 가장 많을 것으로 예상되는 반을 구하시오.

(단, 각 반의 학생 수는 모두 같다.)

반	A	B	C	D	E
평균(점)	73.7	74	73.9	73.6	73.8
표준편차(점)	4.2	0.4	8.2	3.6	1.5

표준편차가 작다.
➡ 변량이 평균 주위에 모여 있다.
표준편차가 크다.
➡ 변량이 평균으로부터 멀리 흩어져 있다.

최고 수준 뛰어넘기

창의력

01

다음은 자연수로 이루어진 7개의 변량에 대한 설명이다. 7개의 변량 중 가장 큰 변량의 최댓값을 구하시오.

(가) 중앙값은 78이다.
(나) 최빈값은 84이다.
(다) 가장 작은 변량의 값은 58이다.
(라) 평균은 80이다.

02

자료 a, b, c의 평균이 5, 표준편차가 $\sqrt{3}$이고, 자료 d, e, f의 평균이 3, 표준편차가 2일 때, 자료 a, b, c, d, e, f의 평균과 표준편차를 각각 구하시오.

03

다음 물음에 답하시오.

(1) n개의 변량 $x_1, x_2, x_3, \cdots, x_n$의 평균을 m이라고 할 때,
(분산)$=\dfrac{1}{n}(x_1^2+x_2^2+x_3^2+\cdots+x_n^2)-m^2$임을 보이시오.

(2) 변량 $x_1, x_2, x_3, \cdots, x_{10}$의 평균이 30이고 변량 $x_1^2, x_2^2, x_3^2, \cdots, x_{10}^2$의 평균이 1000일 때, (1)을 이용하여 변량 $x_1, x_2, x_3, \cdots, x_{10}$의 표준편차를 구하시오.

04

오른쪽 세 자료 A, B, C의 표준편차를 각각 a, b, c라고 할 때, a, b, c의 대소를 비교하시오.

[자료 A] 1부터 50까지의 자연수
[자료 B] 51부터 100까지의 자연수
[자료 C] 1부터 100까지의 짝수

STEP UP

05

오른쪽 그림과 같이 좌표평면의 원점 O를 중심으로 하는 반원 2개가 있다. 큰 반원 위의 6개의 점 A_1, A_2, $\cdots$, A_6에 대하여 $\overline{OA_1}$, $\overline{OA_2}$, $\cdots$, $\overline{OA_6}$를 긋고 작은 원과의 교점을 각각 B_1, B_2, $\cdots$, B_6라고 할 때, $\overline{OB_1} : \overline{B_1A_1} = \overline{OB_2} : \overline{B_2A_2} = \cdots = \overline{OB_6} : \overline{B_6A_6} = 1 : 2$이다. 6개의 점 A_1, A_2, $\cdots$, A_6의 x좌표의 평균이 0.6, 표준편차가 $\sqrt{3}$일 때, 6개의 점 B_1, B_2, $\cdots$, B_6의 x좌표의 평균과 분산을 각각 구하시오.

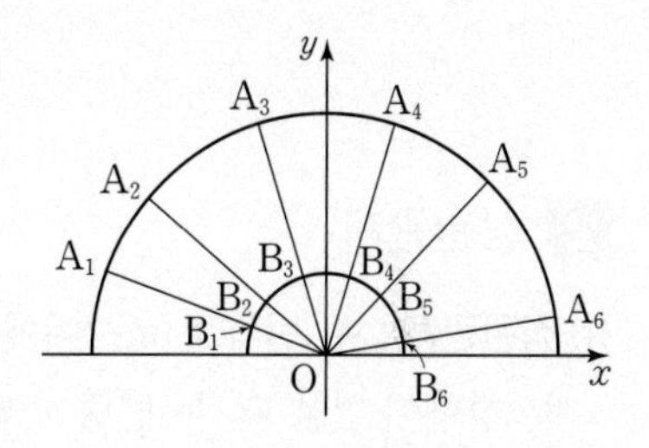

06

오른쪽 그림은 A, B, C 세 중학교 3학년 학생들의 수학 성적에 대한 분포를 그래프로 나타낸 것이다. 다음 보기 중 옳은 것을 모두 고르시오.

(단, 모든 곡선은 좌우대칭이다.)

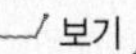
보기

㉠ 평균이 가장 낮은 학교는 B 중학교이다.
㉡ C 중학교가 A 중학교보다 학생들 간의 점수 차가 크다.
㉢ 표준편차가 가장 작은 학교는 C 중학교이다.
㉣ B 중학교와 C 중학교의 중앙값은 같다.

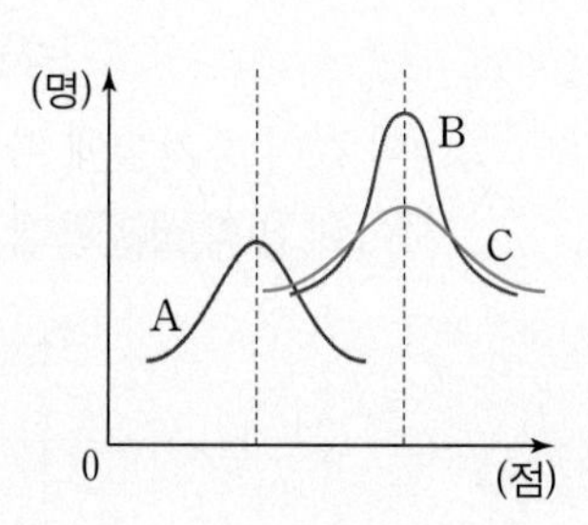

2 산점도와 상관관계

1 산점도

두 변량의 순서쌍을 좌표로 하는 점을 좌표평면 위에 나타낸 그림을 **산점도**라고 한다.

예 다음 표는 윤정이네 반 학생 10명의 오른쪽 눈과 왼쪽 눈의 시력을 조사하여 나타낸 것이다. 오른쪽 눈의 시력을 x, 왼쪽 눈의 시력을 y라고 할 때, x, y의 산점도는 오른쪽 그림과 같다.

학생	A	B	C	D	E	F	G	H	I	J
오른쪽	1.0	0.8	0.6	0.3	0.5	1.2	0.9	0.6	0.3	1.2
왼쪽	1.2	0.7	0.4	0.2	0.7	1.0	0.8	0.7	0.5	1.2

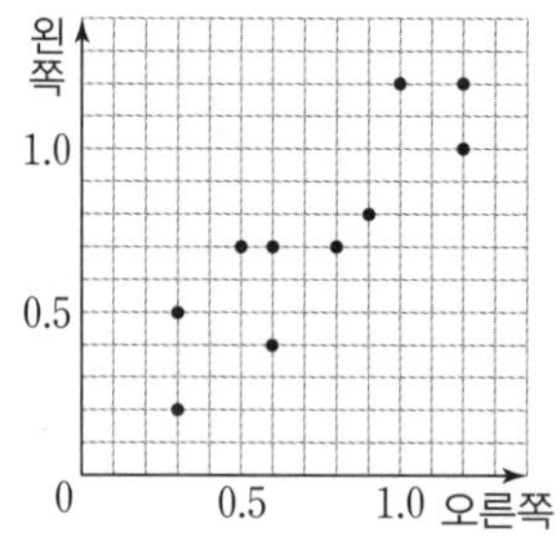

• **산점도에서 두 변량의 비교**
산점도에서 다음 그림과 같이 대각선을 그어 두 변량의 크기를 비교한다.

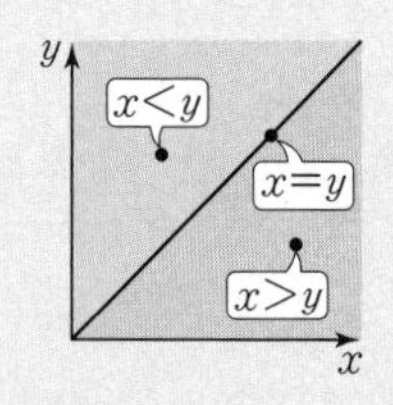

(1) 대각선의 위쪽에 있는 경우 : $x<y$
(2) 대각선 위에 있는 경우 : $x=y$
(3) 대각선의 아래쪽에 있는 경우 : $x>y$
특히 대각선에서 멀리 떨어져 있는 점일수록 변량의 차가 크다.

2 상관관계

(1) **상관관계** 두 변량 x, y 사이에 x의 값이 증가함에 따라 y의 값이 증가하거나 감소하는 경향이 있을 때, 두 변량 x, y 사이에 상관관계가 있다고 한다.

(2) **상관관계의 종류** 두 변량 x, y에 대한 산점도에서

① x의 값이 증가함에 따라 y의 값도 대체로 증가하는 관계가 있을 때, 두 변량 x, y 사이에 **양의 상관관계**가 있다고 한다.

[강한 양의 상관관계] [약한 양의 상관관계]

② x의 값이 증가함에 따라 y의 값이 대체로 감소하는 관계가 있을 때, 두 변량 x, y 사이에 **음의 상관관계**가 있다고 한다.

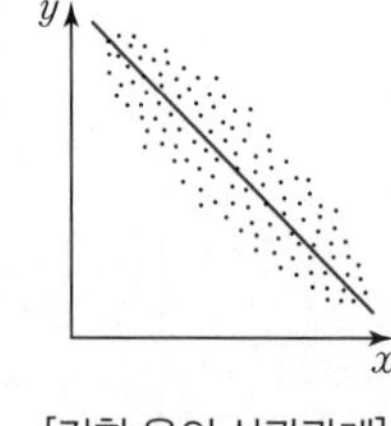

[강한 음의 상관관계]

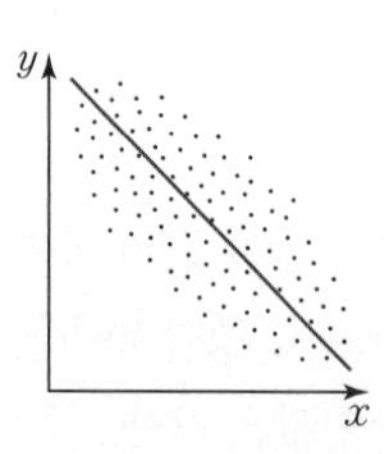

[약한 음의 상관관계]

③ x의 값이 증가함에 따라 y의 값이 증가하는 경향이 있는지 감소하는 경향이 있는지 분명하지 않을 때, 두 변량 x, y 사이에 **상관관계가 없다**고 한다.

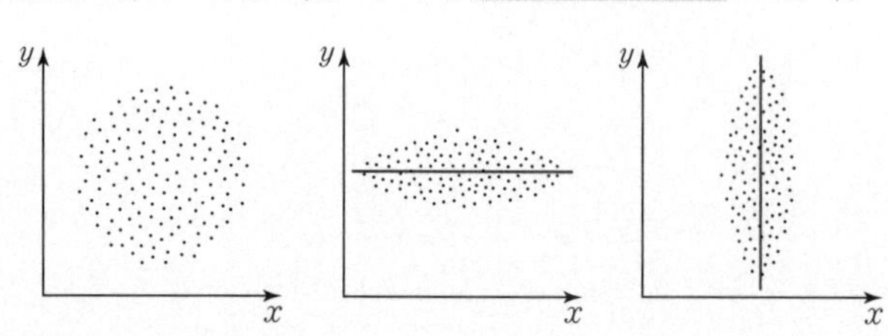

• 상관관계가 강한 경우 점들이 한 직선 주위에 가까이 몰려 있고, 상관관계가 약한 경우 점들이 멀리 흩어져 있다.

• **상관관계의 예**
① 양의 상관관계
예금액과 이자, 키와 발의 크기, 물의 섭취량과 소변량 등
② 음의 상관관계
해발 고도와 공기 중 산소의 양, 하루 중 낮의 길이와 밤의 길이, 자동차의 속력과 걸린 시간 등
③ 상관관계가 없다.
시력과 눈의 크기, 통학 시간과 시험 성적 등

입문하기

1 산점도

01 아래 표는 8명의 학생들의 제기차기 성공 횟수를 1차, 2차에 걸쳐 조사하여 나타낸 것이다. 다음 중 1차와 2차의 제기차기 성공 횟수를 산점도로 바르게 나타낸 것은?

(단위 : 회)

학생	A	B	C	D	E	F	G	H
1차	2	5	3	1	6	4	5	4
2차	4	3	3	2	5	6	5	3

①
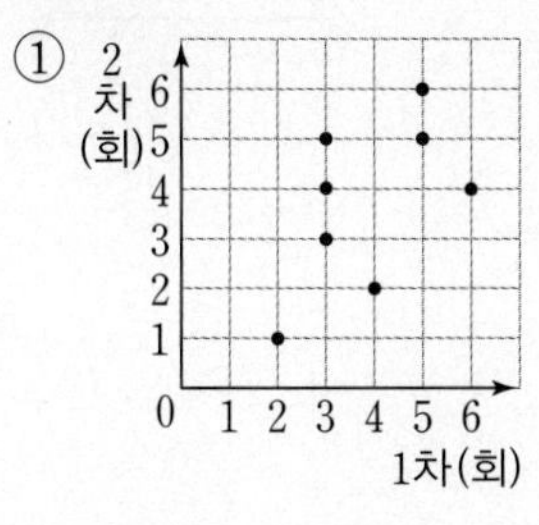

②
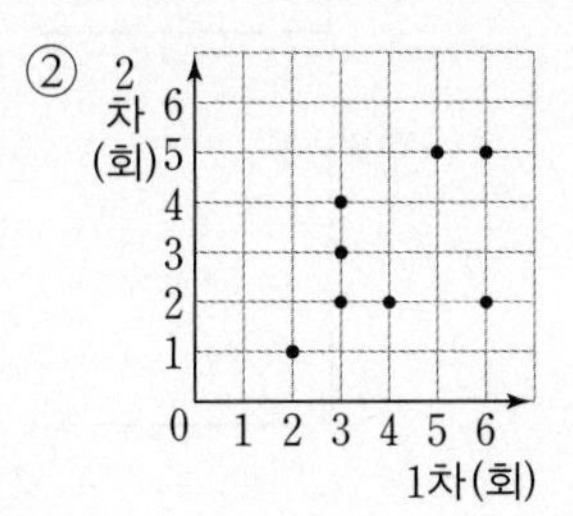

③
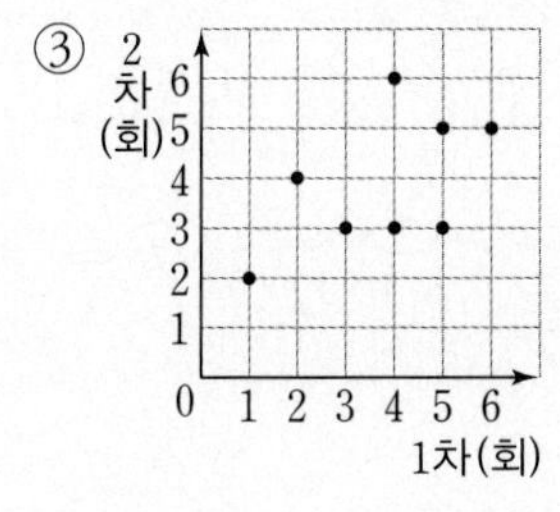

④
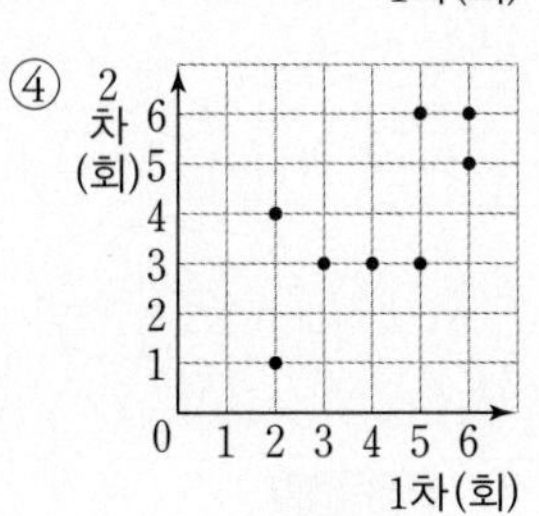

⑤
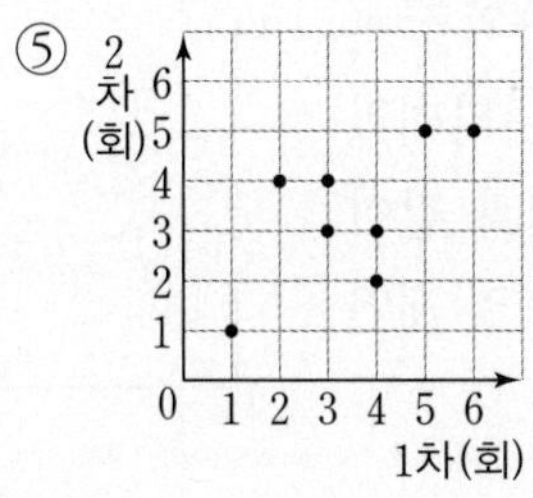

[02~03] 아래 그림은 지효네 반 학생 20명의 던지기 점수와 달리기 점수를 조사하여 나타낸 산점도이다. 다음 물음에 답하시오.

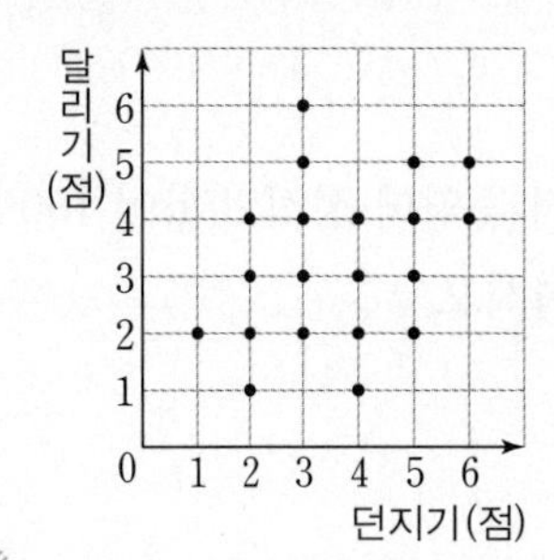

서술형

02 던지기 점수가 4점 이상인 학생을 a명, 달리기 점수가 3점 미만인 학생을 b명이라고 할 때, $a+b$의 값을 구하시오.

필수

03 다음 중 옳지 않은 것은?

① 던지기 점수가 가장 낮은 학생의 달리기 점수는 2점이다.

② 달리기 점수가 2점 이상 4점 이하인 학생은 14명이다.

③ 던지기 점수와 달리기 점수가 같은 학생은 4명이다.

④ 던지기 점수가 달리기 점수보다 높은 학생은 14명이다.

⑤ 던지기 점수와 달리기 점수가 모두 5점 이상인 학생은 2명이다.

III 통계

[04~05] 오른쪽 그림은 지영이네 반 학생 15명의 수학 성적과 영어 성적을 조사하여 나타낸 산점도이다. 다음 물음에 답하시오.

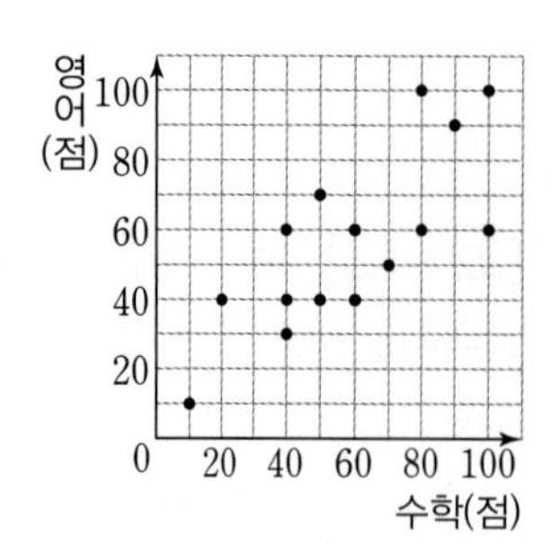

필수

04
수학 성적과 영어 성적의 합이 100점 이상인 학생 수를 구하시오.

05
영어 성적이 60점인 학생들의 수학 성적의 평균을 구하시오.

[06~07] 오른쪽 그림은 유현이네 반 학생 30명의 영어 말하기 평가 성적과 듣기 평가 성적을 조사하여 나타낸 산점도이다. 다음 물음에 답하시오.

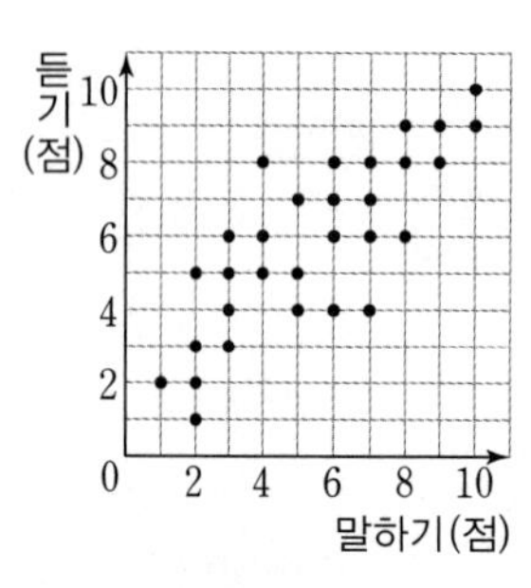

06
말하기 평가 성적과 듣기 평가 성적의 차가 가장 큰 학생의 말하기 평가 성적을 구하시오.

서술형

07
말하기 평가 성적은 4점 이하이고 듣기 평가 성적은 5점 이하인 학생은 전체의 몇 %인지 구하시오.

2 상관관계

08
겨울철 기온을 x ℃, 난방비를 y원이라고 할 때, 다음 중 x와 y에 대한 산점도로 알맞은 것은?

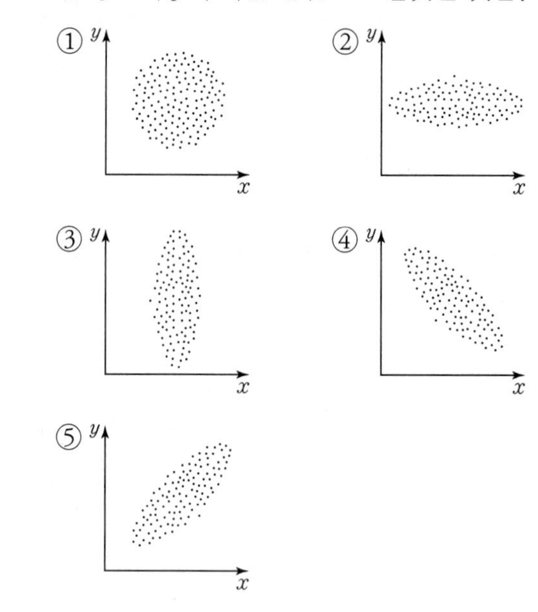

필수

09
다음 보기 중 두 변량의 상관관계를 산점도로 나타내었을 때, 오른쪽 그림과 같이 나타나는 것은 모두 몇 개인지 구하시오.

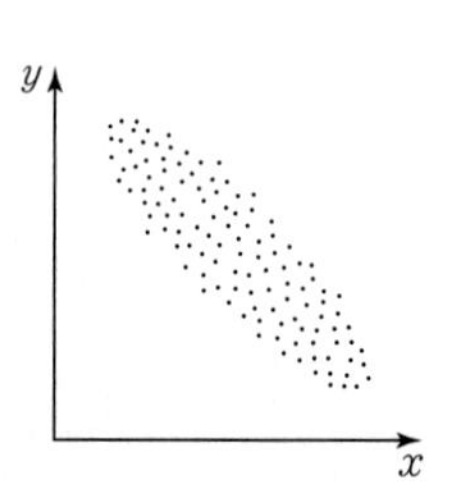

보기

㉠ 물건의 가격과 소비량
㉡ 운동량과 소모 칼로리
㉢ 도로 위의 자동차 수와 주행 속도
㉣ 넓이가 일정한 삼각형에서 밑변의 길이와 높이
㉤ 몸무게와 국어 성적
㉥ 지면으로부터의 높이와 기온

10 다음 보기의 산점도에 대한 설명 중 옳지 않은 것을 모두 고르면? (정답 2개)

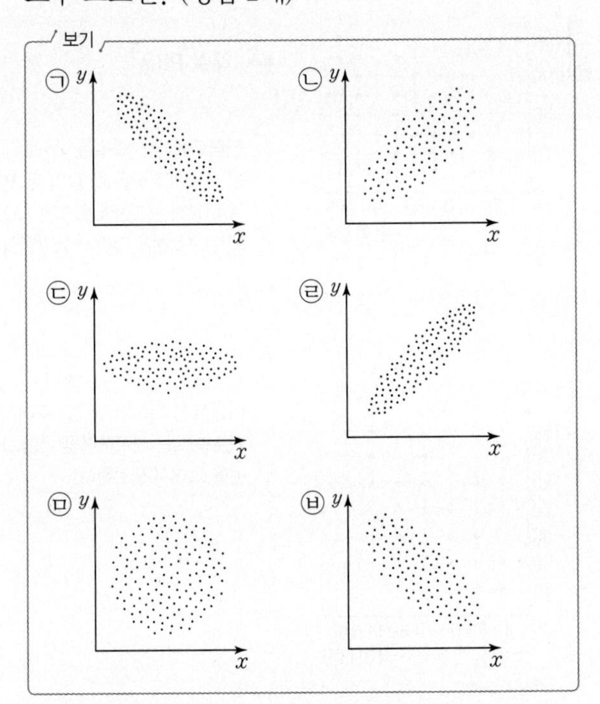

① 양의 상관관계를 나타내는 것은 ㉡, ㉣이다.
② ㉠은 ㉥보다 강한 상관관계를 나타낸다.
③ ㉡은 ㉣보다 약한 상관관계를 나타낸다.
④ 상관관계가 없는 것은 ㉤뿐이다.
⑤ 독서량과 국어 성적 사이의 상관관계와 같은 것은 ㉢이다.

11 다음 중 상관관계가 나머지 넷과 다른 하나는?

① 습도와 불쾌지수
② 산의 높이와 산소의 양
③ 주행 거리와 택시 요금
④ 도시의 인구 수와 교통량
⑤ 사용 전력량과 전기 요금

12 다음 보기 중 상관관계에 대한 설명으로 옳은 것을 모두 고르시오.

보기
㉠ 두 변량 사이의 상관관계는 산점도로 설명할 수 있다.
㉡ 강한 상관관계일수록 변량의 점들이 한 직선 주위에 가까이 모여 있다.
㉢ 변량 x가 증가할 때, 변량 y가 증가 또는 감소하는 경향이 분명하지 않으면 두 변량 x, y 사이에는 상관관계가 없다.
㉣ 산점도에서 대체로 변량 x가 증가함에 따라 변량 y는 감소하는 경향이 있을 때, 두 변량 x, y 사이에는 양의 상관관계가 있다.

13 오른쪽 그림은 어느 반 학생들의 키와 신발 사이즈를 조사하여 나타낸 산점도이다. A, B, C, D, E 5명의 학생 중 키에 비하여 신발 사이즈가 가장 큰 학생은?

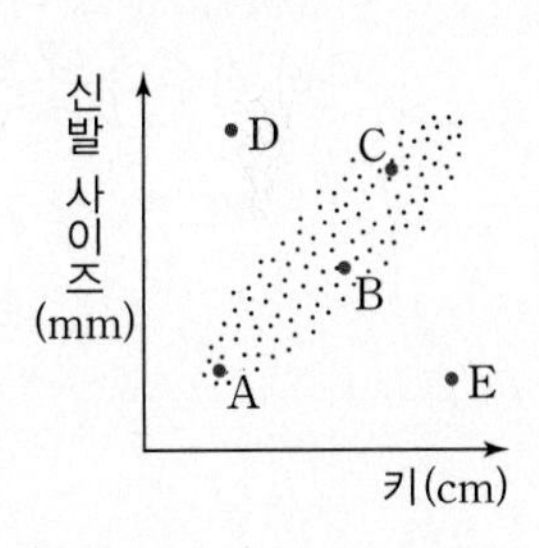

① A ② B ③ C
④ D ⑤ E

최고 수준 완성하기

01 오른쪽 그림은 어느 반 학생 25명의 수학 성적과 과학 성적을 조사하여 나타낸 산점도이다. 과학 성적보다 수학 성적이 낮은 학생은 전체의 몇 %인지 구하시오.

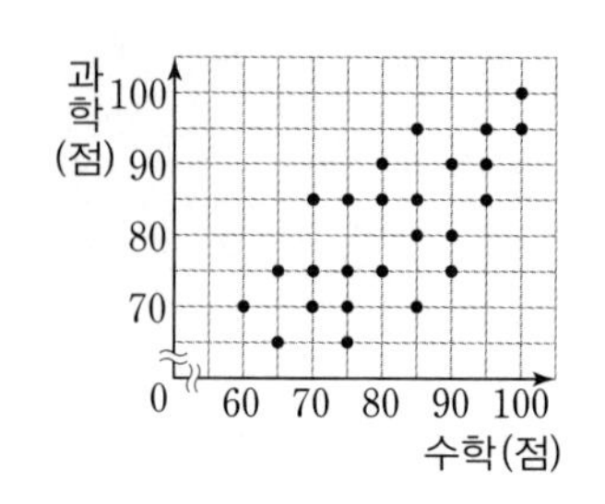

> **해결 Plus⁺**
>
> 산점도에서 '~와 같은', '~보다 높은', '~보다 낮은'과 같이 두 변량을 비교하는 조건에 있으면 기준이 되는 보조선을 그어서 생각한다.

02 오른쪽 그림은 윤희네 반 학생 20명의 국어 성적과 영어 성적을 조사하여 나타낸 산점도이다. 국어 성적과 영어 성적의 합이 120점 이하인 학생을 a명, 두 과목 중 적어도 한 과목의 성적이 80점 이상인 학생을 b명이라고 할 때, $a+b$의 값을 구하시오.

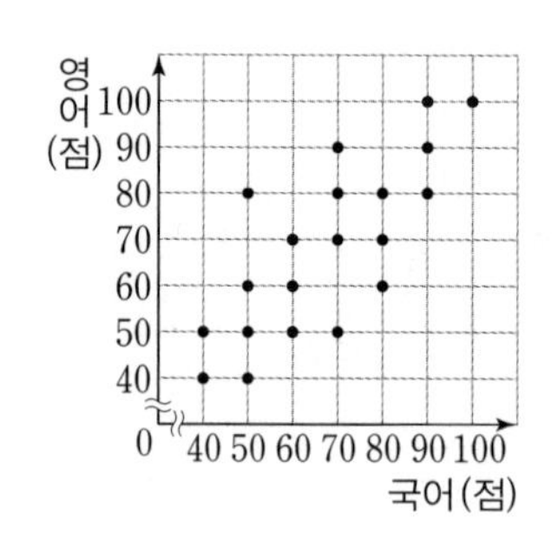

> 이상 또는 이하의 조건이 주어지면 가로축 또는 세로축에 평행한 보조선을 그어서 생각한다.

서술형

03 오른쪽 그림은 종훈이네 반 학생 18명의 1차와 2차의 사격 점수를 조사하여 나타낸 산점도이다. 1차와 2차의 사격 점수의 평균이 7점 이상인 학생들의 2차 사격 점수의 평균을 구하시오.

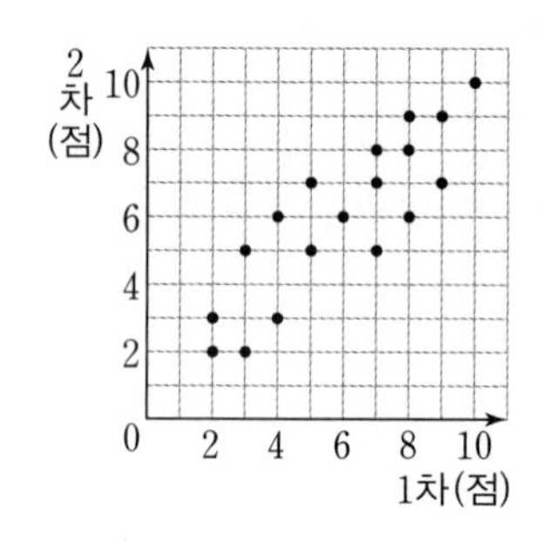

> 1차와 2차의 사격 점수의 평균이 7점 이상이려면 두 점수의 합이 14점 이상이어야 함을 이용한다.

04 오른쪽 그림은 건후네 반 학생 20명의 중간고사와 기말고사의 사회 성적을 조사하여 나타낸 산점도이다. 다음 물음에 답하시오.

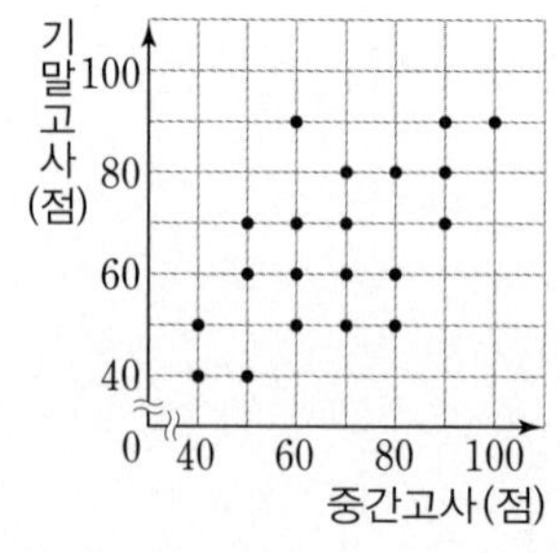

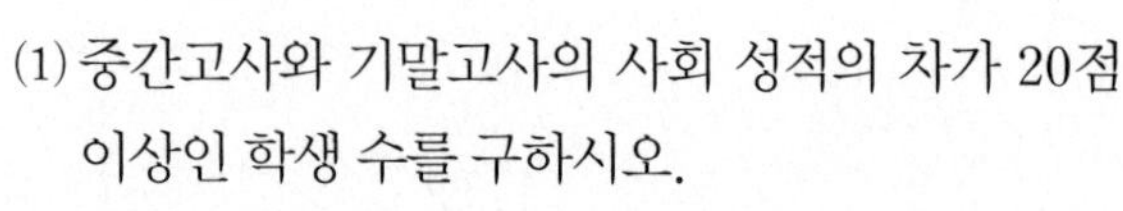

(1) 중간고사와 기말고사의 사회 성적의 차가 20점 이상인 학생 수를 구하시오.

(2) 중간고사와 기말고사의 사회 성적의 평균이 상위 25 % 이내에 들려면 중간고사와 기말고사의 사회 성적의 평균은 적어도 몇 점 이상인가?

① 70점 ② 75점 ③ 80점 ④ 85점 ⑤ 90점

해결 Plus⁺

05

오른쪽 그림은 다온이네 반 학생 25명의 수학 성적과 과학 성적을 조사하여 나타낸 산점도이다. 수학 성적과 과학 성적의 합이 상위 20 % 이내에 드는 학생들을 뽑아 경시대회에 출전시키려고 할 때, 이 학생들의 수학 성적과 과학 성적의 합의 평균을 구하시오.

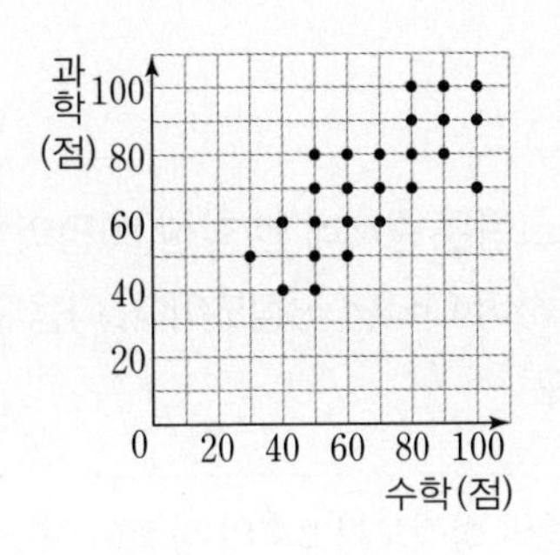

융합형

06

오른쪽 그림은 주영이네 반 학생 30명의 여름방학과 겨울방학의 봉사활동 시간을 조사하여 나타낸 산점도이다. 여름방학과 겨울방학의 봉사활동 시간을 각각 a시간, b시간이라고 할 때, $12 \le 2a+b \le 18$을 만족하는 학생은 전체의 몇 %인지 구하시오.

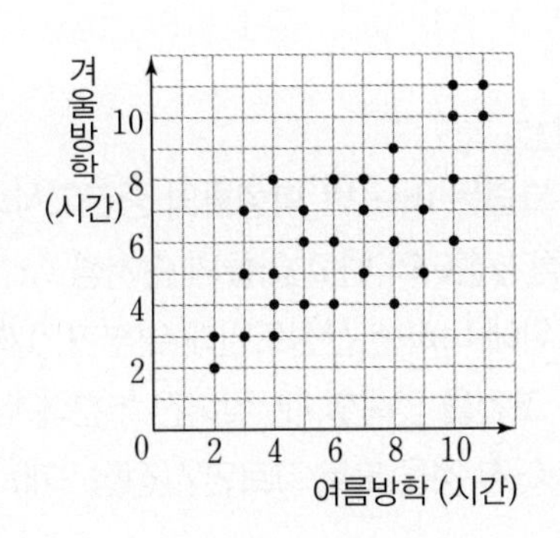

$12 \le 2a+b \le 18$을 만족하는 영역을 산점도 위에 나타낸다.

07

오른쪽 그림은 어느 반 학생 22명의 6개월 동안 읽은 책의 수와 국어 성적을 조사하여 나타낸 산점도이다. 다음 중 보기 옳지 않은 것을 모두 고르시오.

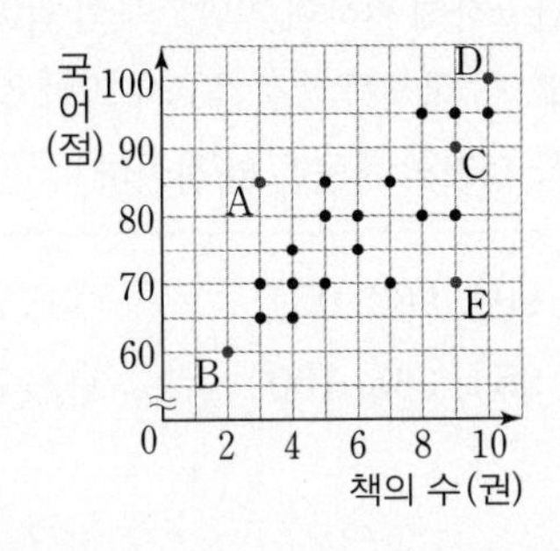

보기

㉠ 읽은 책의 수와 국어 성적 사이에는 양의 상관관계가 있다.

㉡ A는 C보다 읽은 책의 수는 적지만 국어 성적은 높다.

㉢ A, B, C, D, E 5명의 학생 중 읽은 책의 수도 가장 많고 국어 성적도 가장 높은 학생은 D이다.

㉣ A, B, C, D, E 5명의 학생 중 읽은 책의 수에 비하여 국어 성적이 가장 좋은 학생은 C이다.

㉤ A, B, C, D, E 5명의 학생 중 읽은 책의 수도 적고 국어 성적도 낮은 학생과 읽은 책의 수에 비하여 국어 성적이 낮은 학생의 국어 성적의 차는 20점이다.

III 통계

최고 수준 뛰어넘기

정답과 풀이 P 54

01

오른쪽 그림은 준서네 반 학생 20명의 2회에 걸친 영어 듣기 평가 성적을 조사하여 나타낸 산점도이다. 다음 조건을 모두 만족하는 학생 수를 구하시오.

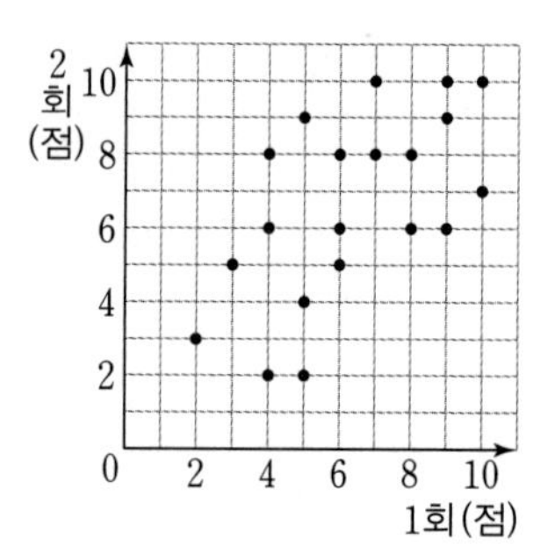

조건

(가) 1회의 성적보다 2회의 성적이 향상되었다.

(나) 1회의 성적과 2회의 성적의 평균이 5.5점 이상이다.

(다) 1회의 성적과 2회의 성적의 차가 2점 이상이다.

STEP UP

02

오른쪽 그림은 어느 반 학생들의 중간고사와 기말고사의 과학 성적을 각각 x점, y점이라 하고 이들의 순서쌍 (x, y)를 좌표로 하는 점을 좌표평면 위에 나타낸 산점도인데 일부가 찢어졌다. 찢어지기 전 산점도는 다음 조건을 만족할 때, 찢어진 부분에 나타날 수 있는 점으로 바르게 짝 지어진 것을 모두 고르면? (정답 2개)

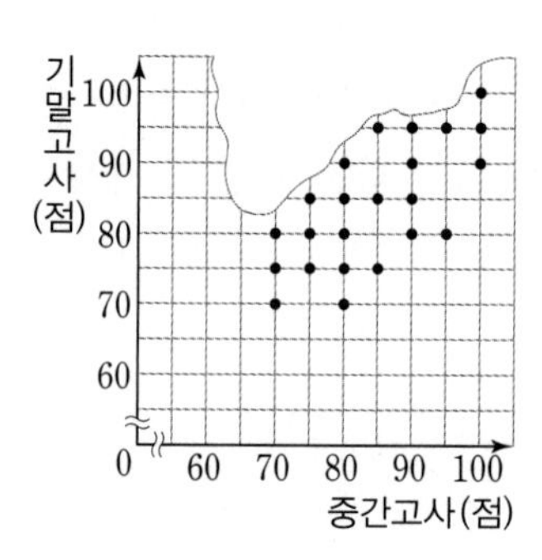

조건

(가) 산점도에서 중복된 점은 없다.

(나) 중간고사와 기말고사의 과학 성적은 모두 5점 단위이고 최고점수는 100점이다.

(다) 중간고사에 비하여 기말고사의 과학 성적이 향상된 학생은 10명이고, 이 학생들의 중간고사 과학 성적의 평균은 78점, 기말고사 과학 성적의 평균은 88점이다.

① $(70, 90)$, $(80, 95)$
② $(70, 90)$, $(85, 95)$
③ $(70, 95)$, $(85, 100)$
④ $(75, 95)$, $(85, 100)$
⑤ $(75, 100)$, $(80, 95)$

창의·융합

03

오른쪽 그림은 어느 제과회사에서 생산되는 제품 한 개당 순이익과 일일 판매량을 조사하여 나타낸 산점도이다. 다음 보기 중 옳은 것을 모두 고르시오.

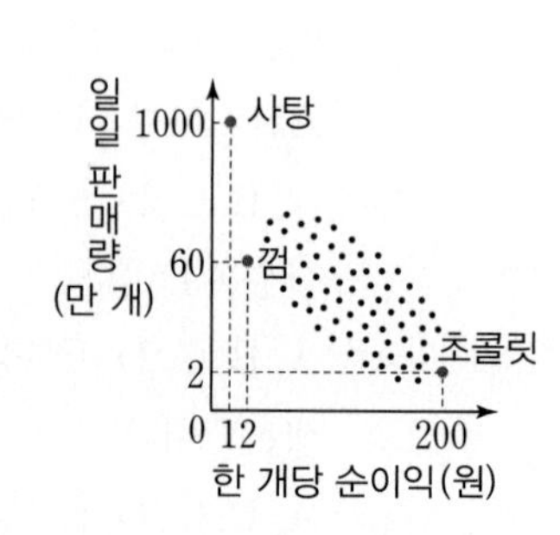

보기

㉠ 제품 한 개당 순이익과 일일 판매량은 음의 상관관계가 있다.

㉡ 하루에 사탕으로 버는 돈이 초콜릿으로 버는 돈의 2배보다 많다.

㉢ 하루에 초콜릿으로 버는 돈보다 껌으로 버는 돈이 더 많다.

㉣ 초콜릿의 일일 판매량이 150 % 신장하면 하루에 초콜릿으로 버는 돈과 사탕으로 버는 돈이 같아진다.

교과서 속 창의 사고력

정답과 풀이 P 55

01

오른쪽 세 자료 A, B, C의 중앙값을 각각 a, b, c라고 할 때, $a<b<c$가 성립하도록 하는 자연수 x의 값의 범위를 구하시오.

[자료 A] $4, 6, 7, x, 9$
[자료 B] $3, 6, x, 8, 10$
[자료 C] $3, x, 5, 10, 9$

생각 Plus⁺

x의 값의 범위를 나누어 생각한다.

풀이▶

답▶

02

동하네 반 학생 6명의 몸무게를 측정한 결과 평균이 60 kg, 분산이 9.6이었다. 그런데 나중에 조사해 보니 몸무게가 63 kg, 54 kg인 두 학생의 몸무게가 각각 60 kg, 57 kg으로 잘못 입력된 것이 발견되었다. 이때 학생 6명의 실제 몸무게의 평균과 분산을 각각 구하시오.

바르게 입력된 학생 4명의 몸무게를 각각 a kg, b kg, c kg, d kg으로 놓고 평균과 분산을 구하는 식을 각각 세운다.

03

다음 그림과 같이 5개의 컵 A, B, C, D, E에 물이 각각 다르게 들어 있다. 이 중 2개의 컵에 들어 있는 물을 합쳐 4개의 컵으로 만들었을 때 4개의 컵에 들어 있는 물의 양의 표준편차를 가능한 한 작게 하려면 어느 두 컵의 물을 합쳐야 하는지 구하시오.

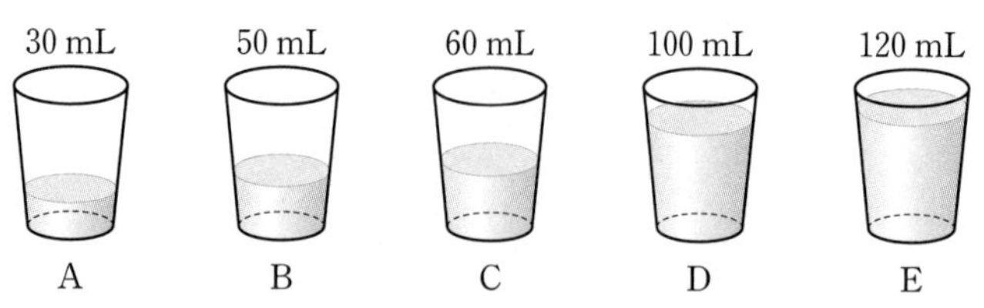

풀이▶

답▶

생각 Plus+

표준편차를 가능한 한 작게 하려면 (편차)²의 총합이 가능한 한 작아야 한다.

04

오른쪽 그림은 어느 여름철 최고 기온과 아이스크림 판매량, 물놀이 사고 건수와 여름철 최고 기온을 조사하여 나타낸 산점도이다. 다음 보기 중 옳지 않은 것을 고르고, 그 이유를 말하시오.

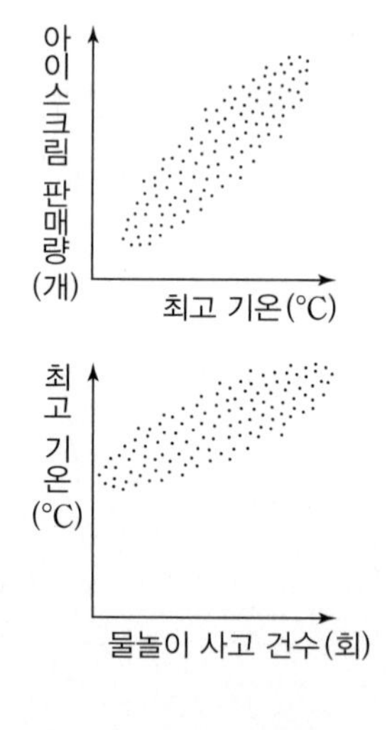

보기
- ㉠ 최고 기온과 아이스크림 판매량 사이에는 양의 상관관계가 있다.
- ㉡ 물놀이 사고 건수와 최고 기온 사이에는 양의 상관관계가 있다.
- ㉢ 아이스크림이 많이 팔리면 물놀이 사고 건수가 많다.

풀이▶

답▶

주어진 두 산점도를 보고 변량 사이의 상관관계를 파악한다.

삼각비의 표

각	사인(sin)	코사인(cos)	탄젠트(tan)
0°	0.0000	1.0000	0.0000
1°	0.0175	0.9998	0.0175
2°	0.0349	0.9994	0.0349
3°	0.0523	0.9986	0.0524
4°	0.0698	0.9976	0.0699
5°	0.0872	0.9962	0.0875
6°	0.1045	0.9945	0.1051
7°	0.1219	0.9925	0.1228
8°	0.1392	0.9903	0.1405
9°	0.1564	0.9877	0.1584
10°	0.1736	0.9848	0.1763
11°	0.1908	0.9816	0.1944
12°	0.2079	0.9781	0.2126
13°	0.2250	0.9744	0.2309
14°	0.2419	0.9703	0.2493
15°	0.2588	0.9659	0.2679
16°	0.2756	0.9613	0.2867
17°	0.2924	0.9563	0.3057
18°	0.3090	0.9511	0.3249
19°	0.3256	0.9455	0.3443
20°	0.3420	0.9397	0.3640
21°	0.3584	0.9336	0.3839
22°	0.3746	0.9272	0.4040
23°	0.3907	0.9205	0.4245
24°	0.4067	0.9135	0.4452
25°	0.4226	0.9063	0.4663
26°	0.4384	0.8988	0.4877
27°	0.4540	0.8910	0.5095
28°	0.4695	0.8829	0.5317
29°	0.4848	0.8746	0.5543
30°	0.5000	0.8660	0.5774
31°	0.5150	0.8572	0.6009
32°	0.5299	0.8480	0.6249
33°	0.5446	0.8387	0.6494
34°	0.5592	0.8290	0.6745
35°	0.5736	0.8192	0.7002
36°	0.5878	0.8090	0.7265
37°	0.6018	0.7986	0.7536
38°	0.6157	0.7880	0.7813
39°	0.6293	0.7771	0.8098
40°	0.6428	0.7660	0.8391
41°	0.6561	0.7547	0.8693
42°	0.6691	0.7431	0.9004
43°	0.6820	0.7314	0.9325
44°	0.6947	0.7193	0.9657
45°	0.7071	0.7071	1.0000

각	사인(sin)	코사인(cos)	탄젠트(tan)
45°	0.7071	0.7071	1.0000
46°	0.7193	0.6947	1.0355
47°	0.7314	0.6820	1.0724
48°	0.7431	0.6691	1.1106
49°	0.7547	0.6561	1.1504
50°	0.7660	0.6428	1.1918
51°	0.7771	0.6293	1.2349
52°	0.7880	0.6157	1.2799
53°	0.7986	0.6018	1.3270
54°	0.8090	0.5878	1.3764
55°	0.8192	0.5736	1.4281
56°	0.8290	0.5592	1.4826
57°	0.8387	0.5446	1.5399
58°	0.8480	0.5299	1.6003
59°	0.8572	0.5150	1.6643
60°	0.8660	0.5000	1.7321
61°	0.8746	0.4848	1.8040
62°	0.8829	0.4695	1.8807
63°	0.8910	0.4540	1.9626
64°	0.8988	0.4384	2.0503
65°	0.9063	0.4226	2.1445
66°	0.9135	0.4067	2.2460
67°	0.9205	0.3907	2.3559
68°	0.9272	0.3746	2.4751
69°	0.9336	0.3584	2.6051
70°	0.9397	0.3420	2.7475
71°	0.9455	0.3256	2.9042
72°	0.9511	0.3090	3.0777
73°	0.9563	0.2924	3.2709
74°	0.9613	0.2756	3.4874
75°	0.9659	0.2588	3.7321
76°	0.9703	0.2419	4.0108
77°	0.9744	0.2250	4.3315
78°	0.9781	0.2079	4.7046
79°	0.9816	0.1908	5.1446
80°	0.9848	0.1736	5.6713
81°	0.9877	0.1564	6.3138
82°	0.9903	0.1392	7.1154
83°	0.9925	0.1219	8.1443
84°	0.9945	0.1045	9.5144
85°	0.9962	0.0872	11.4301
86°	0.9976	0.0698	14.3007
87°	0.9986	0.0523	19.0811
88°	0.9994	0.0349	28.6363
89°	0.9998	0.0175	57.2900
90°	1.0000	0.0000	

Memo

교육의 변화는 이미 시작되고 있습니다

- 수학의 미래를 고민하는 사람들, 수미고 이야기

천재교육에는 특별한 모임이 있습니다.
수학 연구 · 개발 분야의 베테랑이 모인
'수미고(수학의 미래를 고민하는 사람들)' 회의가 그것이지요.
아무리 바쁘더라도 일주일에 한 번은 꼭 모여
수학의 미래를 함께 고민하고 토론하는 자리를 가집니다.
우리 교육을 더 강하게 만드는 힘은
한 발 앞선 생각과 발 빠른 혁신에서 온다는 믿음이 있기 때문이죠.
1981년 <해법수학>부터 지켜온 수학 강자의 명성은
어제, 오늘, 그리고 내일까지 이렇게 이어지고 있습니다.

오늘의 도전이 내일의 희망으로 돌아온다고 믿는
한결같은 진심, 변하지 않겠습니다.

정답 시스템 활용법

강점 01 Action

문제 해결을 위한 실마리를 정확하게 짚어준다.

강점 02 명쾌한 풀이

실력파 학생을 위해 군더더기 없고 명쾌한 풀이 방법을 제시한다.

강점 03 다른 풀이

다른 풀이 방법을 제시하여 다각적인 수학적 해결력을 강화시킨다.

강점 04 Lecture

풀이 방법과 관련된 핵심 내용과 헷갈리기 쉬운 부분을 강의하는 것처럼 짚어준다.

정답과 풀이

중학 수학 3·2

I. 삼각비

1. 삼각비

최고 수준 입문하기

P 8- P 12

01 ④	02 $\frac{2\sqrt{5}}{5}$	03 $3\sqrt{7}$ cm	04 $\frac{3}{4}$
05 3	06 $\sqrt{2}$	07 $\frac{3\sqrt{29}}{29}$	08 $\frac{7}{5}$
09 $\frac{2\sqrt{5}}{3}$	10 $2\sqrt{2}$	11 ③	12 $\frac{\sqrt{6}}{3}$
13 $\frac{2\sqrt{13}}{17}$	14 ②, ④	15 $\frac{1}{4}$	16 1
17 $\frac{4\sqrt{6}}{3}$	18 $2\sqrt{3}$	19 $2-\sqrt{3}$	20 4
21 $\frac{4\sqrt{3}}{3}$	22 $y=\frac{\sqrt{3}}{3}x+\sqrt{3}$		23 60°
24 ②	25 ①, ③	26 ③	
27 ㄹ, ㄴ, ㄱ, ㄷ		28 2	
29 (1) 0.7512 (2) 56°		30 39.93	31 0.8192

01 **Action** $\overline{AB}$의 길이를 구한다.

$\overline{AB}=\sqrt{3^2-(\sqrt{5})^2}=2$

④ $\sin C=\frac{\overline{AB}}{\overline{AC}}=\frac{2}{3}$

02 **Action** 피타고라스 정리를 이용하여 $\overline{BC}$, $\overline{AC}$의 길이를 차례로 구한다.

$\triangle$DBC에서 $\overline{BC}=\sqrt{10^2-6^2}=8$

$\triangle$ABC에서 $\overline{AC}=\sqrt{(8\sqrt{5})^2-8^2}=16$

$\therefore \cos A=\frac{\overline{AC}}{\overline{AB}}=\frac{16}{8\sqrt{5}}=\frac{2\sqrt{5}}{5}$

03 **Action** $\sin A$의 값을 이용하여 $\overline{BC}$의 길이를 구한다.

$\sin A=\frac{\overline{BC}}{\overline{AB}}=\frac{\overline{BC}}{12}=\frac{3}{4}$이므로

$4\overline{BC}=36$ $\quad\therefore \overline{BC}=9$ (cm)

$\therefore \overline{AC}=\sqrt{12^2-9^2}=3\sqrt{7}$ (cm)

04 **Action** 꼭짓점 A에서 $\overline{BC}$에 내린 수선의 발을 H로 놓고 $\sin B$의 값을 이용하여 $\overline{AH}$의 길이를 구한다.

오른쪽 그림과 같이 꼭짓점 A에서 $\overline{BC}$에 내린 수선의 발을 H라고 하면 $\triangle$ABH에서

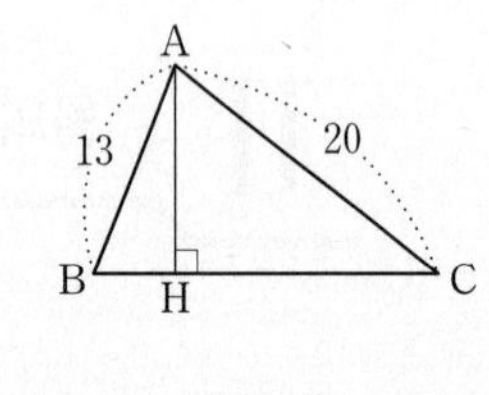

$\sin B=\frac{\overline{AH}}{\overline{AB}}=\frac{\overline{AH}}{13}=\frac{12}{13}$

이므로 $\overline{AH}=12$

$\triangle$AHC에서 $\overline{HC}=\sqrt{20^2-12^2}=16$

$\therefore \tan C=\frac{\overline{AH}}{\overline{HC}}=\frac{12}{16}=\frac{3}{4}$

05 **Action** $\sin A=\frac{1}{3}$을 만족하는 직각삼각형 ABC를 그린다.

$\sin A=\frac{1}{3}$이므로 오른쪽 그림과 같이 직각삼각형 ABC를 그리면

$\overline{AB}=\sqrt{3^2-1^2}=2\sqrt{2}$

$\cos A=\frac{\overline{AB}}{\overline{AC}}=\frac{2\sqrt{2}}{3}$

$\tan A=\frac{\overline{BC}}{\overline{AB}}=\frac{1}{2\sqrt{2}}=\frac{\sqrt{2}}{4}$

$\therefore 9\cos A\times\tan A=9\times\frac{2\sqrt{2}}{3}\times\frac{\sqrt{2}}{4}$

$=3$

06 **Action** $\angle B=90°$인 직각삼각형 ABC에서 $90°-\angle A=\angle C$임을 이용한다.

$\sqrt{3}\sin A=1$에서 $\sin A=\frac{1}{\sqrt{3}}=\frac{\sqrt{3}}{3}$ …… 30%

오른쪽 그림과 같이 직각삼각형 ABC를 그리면

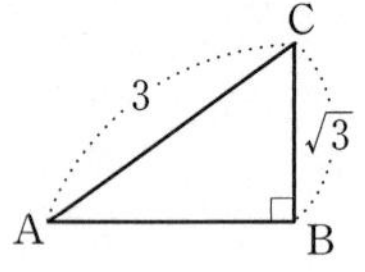

$\overline{AB}=\sqrt{3^2-(\sqrt{3})^2}=\sqrt{6}$ …… 30%

$\therefore \tan(90°-A)=\tan C=\frac{\overline{AB}}{\overline{BC}}$

$=\frac{\sqrt{6}}{\sqrt{3}}=\sqrt{2}$ …… 40%

07 **Action** 일차방정식의 그래프가 x축, y축과 만나는 점의 좌표를 각각 구한다.

오른쪽 그림과 같이 $2x-5y+10=0$의 그래프가 x축, y축과 만나는 점을 각각 A, B라고 하자.

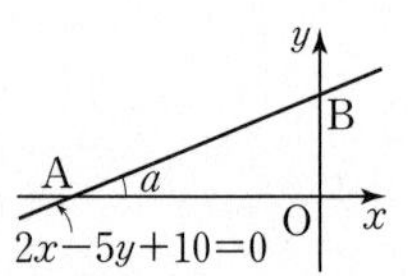

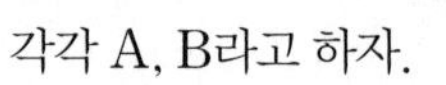

$2x-5y+10=0$에 $y=0$을 대입하면

$2x+10=0$ $\quad\therefore x=-5$, 즉 A$(-5, 0)$

$2x-5y+10=0$에 $x=0$을 대입하면

$-5y+10=0$ $\quad\therefore y=2$, 즉 B$(0, 2)$

$\triangle$AOB에서 $\overline{AO}=5$, $\overline{BO}=2$이므로

$\overline{AB}=\sqrt{5^2+2^2}=\sqrt{29}$

$\cos a=\frac{\overline{AO}}{\overline{AB}}=\frac{5}{\sqrt{29}}=\frac{5\sqrt{29}}{29}$

$\sin a=\frac{\overline{BO}}{\overline{AB}}=\frac{2}{\sqrt{29}}=\frac{2\sqrt{29}}{29}$

$\therefore \cos a-\sin a=\frac{5\sqrt{29}}{29}-\frac{2\sqrt{29}}{29}$

$=\frac{3\sqrt{29}}{29}$

08

Action 일차방정식의 그래프를 그리고 x축, y축과 만나는 점의 좌표를 각각 구한다.

일차방정식 $3x+4y-12=0$의 그래프는 오른쪽 그림과 같다.

$\triangle OAB$에서 $\overline{OA}=4$, $\overline{OB}=3$이므로

$\overline{AB}=\sqrt{4^2+3^2}=5$

$\sin a=\frac{\overline{OB}}{\overline{AB}}=\frac{3}{5}$, $\cos a=\frac{\overline{OA}}{\overline{AB}}=\frac{4}{5}$

$\therefore \sin a+\cos a=\frac{3}{5}+\frac{4}{5}=\frac{7}{5}$

09

Action 닮은 삼각형을 찾아 x, y와 크기가 같은 각을 각각 찾는다.

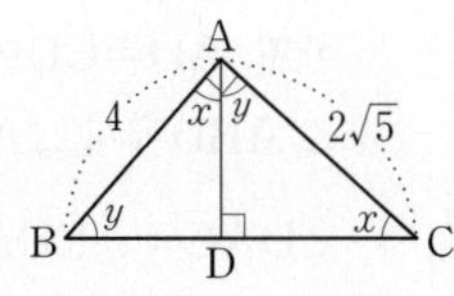

$\triangle ABC$와 $\triangle DBA$에서

$\angle BAC=\angle BDA=90^\circ$, $\angle B$는 공통이므로

$\triangle ABC \backsim \triangle DBA$ (AA 닮음)

$\therefore \angle C=\angle BAD=x$

마찬가지로 $\triangle ABC \backsim \triangle DAC$ (AA 닮음)이므로

$\angle B=\angle CAD=y$

이때 $\triangle ABC$에서 $\overline{BC}=\sqrt{4^2+(2\sqrt{5})^2}=6$

$\cos x=\cos C=\frac{\overline{AC}}{\overline{BC}}=\frac{2\sqrt{5}}{6}=\frac{\sqrt{5}}{3}$

$\sin y=\sin B=\frac{\overline{AC}}{\overline{BC}}=\frac{2\sqrt{5}}{6}=\frac{\sqrt{5}}{3}$

$\therefore \cos x+\sin y=\frac{\sqrt{5}}{3}+\frac{\sqrt{5}}{3}=\frac{2\sqrt{5}}{3}$

10

Action $\triangle ABC$에서 x와 크기가 같은 각을 찾는다.

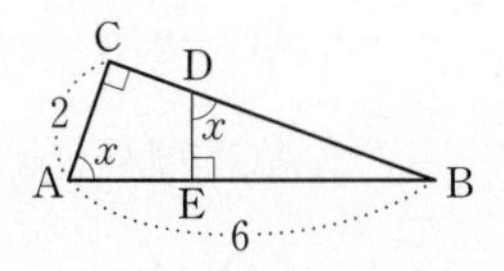

$\triangle ABC$와 $\triangle DBE$에서

$\angle ACB=\angle DEB=90^\circ$, $\angle B$는 공통이므로

$\triangle ABC \backsim \triangle DBE$ (AA 닮음)

$\therefore \angle A=\angle BDE=x$ …… 40%

이때 $\triangle ABC$에서 $\overline{BC}=\sqrt{6^2-2^2}=4\sqrt{2}$ …… 30%

$\therefore \tan x=\tan A=\frac{\overline{BC}}{\overline{AC}}=\frac{4\sqrt{2}}{2}=2\sqrt{2}$ …… 30%

11

Action x와 크기가 같은 각을 모두 찾는다.

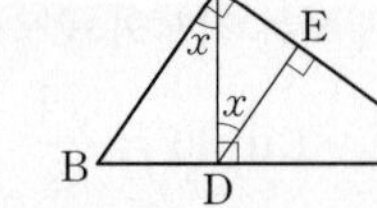

$\angle ACD=\angle ADE=\angle BAD=x$

① $\triangle ABC$에서 $\tan x=\frac{\overline{AB}}{\overline{AC}}$

② $\triangle ABD$에서 $\tan x=\frac{\overline{BD}}{\overline{AD}}$

③ $\triangle ADC$에서 $\tan x=\frac{\overline{AD}}{\overline{CD}}$

④ $\triangle ADE$에서 $\tan x=\frac{\overline{AE}}{\overline{DE}}$

⑤ $\triangle EDC$에서 $\tan x=\frac{\overline{DE}}{\overline{CE}}$

(참고) $\triangle ABC$, $\triangle DBA$, $\triangle DAC$, $\triangle EAD$, $\triangle EDC$는 모두 닮음이다.

12

Action $\triangle CEG$가 직각삼각형임을 이용하여 $\cos x$의 값을 구한다.

$\triangle EFG$에서 $\overline{EG}=\sqrt{2^2+2^2}=2\sqrt{2}$

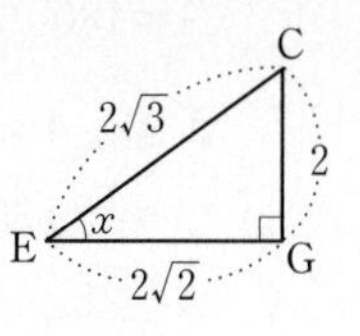

오른쪽 그림과 같이 $\triangle CEG$는 $\angle EGC=90^\circ$인 직각삼각형이므로

$\overline{CE}=\sqrt{(2\sqrt{2})^2+2^2}=2\sqrt{3}$

$\therefore \cos x=\frac{\overline{EG}}{\overline{CE}}=\frac{2\sqrt{2}}{2\sqrt{3}}=\frac{\sqrt{6}}{3}$

13

Action $\triangle AEG$가 직각삼각형임을 이용하여 $\sin x$, $\cos x$의 값을 각각 구한다.

$\triangle EFG$에서 $\overline{EG}=\sqrt{6^2+4^2}=2\sqrt{13}$

오른쪽 그림과 같이 $\triangle AEG$는 $\angle AEG=90^\circ$인 직각삼각형이므로

$\overline{AG}=\sqrt{(2\sqrt{13})^2+4^2}=2\sqrt{17}$

$\sin x=\frac{\overline{AE}}{\overline{AG}}=\frac{4}{2\sqrt{17}}=\frac{2\sqrt{17}}{17}$

$\cos x=\frac{\overline{EG}}{\overline{AG}}=\frac{2\sqrt{13}}{2\sqrt{17}}=\frac{\sqrt{221}}{17}$

$\therefore \sin x\times\cos x=\frac{2\sqrt{17}}{17}\times\frac{\sqrt{221}}{17}=\frac{2\sqrt{13}}{17}$

14

Action 30°, 45°, 60°의 삼각비의 값을 이용한다.

① $\cos 45^\circ+\sin 45^\circ=\frac{\sqrt{2}}{2}+\frac{\sqrt{2}}{2}=\sqrt{2}$

② $\tan 45^\circ-\cos 60^\circ=1-\frac{1}{2}=\frac{1}{2}$

③ $\tan 30^\circ=\frac{\sqrt{3}}{3}$, $\frac{1}{\tan 60^\circ}=\frac{1}{\sqrt{3}}=\frac{\sqrt{3}}{3}$이므로

$\tan 30^\circ=\frac{1}{\tan 60^\circ}$

④ $\sin 30^\circ\times\cos 30^\circ-\tan 60^\circ=\frac{1}{2}\times\frac{\sqrt{3}}{2}-\sqrt{3}$

$=\frac{\sqrt{3}}{4}-\sqrt{3}=-\frac{3\sqrt{3}}{4}$

⑤ $2\cos 45^\circ\times\tan 60^\circ\times\sin 60^\circ=2\times\frac{\sqrt{2}}{2}\times\sqrt{3}\times\frac{\sqrt{3}}{2}$

$=\frac{3\sqrt{2}}{2}$

따라서 옳지 않은 것은 ②, ④이다.

Lecture

30°, 45°, 60°의 삼각비의 값

삼각비 \ A	30°	45°	60°
$\sin A$	$\frac{1}{2}$	$\frac{\sqrt{2}}{2}$	$\frac{\sqrt{3}}{2}$
$\cos A$	$\frac{\sqrt{3}}{2}$	$\frac{\sqrt{2}}{2}$	$\frac{1}{2}$
$\tan A$	$\frac{\sqrt{3}}{3}$	1	$\sqrt{3}$

15 Action $\angle A : \angle B : \angle C = a : b : c$인 $\triangle ABC$에서 $\angle A = 180° \times \frac{a}{a+b+c}$임을 이용한다.

삼각형의 세 내각의 크기의 합은 $180°$이므로

$A = 180° \times \frac{1}{1+2+3} = 180° \times \frac{1}{6} = 30°$

$\therefore \sin A \times \cos A \times \tan A$

$= \sin 30° \times \cos 30° \times \tan 30°$

$= \frac{1}{2} \times \frac{\sqrt{3}}{2} \times \frac{\sqrt{3}}{3}$

$= \frac{1}{4}$

16 Action 특수한 각의 삼각비의 값을 이용한다.

$\cos 45° = \frac{\sqrt{2}}{2}$이므로

$2x - 15° = 45° \qquad \therefore x = 30°$

$\therefore \sin x + \cos 2x = \sin 30° + \cos 60°$

$= \frac{1}{2} + \frac{1}{2}$

$= 1$

17 Action 먼저 $\triangle ADC$에서 특수한 각의 삼각비의 값을 이용하여 $\overline{AD}$의 길이를 구한다.

$\triangle ADC$에서 $\sin 45° = \frac{\overline{AD}}{4} = \frac{\sqrt{2}}{2}$

$\therefore \overline{AD} = 2\sqrt{2}$

$\triangle ABD$에서 $\sin 60° = \frac{2\sqrt{2}}{\overline{AB}} = \frac{\sqrt{3}}{2}$

$\therefore \overline{AB} = \frac{4\sqrt{2}}{\sqrt{3}} = \frac{4\sqrt{6}}{3}$

18 Action 먼저 $\triangle ABC$에서 특수한 각의 삼각비의 값을 이용하여 $\overline{BC}$의 길이를 구한다.

$\triangle ABC$에서 $\tan 60° = \frac{\overline{BC}}{\sqrt{2}} = \sqrt{3}$

$\therefore \overline{BC} = \sqrt{6}$ …… 50%

$\triangle DBC$에서 $\sin 45° = \frac{\sqrt{6}}{\overline{BD}} = \frac{\sqrt{2}}{2}$

$\therefore \overline{BD} = \frac{2\sqrt{6}}{\sqrt{2}} = 2\sqrt{3}$ …… 50%

19 Action 특수한 각의 삼각비의 값을 이용하여 $\overline{BD}$, $\overline{CD}$의 길이를 각각 구한 후 $\triangle ABD$에서 $\angle BDC = \angle DBA + \angle DAB$임을 이용한다.

$\triangle DBC$에서 $\sin 30° = \frac{5}{\overline{BD}} = \frac{1}{2}$

$\therefore \overline{BD} = 10$

$\tan 30° = \frac{5}{\overline{CD}} = \frac{\sqrt{3}}{3}$

$\therefore \overline{CD} = \frac{15}{\sqrt{3}} = 5\sqrt{3}$

한편, $\triangle ABD$에서 $\angle DBA = 30° - 15° = 15°$이므로

$\triangle ABD$는 이등변삼각형이다.

$\therefore \overline{AD} = \overline{BD} = 10$

따라서 $\triangle ABC$에서 $\overline{AC} = 10 + 5\sqrt{3}$이므로

$\tan 15° = \frac{\overline{BC}}{\overline{AC}} = \frac{5}{10+5\sqrt{3}} = \frac{1}{2+\sqrt{3}} = 2-\sqrt{3}$

20 Action 직각삼각형 ABC에서 크기가 $15°$, $75°$인 각을 각각 찾는다.

$\triangle ABD$에서

$\sin 60° = \frac{\overline{BD}}{2} = \frac{\sqrt{3}}{2} \qquad \therefore \overline{BD} = \sqrt{3}$

$\cos 60° = \frac{\overline{AB}}{2} = \frac{1}{2} \qquad \therefore \overline{AB} = 1$

한편, $\overline{AD} = \overline{CD}$이고

$\triangle ABD$에서 $\angle ADB = 180° - (60° + 90°) = 30°$이므로

$\angle DAC = \angle DCA = \frac{1}{2} \times 30° = 15°$

$\triangle ABC$에서 $\overline{BC} = 2 + \sqrt{3}$이고 $\angle CAB = 15° + 60° = 75°$이므로

$\tan 15° = \frac{\overline{AB}}{\overline{BC}} = \frac{1}{2+\sqrt{3}} = 2-\sqrt{3}$

$\tan 75° = \frac{\overline{BC}}{\overline{AB}} = \frac{2+\sqrt{3}}{1} = 2+\sqrt{3}$

$\therefore \tan 15° + \tan 75° = (2-\sqrt{3}) + (2+\sqrt{3}) = 4$

21 Action 특수한 각의 삼각비의 값을 이용하여 $\overline{AC}$, $\overline{AD}$, $\overline{DE}$의 길이를 차례로 구한다.

$\triangle ABC$에서 $\sin 30° = \frac{\sqrt{3}}{\overline{AC}} = \frac{1}{2}$

$\therefore \overline{AC} = 2\sqrt{3}$

$\triangle ACD$에서 $\cos 30° = \frac{2\sqrt{3}}{\overline{AD}} = \frac{\sqrt{3}}{2}$

$\therefore \overline{AD} = 4$

$\triangle ADE$에서 $\tan 30° = \frac{\overline{DE}}{4} = \frac{\sqrt{3}}{3}$

$\therefore \overline{DE} = \frac{4\sqrt{3}}{3}$

22 Action 직선 $y = mx + n$이 x축의 양의 방향과 이루는 각의 크기를 a라고 할 때, 직선 $y = mx + n$의 기울기는 $\tan a$임을 이용한다.

구하는 직선의 방정식을 $y = ax + b$라고 하면

$a = \tan 30° = \frac{\sqrt{3}}{3}$

직선 $y = \frac{\sqrt{3}}{3}x + b$가 점 $(-3, 0)$을 지나므로

$0 = \frac{\sqrt{3}}{3} \times (-3) + b \qquad \therefore b = \sqrt{3}$

따라서 구하는 직선의 방정식은

$y = \frac{\sqrt{3}}{3}x + \sqrt{3}$

Lecture

직선의 기울기와 삼각비

오른쪽 그림과 같이 직선 $y=mx+n$이 x축의 양의 방향과 이루는 각의 크기를 a라고 할 때,

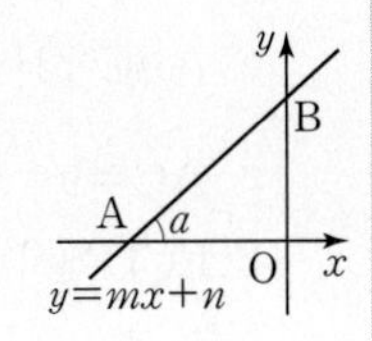

(직선 $y=mx+n$의 기울기)

$=m=\dfrac{(y\text{의 값의 증가량})}{(x\text{의 값의 증가량})}$

$=\dfrac{\overline{BO}}{\overline{AO}}=\tan a$

23

Action 일차방정식을 $y=mx+n$의 꼴로 변형한다.

일차방정식 $\sqrt{3}x-y+6=0$의 그래프가 x축의 양의 방향과 이루는 예각의 크기를 a라고 하면

$\sqrt{3}x-y+6=0$에서 $y=\sqrt{3}x+6$

$\therefore \tan a=\sqrt{3}$

이때 $\tan 60^\circ=\sqrt{3}$이므로 $a=60^\circ$

24

Action 삼각비의 값을 분모가 1인 분수로 나타내어 본다.

① $\sin x=\dfrac{\overline{BC}}{\overline{AC}}=\dfrac{\overline{BC}}{1}=\overline{BC}$

② $\cos x=\dfrac{\overline{AB}}{\overline{AC}}=\dfrac{\overline{AB}}{1}=\overline{AB}$

③ $\tan x=\dfrac{\overline{DE}}{\overline{AD}}=\dfrac{\overline{DE}}{1}=\overline{DE}$

④ $\cos y=\dfrac{\overline{BC}}{\overline{AC}}=\dfrac{\overline{BC}}{1}=\overline{BC}$

⑤ $\sin z=\sin y=\dfrac{\overline{AB}}{\overline{AC}}=\dfrac{\overline{AB}}{1}=\overline{AB}$

따라서 옳지 않은 것은 ②이다.

Lecture

예각의 삼각비의 값

오른쪽 그림과 같이 반지름의 길이가 1인 사분원에서

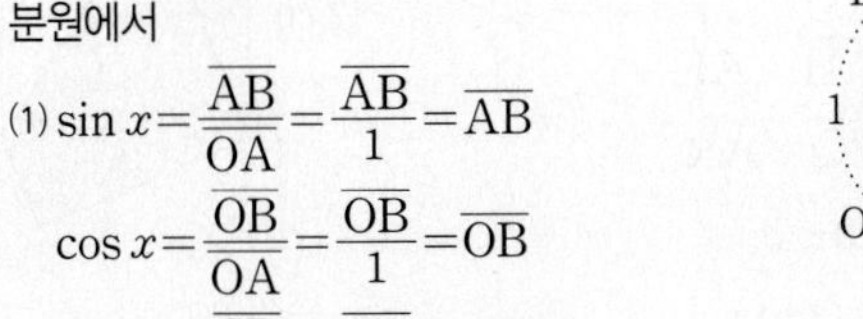

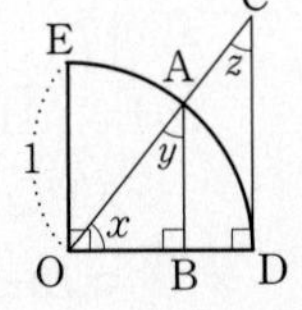

(1) $\sin x=\dfrac{\overline{AB}}{\overline{OA}}=\dfrac{\overline{AB}}{1}=\overline{AB}$

$\cos x=\dfrac{\overline{OB}}{\overline{OA}}=\dfrac{\overline{OB}}{1}=\overline{OB}$

$\tan x=\dfrac{\overline{CD}}{\overline{OD}}=\dfrac{\overline{CD}}{1}=\overline{CD}$

(2) $\overline{AB}\,/\!/\,\overline{CD}$이므로 $\angle y=\angle z$ (동위각)

$\sin z=\sin y=\dfrac{\overline{OB}}{\overline{OA}}=\dfrac{\overline{OB}}{1}=\overline{OB}$

$\cos z=\cos y=\dfrac{\overline{AB}}{\overline{OA}}=\dfrac{\overline{AB}}{1}=\overline{AB}$

25

Action $0^\circ, 30^\circ, 45^\circ, 60^\circ, 90^\circ$의 삼각비의 값을 이용한다.

① $\sin 30^\circ+\sin 60^\circ=\dfrac{1}{2}+\dfrac{\sqrt{3}}{2}=\dfrac{1+\sqrt{3}}{2}$, $\sin 90^\circ=1$

이므로 $\sin 30^\circ+\sin 60^\circ\neq\sin 90^\circ$

② $\tan 0^\circ+\tan 30^\circ\times\tan 60^\circ=0+\dfrac{\sqrt{3}}{3}\times\sqrt{3}=1$,

$\cos 0^\circ=1$이므로 $\tan 0^\circ+\tan 30^\circ\times\tan 60^\circ=\cos 0^\circ$

③ $\sin 0^\circ\times\cos 90^\circ-\sin 90^\circ\times\tan 45^\circ$

$=0\times0-1\times1=-1$

④ $\sin 60^\circ\times\tan 0^\circ+\cos 0^\circ\times\sin 90^\circ$

$=\dfrac{\sqrt{3}}{2}\times0+1\times1=1$

⑤ $(\cos 45^\circ-\cos 90^\circ)(\sin 0^\circ+\sin 45^\circ)$

$=\left(\dfrac{\sqrt{2}}{2}-0\right)\times\left(0+\dfrac{\sqrt{2}}{2}\right)=\dfrac{1}{2}$

따라서 옳지 않은 것은 ①, ③이다.

Lecture

$0^\circ, 90^\circ$의 삼각비의 값

A \ 삼각비	$\sin A$	$\cos A$	$\tan A$
0°	0	1	0
90°	1	0	정할 수 없다.

26

Action x의 크기가 0°에서 90°로 증가할 때, $\sin x$, $\tan x$의 값은 각각 증가하고 $\cos x$의 값은 감소함을 이용한다.

① $0^\circ\le x\le 90^\circ$일 때, x의 값이 증가하면 $\sin x$의 값은 0에서 1까지 증가하므로

$\sin 53^\circ>\sin 40^\circ$

② $0^\circ\le x\le 90^\circ$일 때, x의 값이 증가하면 $\cos x$의 값은 1에서 0까지 감소하므로

$\cos 48^\circ<\cos 42^\circ$

③ $0^\circ\le x<45^\circ$일 때, $\sin x<\cos x$이므로

$\sin 20^\circ<\cos 20^\circ$

④ $\cos 60^\circ=\dfrac{1}{2}$

$0^\circ\le x<90^\circ$일 때, x의 값이 증가하면 $\tan x$의 값은 0에서 한없이 증가하므로

$1=\tan 45^\circ<\tan 47^\circ$ $\quad\therefore \cos 60^\circ<\tan 47^\circ$

⑤ $\tan 50^\circ<\tan 55^\circ$

따라서 옳은 것은 ③이다.

27

Action x의 크기가 0°에서 90°로 증가할 때, $\sin x$, $\tan x$의 값은 각각 증가하고 $\cos x$의 값은 감소함을 이용한다.

㉠ $\cos 0^\circ=1$

㉡ $0^\circ\le x\le 90^\circ$일 때, x의 값이 증가하면 $\sin x$의 값은 0에서 1까지 증가하므로 $\sin 60^\circ<\sin 72^\circ<\sin 90^\circ$

$\therefore \dfrac{\sqrt{3}}{2}<\sin 72^\circ<1$

㉢ $0^\circ\le x<90^\circ$일 때, x의 값이 증가하면 $\tan x$의 값은 0에서 한없이 증가하므로 $\tan 60^\circ<\tan 65^\circ$

$\therefore \sqrt{3}<\tan 65^\circ$

㉣ $0^\circ \le x \le 90^\circ$일 때, x의 값이 증가하면 $\cos x$의 값은 1에서 0까지 감소하므로 $\cos 90^\circ < \cos 72^\circ < \cos 60^\circ$

$\therefore 0 < \cos 72^\circ < \frac{1}{2}$

따라서 삼각비의 값을 작은 것부터 차례로 나열하면 ㉣, ㉡, ㉠, ㉢이다.

28 **Action** $0^\circ < x < 90^\circ$일 때, $0 < \sin x < 1$임을 이용한다.

$0^\circ < x < 90^\circ$일 때, $0 < \sin x < 1$이므로

$\sin x - 1 < 0$, $\sin x + 1 > 0$ …… 50%

$\therefore \sqrt{(\sin x - 1)^2} + \sqrt{(\sin x + 1)^2}$

$= -(\sin x - 1) + (\sin x + 1)$

$= -\sin x + 1 + \sin x + 1$

$= 2$ …… 50%

29 **Action** 삼각비의 표를 보고 주어진 삼각비의 값을 찾는다.

(1) $\sin 27^\circ + \cos 29^\circ - \tan 30^\circ$

$= 0.4540 + 0.8746 - 0.5774$

$= 0.7512$

(2) $\sin 29^\circ = 0.4848$, $\tan 27^\circ = 0.5095$이므로

$x = 29^\circ$, $y = 27^\circ$

$\therefore x + y = 29^\circ + 27^\circ = 56^\circ$

30 **Action** $\angle B$의 크기를 구한 후 삼각비의 표를 이용한다.

$\angle B = 180^\circ - (90^\circ + 37^\circ) = 53^\circ$

$\sin 53^\circ = \frac{\overline{AC}}{\overline{AB}} = \frac{\overline{AC}}{50} = 0.7986$

$\therefore \overline{AC} = 50 \times 0.7986 = 39.93$

31 **Action** $\angle AOB = x$로 놓고 x의 크기를 구한다.

$\triangle AOB$에서 $\angle AOB = x$라고 하면

$\cos x = \frac{\overline{OB}}{\overline{OA}} = \frac{0.5736}{1} = 0.5736$

이때 $\cos 55^\circ = 0.5736$이므로 $x = 55^\circ$

따라서 $\sin 55^\circ = \frac{\overline{AB}}{\overline{OA}} = \frac{\overline{AB}}{1} = \overline{AB}$이므로

$\overline{AB} = \sin 55^\circ = 0.8192$

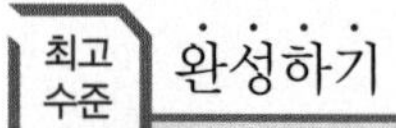

완성하기

P 13 – P 16

01 $\frac{2\sqrt{5}}{13}$	**02** $\frac{3\sqrt{13}}{13}$	**03** $\frac{1}{3}$	**04** $\frac{5\sqrt{41}}{41}$
05 $(600+200\sqrt{5})$ m		**06** $\frac{2\sqrt{2}}{3}$	
07 $9(\sqrt{3}-1)\ \text{cm}^2$		**08** $2+\sqrt{3}$	**09** 3 cm
10 $\frac{\sqrt{3}}{3}$	**11** $\frac{4}{5}$	**12** 61°	

01 **Action** $\angle BCA = \angle DCE$ (맞꼭지각)이므로 $\angle CED = x$임을 이용한다.

$\triangle ABC$에서 $\sin x = \frac{6}{\overline{AC}} = \frac{2}{3}$

$\therefore \overline{AC} = 9$

$\triangle ECD$에서 $\angle CDE = 90^\circ$,

$\angle BCA = \angle DCE$ (맞꼭지각)이므로

$\angle CED = 90^\circ - \angle DCE$

$= 90^\circ - \angle BCA = x$

이때 $\triangle CDE$에서

$\sin x = \frac{\overline{CD}}{\overline{CE}} = \frac{\overline{CD}}{6} = \frac{2}{3}$이므로

$\overline{CD} = 4$ $\quad\therefore \overline{DE} = \sqrt{6^2 - 4^2} = 2\sqrt{5}$

따라서 $\overline{AD} = \overline{AC} + \overline{DC} = 9 + 4 = 13$이므로

$\triangle ADE$에서 $\tan y = \frac{\overline{DE}}{\overline{AD}} = \frac{2\sqrt{5}}{13}$

02 **Action** $\angle BRQ$와 크기가 같은 각을 모두 찾는다.

$\overline{BR} = \overline{DR}$, $\angle DRQ = \angle BRQ = x$ (접은 각)

$\overline{AD} /\!/ \overline{BC}$이므로

$\angle BQR = \angle DRQ = x$ (엇각)

즉 $\triangle BQR$는 이등변삼각형이므로 $\overline{BR} = a$ cm라고 하면

$\overline{DR} = \overline{BR} = \overline{BQ} = a$ (cm)

$\overline{AR} = 18 - a$ (cm)

$\triangle ABR$에서 $a^2 = 12^2 + (18-a)^2$

$a^2 = 144 + 324 - 36a + a^2$

$36a = 468$ $\quad\therefore a = 13$

$\therefore \overline{DR} = \overline{BR} = \overline{BQ} = 13$ (cm), $\overline{AR} = 5$ (cm)

오른쪽 그림과 같이 점 Q에서 $\overline{DR}$에 내린 수선의 발을 H라고 하면

$\overline{RH} = \overline{AH} - \overline{AR}$

$= \overline{BQ} - \overline{AR}$

$= 13 - 5$

$= 8$ (cm),

$\overline{HQ} = \overline{AB} = 12$ (cm)

따라서 $\triangle QHR$에서

$\overline{RQ} = \sqrt{8^2 + 12^2} = 4\sqrt{13}$ (cm)

$\therefore \sin x = \frac{\overline{HQ}}{\overline{RQ}} = \frac{12}{4\sqrt{13}} = \frac{3\sqrt{13}}{13}$

03 **Action** 꼭짓점 A에서 $\overline{BD}$의 연장선에 수선의 발을 내려 직각삼각형을 만든다.

$\triangle BCD$는 직각이등변삼각형이므로

$\angle BDC = 45^\circ$, $\overline{BD} = \sqrt{3^2 + 3^2} = 3\sqrt{2}$

오른쪽 그림과 같이 점 A에서 $\overline{BD}$의 연장선에 내린 수선의 발을 H라고 하면

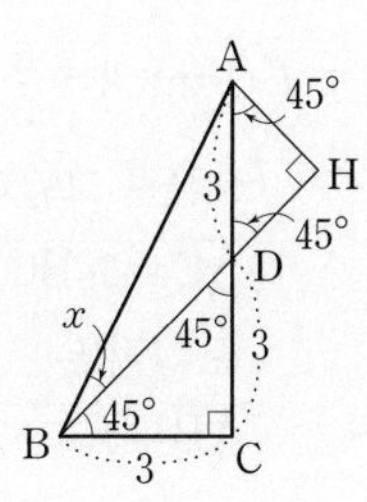

$\angle ADH = \angle BDC = 45°$ (맞꼭지각),

$\angle AHD = 90°$이므로 $\triangle ADH$는 직각이등변삼각형이다.

$\overline{AH} = \overline{DH} = a$라고 하면

$a^2 + a^2 = 3^2$, $a^2 = \dfrac{9}{2}$ $\quad \therefore a = \dfrac{3\sqrt{2}}{2}$ ($\because a > 0$)

따라서 $\overline{BH} = \overline{BD} + \overline{DH} = 3\sqrt{2} + \dfrac{3\sqrt{2}}{2} = \dfrac{9\sqrt{2}}{2}$,

$\overline{AH} = \dfrac{3\sqrt{2}}{2}$이므로

$\triangle ABH$에서 $\tan x = \dfrac{\overline{AH}}{\overline{BH}} = \dfrac{3\sqrt{2}}{2} \div \dfrac{9\sqrt{2}}{2} = \dfrac{1}{3}$

04 **Action** $\sin A : \cos A = 4 : 5$를 만족하는 직각삼각형을 그린다.

$\angle B = 90°$인 직각삼각형 ABC에서

$\sin A : \cos A = \dfrac{\overline{BC}}{\overline{AC}} : \dfrac{\overline{AB}}{\overline{AC}} = \overline{BC} : \overline{AB} = 4 : 5$

오른쪽 그림과 같이 $\overline{BC} = 4k$, $\overline{AB} = 5k\,(k > 0)$인 직각삼각형 ABC를 그리면

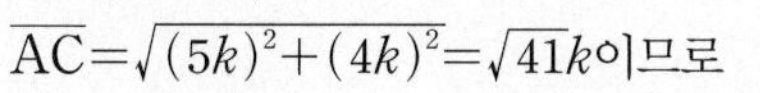

$\overline{AC} = \sqrt{(5k)^2 + (4k)^2} = \sqrt{41}k$이므로

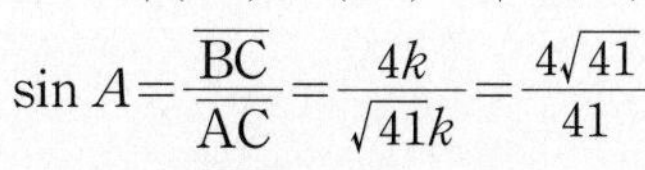

$\sin A = \dfrac{\overline{BC}}{\overline{AC}} = \dfrac{4k}{\sqrt{41}k} = \dfrac{4\sqrt{41}}{41}$

$\tan A = \dfrac{\overline{BC}}{\overline{AB}} = \dfrac{4k}{5k} = \dfrac{4}{5}$

$\therefore \sin A \div \tan A = \dfrac{4\sqrt{41}}{41} \div \dfrac{4}{5} = \dfrac{5\sqrt{41}}{41}$

05 **Action** 도로의 경사도가 50 %일 때의 $\tan A$의 값을 구한다.

도로의 경사도가 50 %이면 $\tan A = \dfrac{50}{100} = \dfrac{1}{2}$

오른쪽 그림과 같이 $\angle B = 90°$이고 $\overline{AB} = 2k$, $\overline{BC} = k\,(k > 0)$인 직각삼각형 ABC를 그리면

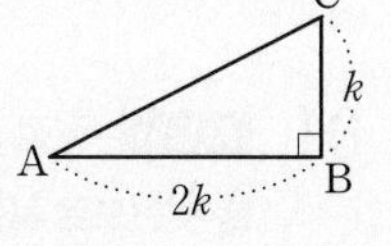

$\overline{AC} = \sqrt{(2k)^2 + k^2} = \sqrt{5}k$

이때 자동차가 경사도가 50 %인 도로를 1000 m 달린 후 멈추었을 때의 높아진 높이는 $\overline{BC}$의 길이이다.

즉 $\sqrt{5}k = 1000$에서 $k = \dfrac{1000}{\sqrt{5}} = 200\sqrt{5}$

따라서 자동차의 현재의 위치는 해발 $(600 + 200\sqrt{5})$ m이다.

06 **Action** $\triangle AED$의 두 꼭짓점 E, A에서 각각 대변에 내린 수선의 발을 H, I로 놓고 $\overline{AH}$, $\overline{AI}$의 길이를 각각 구한다.

정삼각형 ABC에서 $\overline{BE} = \overline{EC} = \dfrac{1}{2} \times 2 = 1$이므로

$\overline{AE} \perp \overline{BC}$

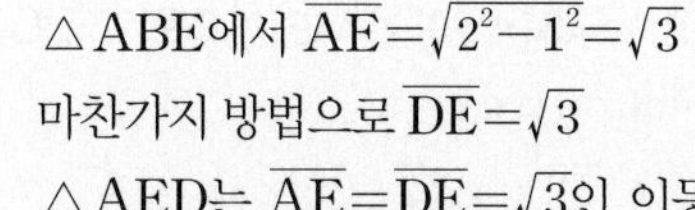

$\triangle ABE$에서 $\overline{AE} = \sqrt{2^2 - 1^2} = \sqrt{3}$

마찬가지 방법으로 $\overline{DE} = \sqrt{3}$

$\triangle AED$는 $\overline{AE} = \overline{DE} = \sqrt{3}$인 이등변삼각형이므로 오른쪽 그림과 같이 점 E에서 $\overline{AD}$에 내린 수선의 발을 H라고 하면

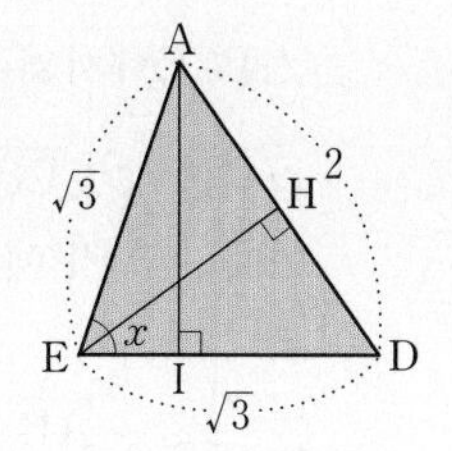

$\overline{AH} = \overline{HD} = \dfrac{1}{2} \times 2 = 1$

$\triangle AEH$에서 $\overline{EH} = \sqrt{(\sqrt{3})^2 - 1^2} = \sqrt{2}$

또 점 A에서 $\overline{ED}$에 내린 수선의 발을 I라고 하면

$\triangle AED = \dfrac{1}{2} \times \overline{AD} \times \overline{EH} = \dfrac{1}{2} \times \overline{ED} \times \overline{AI}$에서

$\dfrac{1}{2} \times 2 \times \sqrt{2} = \dfrac{1}{2} \times \sqrt{3} \times \overline{AI}$ $\quad \therefore \overline{AI} = \dfrac{2\sqrt{6}}{3}$

따라서 $\triangle AEI$에서

$\sin x = \dfrac{\overline{AI}}{\overline{AE}} = \dfrac{2\sqrt{6}}{3} \div \sqrt{3} = \dfrac{2\sqrt{2}}{3}$

07 **Action** 점 E에서 $\overline{AB}$에 내린 수선의 발을 F로 놓고 $\overline{EF}$의 길이를 구한다.

$\triangle ABC$에서 $\tan 60° = \dfrac{\overline{AB}}{2\sqrt{3}} = \sqrt{3}$

$\therefore \overline{AB} = 6$ (cm) 20%

오른쪽 그림과 같이 점 E에서 $\overline{AB}$에 내린 수선의 발을 F라 하고 $\overline{EF} = x$ cm라고 하면

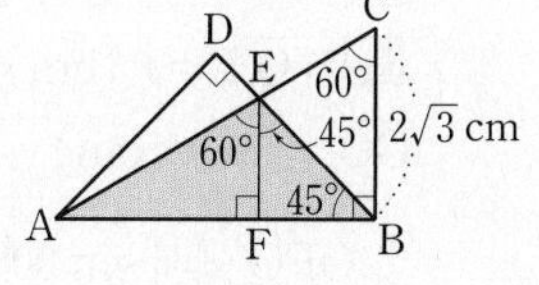

$\triangle EFB$는 직각이등변삼각형이므로 $\overline{BF} = \overline{EF} = x$ (cm)

$\therefore \overline{AF} = 6 - x$ (cm) 30%

이때 $\overline{EF} /\!/ \overline{CB}$이므로 $\angle AEF = \angle C = 60°$ (동위각)

$\triangle EAF$에서 $\tan 60° = \dfrac{6 - x}{x} = \sqrt{3}$이므로

$\sqrt{3}x = 6 - x$, $(\sqrt{3} + 1)x = 6$

$\therefore x = \dfrac{6}{\sqrt{3} + 1} = 3(\sqrt{3} - 1)$

$\therefore \overline{EF} = 3(\sqrt{3} - 1)$ (cm) 30%

$\therefore \triangle EAB = \dfrac{1}{2} \times 6 \times 3(\sqrt{3} - 1)$

$= 9(\sqrt{3} - 1)$ (cm²) 20%

08 **Action** 75°의 각이 있는 직각삼각형을 찾는다.

$\triangle APQ$에서 $\sin 60° = \dfrac{\overline{AQ}}{4} = \dfrac{\sqrt{3}}{2}$ $\quad \therefore \overline{AQ} = 2\sqrt{3}$

$\cos 60° = \dfrac{\overline{PQ}}{4} = \dfrac{1}{2}$ $\quad \therefore \overline{PQ} = 2$

$\triangle AQD$는 직각이등변삼각형이므로

$\cos 45° = \dfrac{\overline{AD}}{2\sqrt{3}} = \dfrac{\sqrt{2}}{2}$

$\therefore \overline{AD} = \sqrt{6}$, $\overline{DQ} = \overline{AD} = \sqrt{6}$

한편, $\angle PQC=180^\circ-(45^\circ+90^\circ)=45^\circ$이므로 $\triangle PCQ$는 직각이등변삼각형이다.

$\triangle PCQ$에서 $\sin 45^\circ=\dfrac{\overline{CP}}{2}=\dfrac{\sqrt{2}}{2}$

$\therefore \overline{CP}=\sqrt{2}, \overline{CQ}=\overline{CP}=\sqrt{2}$

이때 $\triangle ABP$에서 $\angle APB=180^\circ-(60^\circ+45^\circ)=75^\circ$이므로

$\tan 75^\circ=\dfrac{\overline{AB}}{\overline{BP}}=\dfrac{\overline{DQ}+\overline{CQ}}{\overline{BC}-\overline{CP}}$

$=\dfrac{\sqrt{6}+\sqrt{2}}{\sqrt{6}-\sqrt{2}}=\dfrac{8+4\sqrt{3}}{4}$

$=2+\sqrt{3}$

09 **Action** 점 O′을 지나고 $\overline{BC}$에 평행한 직선을 그어 빗변이 $\overline{OO'}$인 직각삼각형을 만든다.

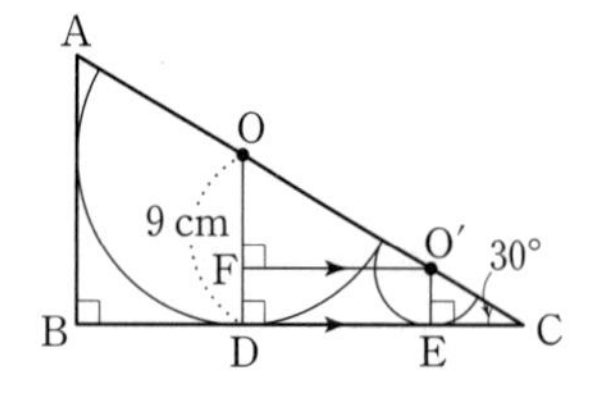

오른쪽 그림과 같이 점 O′을 지나고 $\overline{BC}$에 평행한 직선이 $\overline{OD}$와 만나는 점을 F라고 하면

$\angle OFO'=\angle ODC$

$=90^\circ$ (동위각),

$\angle OO'F=\angle OCD=30^\circ$ (동위각)

반원 O′의 반지름의 길이를 r cm라고 하면

$\overline{FD}=\overline{O'E}=r$ (cm), $\overline{OF}=\overline{OD}-\overline{FD}=9-r$ (cm)

$\overline{OO'}=9+r$ (cm)

$\triangle OFO'$에서 $\sin 30^\circ=\dfrac{\overline{OF}}{\overline{OO'}}=\dfrac{9-r}{9+r}=\dfrac{1}{2}$이므로

$2(9-r)=9+r, 3r=9 \qquad \therefore r=3$

따라서 반원 O′의 반지름의 길이는 3 cm이다.

10 **Action** 이차방정식 $4x^2-2(1+\sqrt{3})x+\sqrt{3}=0$의 좌변을 인수분해하여 두 근을 구한다.

$4x^2-2(1+\sqrt{3})x+\sqrt{3}=0$에서

$(2x-\sqrt{3})(2x-1)=0 \qquad \therefore x=\dfrac{\sqrt{3}}{2}$ 또는 $x=\dfrac{1}{2}$

이때 A, B는 예각이고 $A>B$이므로

$\sin A>\sin B$

즉 $\sin A=\dfrac{\sqrt{3}}{2}$, $\sin B=\dfrac{1}{2}$이므로 $A=60^\circ$, $B=30^\circ$

$\therefore \tan(A-B)=\tan(60^\circ-30^\circ)=\tan 30^\circ=\dfrac{\sqrt{3}}{3}$

11 **Action** $0^\circ<A<45^\circ$일 때, $0<\sin A<\cos A$임을 이용한다.

$0^\circ<A<45^\circ$일 때, $0<\sin A<\cos A$이므로

$\sin A+\cos A>0, \cos A-\sin A>0$ …… 20%

$\sqrt{(\sin A+\cos A)^2}-\sqrt{(\cos A-\sin A)^2}$

$=\sin A+\cos A-(\cos A-\sin A)$

$=2\sin A$

$2\sin A=\dfrac{6}{5}$이므로 $\sin A=\dfrac{3}{5}$ …… 40%

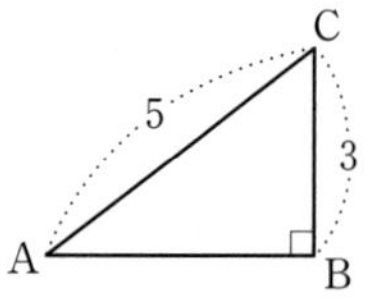

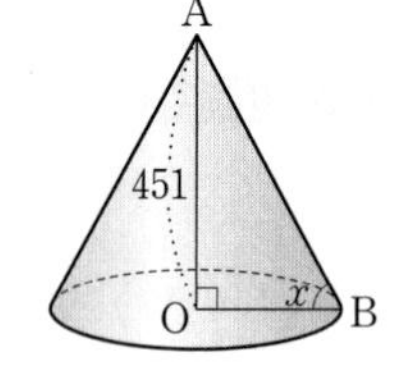

오른쪽 그림과 같이 $\angle B=90^\circ$이고 $\overline{AC}=5, \overline{BC}=3$인 직각삼각형 ABC를 그리면

$\overline{AB}=\sqrt{5^2-3^2}=4$

$\therefore \cos A=\dfrac{\overline{AB}}{\overline{AC}}=\dfrac{4}{5}$ …… 40%

12 **Action** 먼저 원뿔의 밑면의 반지름의 길이를 구한 후 tan의 값을 이용한다.

밑면의 반지름의 길이를 r라고 하면 밑면의 둘레의 길이가 500π이므로

$2\pi r=500\pi \qquad \therefore r=250$

오른쪽 그림의 $\triangle AOB$에서

$\tan x=\dfrac{\overline{OA}}{\overline{OB}}=\dfrac{451}{250}$

$=\dfrac{1804}{1000}=1.8040$

이때 주어진 삼각비의 표에서

$\tan 61^\circ=1.8040$이므로 $x=61^\circ$

최고 수준 뛰어넘기

P 17-P 18

01 $\dfrac{3\sqrt{5}}{5}$ **02** (1) $\dfrac{\sqrt{5}+1}{2}$ (2) $\dfrac{\sqrt{5}-1}{4}$ (3) $\dfrac{\sqrt{5}+1}{4}$

03 $4\sqrt{3}$ **04** $2+2\sqrt{3}$ **05** $6\sqrt{2}+4\sqrt{6}$

06 (1) 풀이 참조 (2) $\dfrac{\sqrt{2}}{2}$

01 **Action** 두 점 D, E에서 $\overline{AB}, \overline{BC}$에 각각 수선을 그어 생긴 $\overline{BD}, \overline{BE}$를 빗변으로 하는 직각삼각형을 이용한다.

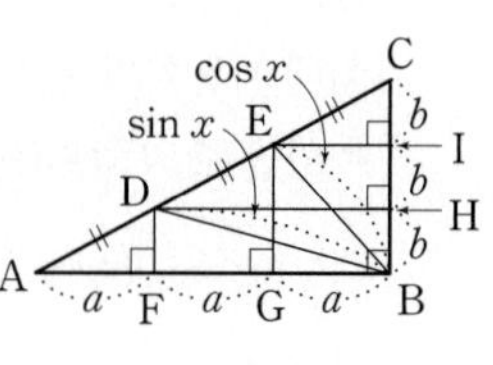

오른쪽 그림과 같이 두 점 D, E에서 $\overline{AB}$에 내린 수선의 발을 각각 F, G라 하고, $\overline{BC}$에 내린 수선의 발을 각각 H, I라고 하자.

또 $\overline{AF}=a, \overline{CI}=b$라고 하면

$\overline{FG}=\overline{GB}=\overline{AF}=a, \overline{IH}=\overline{HB}=\overline{CI}=b$

$\triangle DFB$에서

$(2a)^2+b^2=\sin^2 x, 4a^2+b^2=\sin^2 x$ …… ㉠

$\triangle IEB$에서

$a^2+(2b)^2=\cos^2 x, a^2+4b^2=\cos^2 x$ …… ㉡

㉠+㉡을 하면

$5a^2+5b^2=\sin^2 x+\cos^2 x=1 \qquad \therefore a^2+b^2=\frac{1}{5}$

따라서 △ABC에서

$\overline{AC}=\sqrt{(3a)^2+(3b)^2}=\sqrt{9(a^2+b^2)}=\sqrt{\frac{9}{5}}=\frac{3\sqrt{5}}{5}$

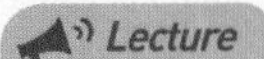

삼각비 사이의 관계

오른쪽 그림과 같이 $\angle B=90^\circ$인 직각삼각형 ABC에서

$\sin^2 A+\cos^2 A=\left(\frac{a}{b}\right)^2+\left(\frac{c}{b}\right)^2$

$=\frac{a^2+c^2}{b^2}$

$=\frac{b^2}{b^2}\ (\because a^2+c^2=b^2)$

$=1$

02

Action △ABD, △BCD는 이등변삼각형임을 이용한다.

(1) △ABC에서 $\overline{AB}=\overline{AC}$이므로

$\angle ABC=\angle C=\frac{1}{2}\times(180^\circ-36^\circ)=72^\circ$

$\angle ABD=\angle DBC=\frac{1}{2}\times 72^\circ=36^\circ$

이때 △ABD에서

$\angle BDC=\angle DAB+\angle ABD=36^\circ+36^\circ=72^\circ$

즉 △ABD, △BCD는 이등변삼각형이므로

$\overline{AD}=\overline{BD}=\overline{BC}=1$

△ABC∽△BCD (AA 닮음)이므로

$\overline{CD}=x$라고 하면 $\overline{AB}:\overline{BC}=\overline{BC}:\overline{CD}$에서

$(1+x):1=1:x,\ x(1+x)=1,\ x^2+x-1=0$

$\therefore x=\frac{-1+\sqrt{5}}{2}\ (\because x>0)$

$\therefore \overline{AB}=\overline{AD}+\overline{CD}=1+\frac{-1+\sqrt{5}}{2}=\frac{\sqrt{5}+1}{2}$

(2) 오른쪽 그림과 같이 점 A에서 $\overline{BC}$에 내린 수선의 발을 E라고 하면

△ABC는 이등변삼각형이므로

$\angle BAE=\frac{1}{2}\times 36^\circ=18^\circ$

$\overline{BE}=\frac{1}{2}\overline{BC}=\frac{1}{2}\times 1=\frac{1}{2}$

따라서 △ABE에서

$\sin 18^\circ=\frac{\overline{BE}}{\overline{AB}}=\frac{1}{2}\div\frac{\sqrt{5}+1}{2}=\frac{1}{\sqrt{5}+1}=\frac{\sqrt{5}-1}{4}$

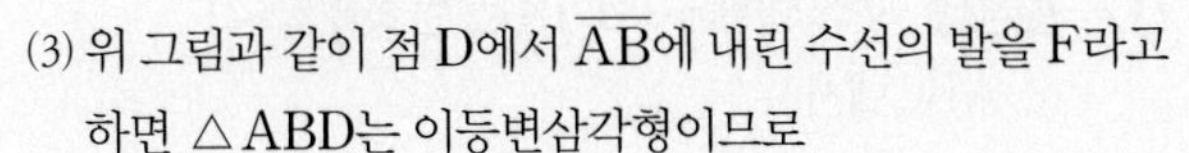

(3) 위 그림과 같이 점 D에서 $\overline{AB}$에 내린 수선의 발을 F라고 하면 △ABD는 이등변삼각형이므로

$\overline{AF}=\frac{1}{2}\overline{AB}=\frac{1}{2}\times\frac{\sqrt{5}+1}{2}=\frac{\sqrt{5}+1}{4}$

따라서 △DAF에서 $\cos 36^\circ=\frac{\overline{AF}}{\overline{AD}}=\frac{\sqrt{5}+1}{4}$

03

Action △ABC의 한 변의 길이와 $\triangle AB_{10}C_{10}$의 한 변의 길이를 각각 구한다.

정삼각형 ABC의 한 변의 길이를 x라고 하면

△ABD에서 $\angle ABD=60^\circ$이므로

$\sin 60^\circ=\frac{\overline{AD}}{\overline{AB}}=\frac{\overline{AD}}{x}=\frac{\sqrt{3}}{2} \qquad \therefore \overline{AD}=\frac{\sqrt{3}}{2}x$

이때 $\overline{AB_1}=\frac{1}{2}\overline{AD}=\frac{1}{2}\times\frac{\sqrt{3}}{2}x=\frac{\sqrt{3}}{4}x$

또 $\triangle AB_1D_1$에서 $\angle AB_1D_1=60^\circ$이므로

$\sin 60^\circ=\frac{\overline{AD_1}}{\overline{AB_1}}=\overline{AD_1}\div\frac{\sqrt{3}}{4}x=\frac{\sqrt{3}}{2}$

$\therefore \overline{AD_1}=\frac{\sqrt{3}}{2}\times\frac{\sqrt{3}}{4}x=\frac{3}{8}x$

이때 $\overline{AB_2}=\frac{1}{2}\overline{AD_1}=\frac{1}{2}\times\frac{3}{8}x=\frac{3}{16}x=\left(\frac{\sqrt{3}}{4}\right)^2x$

마찬가지 방법으로 정삼각형 $AB_{10}C_{10}$의 한 변의 길이를 구하면 $\left(\frac{\sqrt{3}}{4}\right)^{10}x$이므로 정삼각형 ABC와 정삼각형 $AB_{10}C_{10}$의 한 변의 길이의 비는

$x:\left(\frac{\sqrt{3}}{4}\right)^{10}x=4^{10}:(\sqrt{3})^{10}$

따라서 $a=4,\ b=\sqrt{3}$이므로

$ab=4\times\sqrt{3}=4\sqrt{3}$

04

Action 두 점 A, E에서 $\overline{BC}$에 내린 수선의 발을 각각 P, Q로 놓고 $\overline{AP}, \overline{EQ}$의 길이를 구한다.

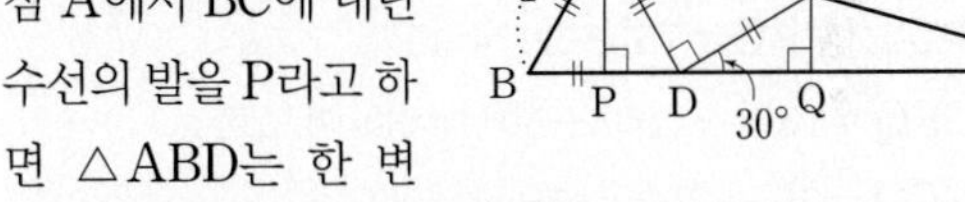

오른쪽 그림과 같이 점 A에서 $\overline{BC}$에 내린 수선의 발을 P라고 하면 △ABD는 한 변의 길이가 2인 정삼각형이므로

△ABP에서 $\sin 60^\circ=\frac{\overline{AP}}{\overline{AB}}=\frac{\overline{AP}}{2}=\frac{\sqrt{3}}{2}$

$\therefore \overline{AP}=\sqrt{3},\ \overline{BP}=\overline{DP}=\frac{1}{2}\overline{BD}=\frac{1}{2}\times 2=1$

또 점 E에서 $\overline{BC}$에 내린 수선의 발을 Q라고 하면

$\angle EDQ=180^\circ-(60^\circ+90^\circ)=30^\circ$이므로

△EDQ에서

$\sin 30^\circ=\frac{\overline{EQ}}{\overline{DE}}=\frac{\overline{EQ}}{2}=\frac{1}{2} \qquad \therefore \overline{EQ}=1$

$\cos 30^\circ=\frac{\overline{DQ}}{\overline{DE}}=\frac{\overline{DQ}}{2}=\frac{\sqrt{3}}{2} \qquad \therefore \overline{DQ}=\sqrt{3}$

$\overline{CQ}=x$라고 하면 $\overline{AP}\,/\!/\,\overline{EQ}$이므로

$\overline{AP}:\overline{EQ}=\overline{CP}:\overline{CQ}$에서

$\sqrt{3}:1=(x+\sqrt{3}+1):x$

$\sqrt{3}x=x+\sqrt{3}+1,\ (\sqrt{3}-1)x=\sqrt{3}+1$

$\therefore x=\frac{\sqrt{3}+1}{\sqrt{3}-1}=2+\sqrt{3}$

$\therefore \overline{CD}=\overline{CQ}+\overline{DQ}=(2+\sqrt{3})+\sqrt{3}=2+2\sqrt{3}$

Lecture

삼각형에서 평행선과 선분의 길이의 비

오른쪽 그림의 $\triangle ABC$에서 두 점 D, E가 각각 $\overline{AB}$, $\overline{AC}$ 위에 있을 때 $\overline{BC} /\!/ \overline{DE}$이면

(1) $\overline{AB} : \overline{AD} = \overline{AC} : \overline{AE} = \overline{BC} : \overline{DE}$

(2) $\overline{AD} : \overline{DB} = \overline{AE} : \overline{EC}$

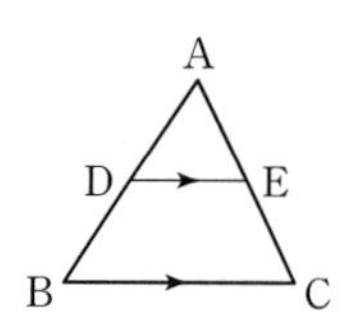

05 **Action** 먼저 특수한 각의 삼각비의 값과 $\triangle DEF$의 넓이를 이용하여 $\overline{DE}$, $\overline{DF}$의 길이를 구한다.

$\overline{DE}=x$라고 하면

$\triangle DEF$에서 $\tan 60^\circ = \dfrac{\overline{DF}}{\overline{DE}} = \dfrac{\overline{DF}}{x} = \sqrt{3}$

$\therefore \overline{DF} = \sqrt{3}x$

이때 $\triangle DEF$의 넓이가 $18\sqrt{3}$이므로

$\dfrac{1}{2} \times x \times \sqrt{3}x = 18\sqrt{3}$, $x^2=36$

$\therefore x=6$ ($\because x>0$)

$\triangle DEF$에서 $\overline{DE}=6$, $\overline{DF}=6\sqrt{3}$이므로

$\overline{EF} = \sqrt{6^2+(6\sqrt{3})^2} = 12$

한편, $\angle DFE = 30^\circ$이므로

$\angle DFA = 180^\circ - (30^\circ + 75^\circ) = 75^\circ$

오른쪽 그림과 같이 점 F에서 $\overline{AB}$, $\overline{BC}$에 내린 수선의 발을 각각 P, Q라고 하면

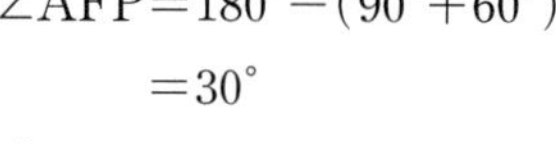

$\angle AFP = 180^\circ - (90^\circ + 60^\circ)$

$= 30^\circ$

이므로 $\angle PFD = 75^\circ - 30^\circ = 45^\circ$

$\angle CFQ = 180^\circ - (90^\circ + 60^\circ) = 30^\circ$이므로

$\angle EFQ = 75^\circ - 30^\circ = 45^\circ$

$\triangle PDF$에서

$\cos 45^\circ = \dfrac{\overline{FP}}{\overline{DF}} = \dfrac{\overline{FP}}{6\sqrt{3}} = \dfrac{\sqrt{2}}{2}$

$2\overline{FP} = 6\sqrt{6}$ $\quad \therefore \overline{FP} = 3\sqrt{6}$

$\triangle APF$에서

$\sin 60^\circ = \dfrac{\overline{FP}}{\overline{AF}} = \dfrac{3\sqrt{6}}{\overline{AF}} = \dfrac{\sqrt{3}}{2}$

$\sqrt{3}\,\overline{AF} = 6\sqrt{6}$ $\quad \therefore \overline{AF} = 6\sqrt{2}$

$\triangle FEQ$에서

$\cos 45^\circ = \dfrac{\overline{FQ}}{\overline{EF}} = \dfrac{\overline{FQ}}{12} = \dfrac{\sqrt{2}}{2}$

$2\overline{FQ} = 12\sqrt{2}$ $\quad \therefore \overline{FQ} = 6\sqrt{2}$

$\triangle FQC$에서

$\sin 60^\circ = \dfrac{\overline{FQ}}{\overline{CF}} = \dfrac{6\sqrt{2}}{\overline{CF}} = \dfrac{\sqrt{3}}{2}$

$\sqrt{3}\,\overline{CF} = 12\sqrt{2}$ $\quad \therefore \overline{CF} = 4\sqrt{6}$

따라서 정삼각형 ABC의 한 변의 길이는

$\overline{AC} = \overline{AF} + \overline{CF} = 6\sqrt{2} + 4\sqrt{6}$

06 **Action** sin과 cos의 관계를 생각해 본다.

(1) 오른쪽 그림과 같이 $\angle B = 90^\circ$인 직각삼각형 ABC에서

$\sin A = \dfrac{\overline{BC}}{\overline{AC}}$ $\quad \cdots\cdots$ ㉠

이때 $\angle A + \angle C = 90^\circ$이므로

$90^\circ - \angle A = \angle C$

$\therefore \cos(90^\circ - A) = \cos C = \dfrac{\overline{BC}}{\overline{AC}}$ $\quad \cdots\cdots$ ㉡

㉠, ㉡에 의하여 $\sin A = \cos(90^\circ - A)$

(2) $\sin 0^\circ + \sin 1^\circ + \sin 2^\circ + \cdots + \sin 45^\circ$

$\quad - \cos 46^\circ - \cos 47^\circ - \cos 48^\circ - \cdots - \cos 90^\circ$

$= \cos 90^\circ + \cos 89^\circ + \cos 88^\circ + \cdots + \cos 45^\circ$

$\quad - \cos 46^\circ - \cos 47^\circ - \cos 48^\circ - \cdots - \cos 90^\circ$

$= \cos 45^\circ = \dfrac{\sqrt{2}}{2}$

2. 삼각비의 활용

최고 수준 입문하기

P 21 - P 26

01 13.9	**02** 6.204	**03** 24 cm³	**04** $9\sqrt{3}\pi$ cm³
05 20.8 m	**06** $\left(\dfrac{50\sqrt{3}}{3}+50\right)$ m		**07** 200 m
08 24초	**09** $\sqrt{21}$	**10** $\sqrt{13}$ m	**11** $2\sqrt{19}$ cm
12 $6\sqrt{6}$ cm	**13** $5\sqrt{2}$ cm	**14** $(20\sqrt{2}+20\sqrt{6})$ m	
15 $8(3-\sqrt{3})$	**16** $50(\sqrt{3}-1)$ m		
17 $4(3-\sqrt{3})$ cm²		**18** $4\sqrt{3}$	**19** 100 m
20 $9(3+\sqrt{3})$ m		**21** 49 cm²	**22** 16
23 $15\sqrt{2}$	**24** 10 cm	**25** 6 cm²	**26** $12\pi-9\sqrt{3}$
27 $6\sqrt{3}$	**28** $14\sqrt{3}$ cm²	**29** $5\sqrt{2}+\dfrac{25}{2}$	**30** $72\sqrt{2}$ cm²
31 $90\sqrt{3}$	**32** $52\sqrt{2}$ cm²	**33** 120°	**34** $5\sqrt{3}$ cm²
35 10 cm	**36** 24 cm²		

01 **Action** $\angle C$의 삼각비를 이용하여 x, y의 값을 각각 구한다.

$x = 10 \sin 35^\circ = 10 \times 0.57 = 5.7$

$y = 10 \cos 35^\circ = 10 \times 0.82 = 8.2$

$\therefore x + y = 5.7 + 8.2 = 13.9$

02 **Action** 직각삼각형에서 크기가 62°인 각을 찾는다.

$\triangle ABC$에서

$\angle B = 180^\circ - (28^\circ + 90^\circ) = 62^\circ$

$\therefore \overline{BC} = 15 \cos 62^\circ = 15 \times 0.47 = 7.05$

따라서 $\triangle BCH$에서

$\overline{CH} = 7.05 \sin 62^\circ = 7.05 \times 0.88 = 6.204$

03 **Action** 45°의 삼각비를 이용하여 $\overline{FG}$, $\overline{CG}$의 길이를 각각 구한다.

$\triangle$CFG에서 $\overline{FG}=4\cos 45°=4\times\frac{\sqrt{2}}{2}=2\sqrt{2}$ (cm)

$\overline{CG}=4\sin 45°=4\times\frac{\sqrt{2}}{2}=2\sqrt{2}$ (cm)

따라서 직육면체의 부피는

$2\sqrt{2}\times 3\times 2\sqrt{2}=24$ (cm^3)

04 **Action** 60°의 삼각비를 이용하여 원뿔의 밑면의 반지름의 길이와 높이를 각각 구한다.

$\triangle$ABO에서

$\overline{AO}=6\sin 60°=6\times\frac{\sqrt{3}}{2}=3\sqrt{3}$ (cm) …… 30%

$\overline{BO}=6\cos 60°=6\times\frac{1}{2}=3$ (cm) …… 30%

따라서 원뿔의 부피는

$\frac{1}{3}\times(\pi\times 3^2)\times 3\sqrt{3}=9\sqrt{3}\pi$ (cm^3) …… 40%

05 **Action** 40°의 삼각비를 이용하여 손에서 연까지의 높이를 구한다.

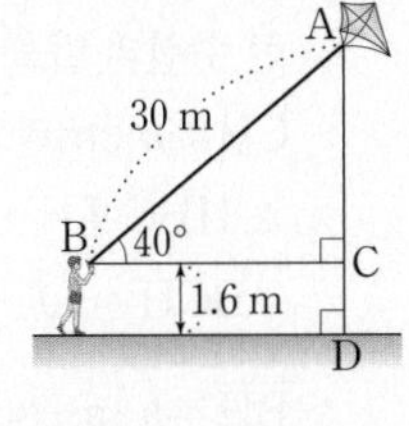

$\overline{AC}=30\sin 40°$

$=30\times 0.64=19.2$ (m)

$\overline{AD}=\overline{AC}+\overline{CD}$

$=19.2+1.6=20.8$ (m)

따라서 지면으로부터 연까지의 높이는 20.8 m이다.

06 **Action** 30°, 45°의 삼각비를 이용하여 (나) 건물의 높이를 구한다.

$\triangle$BAH에서

$\overline{BH}=\overline{AH}\tan 30°$

$=50\times\frac{\sqrt{3}}{3}=\frac{50\sqrt{3}}{3}$ (m)

$\triangle$ACH에서

$\overline{CH}=\overline{AH}\tan 45°=50\times 1=50$ (m)

$\therefore \overline{BC}=\overline{BH}+\overline{CH}=\frac{50\sqrt{3}}{3}+50$ (m)

따라서 (나) 건물의 높이는 $\left(\frac{50\sqrt{3}}{3}+50\right)$ m이다.

07 **Action** 먼저 60°의 삼각비를 이용하여 $\overline{AH}$의 길이를 구한다.

$\triangle$ABH에서 $\overline{AH}=400\cos 60°=400\times\frac{1}{2}=200$ (m)

$\triangle$CAH에서 $\overline{CH}=\overline{AH}\tan 45°=200\times 1=200$ (m)

08 **Action** 27°의 삼각비를 이용하여 $\overline{AC}$의 길이를 구한다.

$\overline{AC}=\frac{9}{\sin 27°}=\frac{9}{0.45}=20$ (m)

따라서 걸리는 시간은 $\frac{20}{50}=\frac{2}{5}$(분)$=24$(초)

09 **Action** 점 A에서 $\overline{BC}$에 내린 수선의 발을 H로 놓고 $\overline{AH}$, $\overline{CH}$의 길이를 각각 구한다.

오른쪽 그림과 같이 점 A에서 $\overline{BC}$에 내린 수선의 발을 H라고 하면

$\triangle$ABH에서

$\overline{AH}=6\sin 30°=6\times\frac{1}{2}=3$

$\overline{BH}=6\cos 30°=6\times\frac{\sqrt{3}}{2}=3\sqrt{3}$

$\overline{CH}=\overline{BC}-\overline{BH}=5\sqrt{3}-3\sqrt{3}=2\sqrt{3}$이므로

$\triangle$AHC에서

$\overline{AC}=\sqrt{(2\sqrt{3})^2+3^2}=\sqrt{21}$

10 **Action** 점 B에서 $\overline{AC}$에 내린 수선의 발을 H로 놓고 $\overline{BH}$, $\overline{AH}$의 길이를 각각 구한다.

오른쪽 그림과 같이 점 B에서 $\overline{AC}$에 내린 수선의 발을 H라고 하면 $\triangle$BHC에서

$\overline{BH}=2\sqrt{2}\sin 45°$

$=2\sqrt{2}\times\frac{\sqrt{2}}{2}=2$ (m)

$\overline{CH}=2\sqrt{2}\cos 45°=2\sqrt{2}\times\frac{\sqrt{2}}{2}=2$ (m)

$\overline{AH}=\overline{AC}-\overline{CH}=5-2=3$(m)이므로

$\triangle$AHB에서 $\overline{AB}=\sqrt{3^2+2^2}=\sqrt{13}$ (m)

11 **Action** 점 B에서 $\overline{AD}$의 연장선 위에 수선을 긋는다.

오른쪽 그림과 같이 점 B에서 $\overline{AD}$의 연장선 위에 내린 수선의 발을 H라고 하면

$\angle BAH=180°-120°=60°$

$\triangle$BAH에서

$\overline{BH}=4\sin 60°=4\times\frac{\sqrt{3}}{2}=2\sqrt{3}$ (cm)

$\overline{AH}=4\cos 60°=4\times\frac{1}{2}=2$ (cm)

이때 $\overline{AD}=\overline{BC}=6$ (cm)이므로

$\overline{DH}=\overline{AD}+\overline{AH}=6+2=8$ (cm)

따라서 $\triangle$BDH에서

$\overline{BD}=\sqrt{8^2+(2\sqrt{3})^2}=2\sqrt{19}$ (cm)

12 **Action** 점 C에서 $\overline{AB}$에 내린 수선의 발을 H로 놓고 $\overline{CH}$의 길이를 구한다.

오른쪽 그림과 같이 점 C에서 $\overline{AB}$에 내린 수선의 발을 H라고 하면

$\triangle$AHC에서

$\overline{CH}=12\sin 60°$

$=12\times\frac{\sqrt{3}}{2}=6\sqrt{3}$ (cm) …… 40%

$\triangle$ABC에서

$\angle B=180^\circ-(60^\circ+75^\circ)=45^\circ$ …… 20%

따라서 $\triangle$CHB에서

$\overline{BC}=\dfrac{6\sqrt{3}}{\sin 45^\circ}=6\sqrt{3}\div\dfrac{\sqrt{2}}{2}=6\sqrt{6}\,(\text{cm})$ …… 40%

13 **Action** 점 B에서 $\overline{AC}$에 내린 수선의 발을 H로 놓고 $\overline{BH}$의 길이를 구한다.

오른쪽 그림과 같이 점 B에서 $\overline{AC}$에 내린 수선의 발을 H라고 하면

$\triangle$BCH에서

$\overline{BH}=10\sin 30^\circ$

$=10\times\dfrac{1}{2}=5\,(\text{cm})$

$\triangle$ABC에서

$\angle A=180^\circ-(105^\circ+30^\circ)=45^\circ$

따라서 $\triangle$ABH에서

$\overline{AB}=\dfrac{5}{\sin 45^\circ}=5\div\dfrac{\sqrt{2}}{2}=5\sqrt{2}\,(\text{cm})$

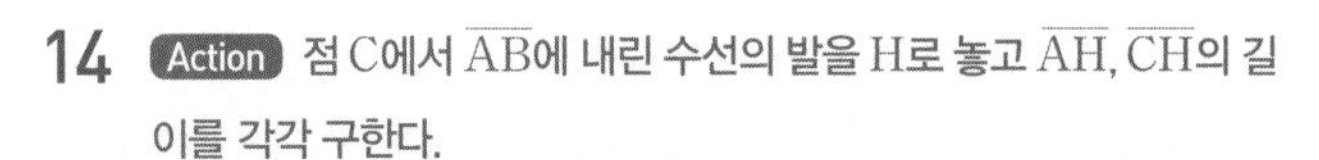

14 **Action** 점 C에서 $\overline{AB}$에 내린 수선의 발을 H로 놓고 $\overline{AH}$, $\overline{CH}$의 길이를 각각 구한다.

오른쪽 그림과 같이 점 C에서 $\overline{AB}$에 내린 수선의 발을 H라고 하면

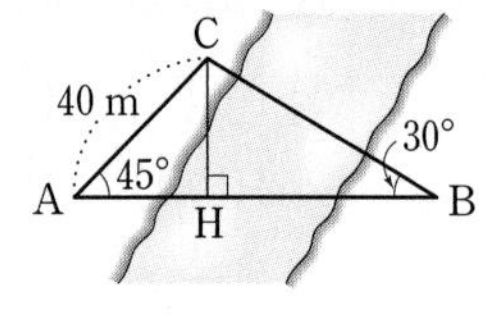

$\triangle$CAH에서

$\overline{AH}=40\cos 45^\circ=40\times\dfrac{\sqrt{2}}{2}=20\sqrt{2}\,(\text{m})$

$\overline{CH}=40\sin 45^\circ=40\times\dfrac{\sqrt{2}}{2}=20\sqrt{2}\,(\text{m})$

$\triangle$CHB에서

$\overline{BH}=\dfrac{20\sqrt{2}}{\tan 30^\circ}=20\sqrt{2}\div\dfrac{\sqrt{3}}{3}=20\sqrt{6}\,(\text{m})$

$\therefore\ \overline{AB}=\overline{AH}+\overline{BH}=20\sqrt{2}+20\sqrt{6}\,(\text{m})$

15 **Action** $\overline{AH}=h$로 놓고 $\overline{BH}$, $\overline{CH}$의 길이를 각각 h의 식으로 나타낸다.

$\overline{AH}=h$라고 하면

$\triangle$ABH에서 $\angle BAH=90^\circ-45^\circ=45^\circ$이므로

$\overline{BH}=h\tan 45^\circ=h$

$\triangle$AHC에서 $\angle CAH=75^\circ-45^\circ=30^\circ$이므로

$\overline{CH}=h\tan 30^\circ=\dfrac{\sqrt{3}}{3}h$

$\overline{BC}=\overline{BH}+\overline{CH}$이므로

$16=h+\dfrac{\sqrt{3}}{3}h,\ \dfrac{3+\sqrt{3}}{3}h=16$

$\therefore\ h=\dfrac{48}{3+\sqrt{3}}=8(3-\sqrt{3})$

$\therefore\ \overline{AH}=8(3-\sqrt{3})$

16 **Action** 점 C에서 $\overline{AB}$에 수선을 긋는다.

오른쪽 그림과 같이 점 C에서 $\overline{AB}$에 내린 수선의 발을 H라 하고 $\overline{CH}=h$ m라고 하면

$\triangle$CAH에서

$\angle ACH=90^\circ-30^\circ=60^\circ$이므로

$\overline{AH}=h\tan 60^\circ=\sqrt{3}h\,(\text{m})$

$\triangle$CHB에서 $\angle BCH=90^\circ-45^\circ=45^\circ$이므로

$\overline{BH}=h\tan 45^\circ=h\,(\text{m})$

$\overline{AB}=\overline{AH}+\overline{BH}$이므로

$100=\sqrt{3}h+h,\ (\sqrt{3}+1)h=100$

$\therefore\ h=\dfrac{100}{\sqrt{3}+1}=50(\sqrt{3}-1)$

따라서 지면으로부터 기구까지의 높이는 $50(\sqrt{3}-1)$ m이다.

17 **Action** 점 C에서 $\overline{AB}$에 내린 수선의 발을 H로 놓고 $\overline{CH}$의 길이를 구한다.

오른쪽 그림과 같이 점 C에서 $\overline{AB}$에 내린 수선의 발을 H라 하고 $\overline{CH}=h$ cm라고 하면

$\triangle$HBC에서

$\angle BCH=90^\circ-60^\circ=30^\circ$이므로

$\overline{BH}=h\tan 30^\circ=\dfrac{\sqrt{3}}{3}h\,(\text{cm})$ …… 25%

$\triangle$AHC에서 $\angle HCA=75^\circ-30^\circ=45^\circ$이므로

$\overline{AH}=h\tan 45^\circ=h\,(\text{cm})$ …… 25%

$\overline{AB}=\overline{AH}+\overline{BH}$이므로

$4=h+\dfrac{\sqrt{3}}{3}h,\ \dfrac{3+\sqrt{3}}{3}h=4$

$\therefore\ h=\dfrac{12}{3+\sqrt{3}}=2(3-\sqrt{3})$ …… 30%

$\therefore\ \triangle ABC=\dfrac{1}{2}\times4\times2(3-\sqrt{3})$

$=4(3-\sqrt{3})\,(\text{cm}^2)$ …… 20%

18 **Action** $\overline{AH}=h$로 놓고 $\overline{BH}$, $\overline{CH}$의 길이를 각각 h의 식으로 나타낸다.

$\overline{AH}=h$라고 하면

$\triangle$ABH에서 $\angle BAH=90^\circ-30^\circ=60^\circ$이므로

$\overline{BH}=h\tan 60^\circ=\sqrt{3}h$

$\triangle$ACH에서 $\angle ACH=180^\circ-120^\circ=60^\circ$이므로

$\angle CAH=90^\circ-60^\circ=30^\circ$ $\quad\therefore\ \overline{CH}=h\tan 30^\circ=\dfrac{\sqrt{3}}{3}h$

$\overline{BC}=\overline{BH}-\overline{CH}$이므로

$8=\sqrt{3}h-\dfrac{\sqrt{3}}{3}h,\ \dfrac{2\sqrt{3}}{3}h=8$ $\quad\therefore\ h=\dfrac{24}{2\sqrt{3}}=4\sqrt{3}$

$\therefore\ \overline{AH}=4\sqrt{3}$

19 **Action** $\angle ACD$, $\angle BCD$의 크기를 이용하여 $\overline{AD}$, $\overline{BD}$의 길이를 각각 구한다.

$\triangle ADC$에서 $\angle ACD=90^\circ-30^\circ=60^\circ$이므로

$\overline{AD}=50(\sqrt{3}+1)\tan 60^\circ=50(\sqrt{3}+1)\times\sqrt{3}$

$=50(3+\sqrt{3})$ (m)

$\triangle BDC$에서 $\angle BCD=90^\circ-45^\circ=45^\circ$이므로

$\overline{BD}=50(\sqrt{3}+1)\tan 45^\circ=50(\sqrt{3}+1)$ (m)

$\therefore \overline{AB}=\overline{AD}-\overline{BD}$

$=50(3+\sqrt{3})-50(\sqrt{3}+1)=100$ (m)

20 **Action** $\overline{CD}=h$ m로 놓고 $\overline{AD}$, $\overline{BD}$의 길이를 각각 h의 식으로 나타낸다.

$\overline{CD}=h$ m라고 하면

$\triangle ADC$에서 $\angle ACD=90^\circ-45^\circ=45^\circ$이므로

$\overline{AD}=h\tan 45^\circ=h$ (m)

$\triangle BDC$에서 $\angle BCD=90^\circ-60^\circ=30^\circ$이므로

$\overline{BD}=h\tan 30^\circ=\frac{\sqrt{3}}{3}h$ (m)

$\overline{AB}=\overline{AD}-\overline{BD}$이므로

$18=h-\frac{\sqrt{3}}{3}h$, $\frac{3-\sqrt{3}}{3}h=18$

$\therefore h=\frac{54}{3-\sqrt{3}}=9(3+\sqrt{3})$

$\therefore \overline{CD}=9(3+\sqrt{3})$ (m)

21 **Action** 먼저 $\angle A$의 크기를 구한다.

$\overline{AB}=\overline{AC}$이므로 $\angle C=\angle B=75^\circ$

$\therefore \angle A=180^\circ-(75^\circ+75^\circ)=30^\circ$

$\therefore \triangle ABC=\frac{1}{2}\times14\times14\times\sin 30^\circ$

$=\frac{1}{2}\times14\times14\times\frac{1}{2}$

$=49$ (cm^2)

22 **Action** 점 G가 $\triangle ABC$의 무게중심이므로 $\triangle ABC=6\triangle GDC$임을 이용한다.

점 G가 $\triangle ABC$의 무게중심이므로

$\triangle ABC=6\triangle GDC=6\times8\sqrt{3}=48\sqrt{3}$ ······ 30%

$\triangle ABC=\frac{1}{2}\times12\times\overline{AC}\times\sin 60^\circ$

$=\frac{1}{2}\times12\times\overline{AC}\times\frac{\sqrt{3}}{2}=3\sqrt{3}\,\overline{AC}$ ······ 40%

즉 $3\sqrt{3}\,\overline{AC}=48\sqrt{3}$이므로 $\overline{AC}=16$ ······ 30%

Lecture

삼각형의 무게중심과 넓이

$\triangle ABC$에서 점 G가 무게중심일 때,

$\triangle GAF=\triangle GBF=\triangle GBD$

$=\triangle GCD=\triangle GCE$

$=\triangle GAE=\frac{1}{6}\triangle ABC$

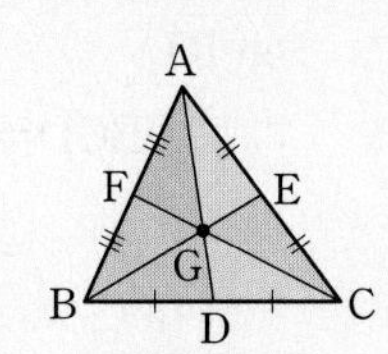

23 **Action** $\overline{AB}/\!/\overline{DE}$이므로 $\triangle AED=\triangle BED$임을 이용한다.

오른쪽 그림과 같이 $\overline{BD}$를 그으면 $\overline{AB}/\!/\overline{DE}$이므로

$\triangle AED=\triangle BED$

$\therefore \square AECD$

$=\triangle AED+\triangle DEC$

$=\triangle BED+\triangle DEC$

$=\triangle DBC$

$=\frac{1}{2}\times6\times10\times\sin 45^\circ$

$=\frac{1}{2}\times6\times10\times\frac{\sqrt{2}}{2}$

$=15\sqrt{2}$

24 **Action** $\triangle ABC$의 넓이를 이용하여 $\overline{BC}$의 길이를 구한다.

$\triangle ABC=\frac{1}{2}\times8\times\overline{BC}\times\sin(180^\circ-150^\circ)$

$=\frac{1}{2}\times8\times\overline{BC}\times\frac{1}{2}=2\overline{BC}$

즉 $2\overline{BC}=20$이므로 $\overline{BC}=10$ (cm)

25 **Action** 먼저 $\triangle ADE$에서 60°의 삼각비를 이용하여 $\overline{AE}$의 길이를 구한다.

$\overline{AD}=4$ cm이므로 $\triangle ADE$에서

$\overline{AE}=4\sin 60^\circ=4\times\frac{\sqrt{3}}{2}=2\sqrt{3}$ (cm)

$\angle EAD=90^\circ-60^\circ=30^\circ$이므로

$\angle EAB=30^\circ+90^\circ=120^\circ$

$\therefore \triangle ABE=\frac{1}{2}\times4\times2\sqrt{3}\times\sin(180^\circ-120^\circ)$

$=\frac{1}{2}\times4\times2\sqrt{3}\times\frac{\sqrt{3}}{2}$

$=6$ (cm^2)

26 **Action** $\overline{OC}$를 그으면 색칠한 부분의 넓이는 (부채꼴 AOC의 넓이)$-\triangle AOC$이다.

오른쪽 그림과 같이 $\overline{OC}$를 그으면

$\triangle AOC$에서 $\overline{OA}=\overline{OC}$이므로

$\angle OCA=\angle OAC=30^\circ$

$\therefore \angle AOC=180^\circ-(30^\circ+30^\circ)$

$=120^\circ$

$\therefore$ (색칠한 부분의 넓이)

$=$(부채꼴 AOC의 넓이)$-\triangle AOC$

$=\pi\times6^2\times\frac{120}{360}-\frac{1}{2}\times6\times6\times\sin(180^\circ-120^\circ)$

$=12\pi-\frac{1}{2}\times6\times6\times\frac{\sqrt{3}}{2}$

$=12\pi-9\sqrt{3}$

27 Action $\triangle ABC=\triangle ABD+\triangle ADC$임을 이용한다.

$\triangle ABC=\frac{1}{2}\times 15\times 10\times \sin 60^\circ$

$=\frac{1}{2}\times 15\times 10\times \frac{\sqrt{3}}{2}=\frac{75\sqrt{3}}{2}$

$\overline{AD}$는 $\angle BAC$의 이등분선이므로

$\angle BAD=\angle DAC=\frac{1}{2}\times 60^\circ=30^\circ$

$\triangle ABD=\frac{1}{2}\times 15\times \overline{AD}\times \sin 30^\circ$

$=\frac{1}{2}\times 15\times \overline{AD}\times \frac{1}{2}=\frac{15}{4}\overline{AD}$

$\triangle ADC=\frac{1}{2}\times \overline{AD}\times 10\times \sin 30^\circ$

$=\frac{1}{2}\times \overline{AD}\times 10\times \frac{1}{2}=\frac{5}{2}\overline{AD}$

$\triangle ABC=\triangle ABD+\triangle ADC$이므로

$\frac{75\sqrt{3}}{2}=\frac{15}{4}\overline{AD}+\frac{5}{2}\overline{AD}$, $\frac{25}{4}\overline{AD}=\frac{75\sqrt{3}}{2}$

$\therefore \overline{AD}=6\sqrt{3}$

다른 풀이

$\triangle ABC=\frac{1}{2}\times 15\times 10\times \sin 60^\circ=\frac{75\sqrt{3}}{2}$

$\triangle ABD:\triangle ADC=\overline{BD}:\overline{CD}=\overline{AB}:\overline{AC}$

$=15:10=3:2$

$\therefore \triangle ABD=\frac{3}{3+2}\triangle ABC=\frac{3}{5}\times \frac{75\sqrt{3}}{2}=\frac{45\sqrt{3}}{2}$

$\frac{45\sqrt{3}}{2}=\frac{1}{2}\times 15\times \overline{AD}\times \sin 30^\circ$이므로

$\frac{45\sqrt{3}}{2}=\frac{15}{4}\overline{AD}$ $\quad\therefore \overline{AD}=6\sqrt{3}$

28 Action $\overline{BD}$를 긋고 $\square ABCD=\triangle ABD+\triangle BCD$임을 이용한다.

오른쪽 그림과 같이 $\overline{BD}$를 그으면

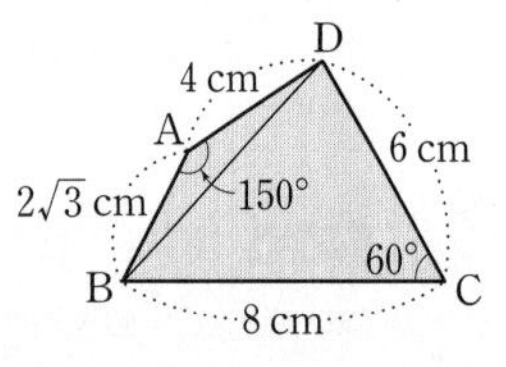

$\square ABCD$

$=\triangle ABD+\triangle BCD$

$=\frac{1}{2}\times 2\sqrt{3}\times 4\times \sin(180^\circ-150^\circ)$

$+\frac{1}{2}\times 6\times 8\times \sin 60^\circ$

$=\frac{1}{2}\times 2\sqrt{3}\times 4\times \frac{1}{2}+\frac{1}{2}\times 6\times 8\times \frac{\sqrt{3}}{2}$

$=2\sqrt{3}+12\sqrt{3}=14\sqrt{3}\ (cm^2)$

29 Action $\square ABCD=\triangle ABD+\triangle BCD$임을 이용한다.

$\triangle BCD$에서

$\overline{BD}=\frac{5}{\cos 45^\circ}=5\div \frac{\sqrt{2}}{2}=5\sqrt{2}$

$\overline{BC}=5\tan 45^\circ=5\times 1=5$

$\therefore \square ABCD=\triangle ABD+\triangle BCD$

$=\frac{1}{2}\times 4\times 5\sqrt{2}\times \sin 30^\circ+\frac{1}{2}\times 5\times 5$

$=\frac{1}{2}\times 4\times 5\sqrt{2}\times \frac{1}{2}+\frac{25}{2}$

$=5\sqrt{2}+\frac{25}{2}$

30 Action 정팔각형의 대각선을 모두 그어 생긴 합동인 8개의 이등변삼각형의 넓이의 합을 구한다.

오른쪽 그림과 같이 정팔각형의 대각선을 그으면 합동인 8개의 이등변삼각형으로 나누어진다. …… 30%

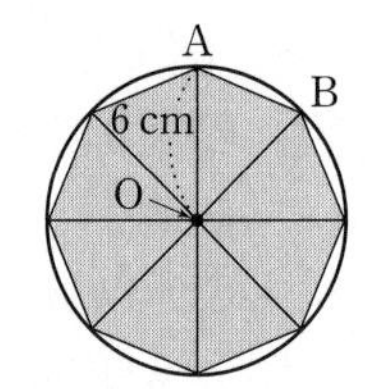

$\angle AOB=360^\circ\times \frac{1}{8}=45^\circ$,

$\overline{OA}=\overline{OB}=\frac{1}{2}\times 12=6\ (cm)$이므로 …… 30%

(정팔각형의 넓이)$=8\triangle AOB$

$=8\times\left(\frac{1}{2}\times 6\times 6\times \sin 45^\circ\right)$

$=8\times\left(\frac{1}{2}\times 6\times 6\times \frac{\sqrt{2}}{2}\right)$

$=72\sqrt{2}\ (cm^2)$ …… 40%

31 Action 먼저 점 D에서 $\overline{BC}$에 내린 수선의 발을 H로 놓고 $\overline{BD}$의 길이를 구한다.

오른쪽 그림과 같이 점 D에서 $\overline{BC}$에 내린 수선의 발을 H라고 하면 $\triangle DHC$에서

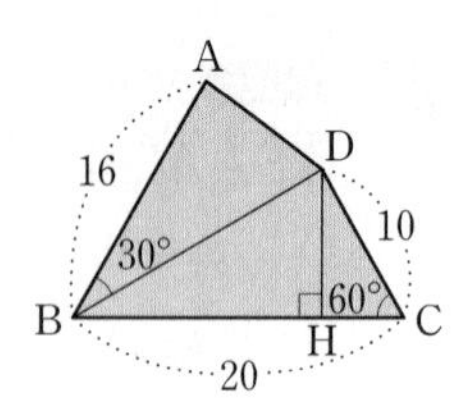

$\overline{DH}=10\sin 60^\circ=10\times \frac{\sqrt{3}}{2}$

$=5\sqrt{3}$

$\overline{CH}=10\cos 60^\circ=10\times \frac{1}{2}=5$

$\overline{BH}=\overline{BC}-\overline{CH}=20-5=15$이므로

$\triangle DBH$에서 $\overline{BD}=\sqrt{15^2+(5\sqrt{3})^2}=10\sqrt{3}$

$\therefore \square ABCD=\triangle ABD+\triangle DBC$

$=\frac{1}{2}\times 16\times 10\sqrt{3}\times \sin 30^\circ+\frac{1}{2}\times 20\times 5\sqrt{3}$

$=\frac{1}{2}\times 16\times 10\sqrt{3}\times \frac{1}{2}+50\sqrt{3}$

$=40\sqrt{3}+50\sqrt{3}$

$=90\sqrt{3}$

32 Action $\square ABCD$가 어떤 사각형인지 파악한다.

두 쌍의 대변의 길이가 각각 같으므로 $\square ABCD$는 평행사변형이다.

$\therefore \square ABCD=8\times 13\times \sin 45^\circ$

$=8\times 13\times \frac{\sqrt{2}}{2}$

$=52\sqrt{2}\ (cm^2)$

33 Action $\square ABCD=\overline{AB}\times\overline{BC}\times\sin(180^\circ-B)$임을 이용한다.

$6\times9\times\sin(180^\circ-B)=27\sqrt{3}$이므로

$\sin(180^\circ-B)=\frac{\sqrt{3}}{2}$

따라서 $180^\circ-\angle B=60^\circ$이므로 $\angle B=120^\circ$

34 Action $\triangle BMD$의 넓이가 $\square ABCD$의 넓이의 몇 배인지 알아본다.

$\triangle BMD=\frac{1}{2}\triangle BCD=\frac{1}{2}\times\frac{1}{2}\square ABCD$

$=\frac{1}{4}\square ABCD=\frac{1}{4}\times(5\times8\times\sin60^\circ)$

$=\frac{1}{4}\times\left(5\times8\times\frac{\sqrt{3}}{2}\right)$

$=5\sqrt{3}\,(\mathrm{cm}^2)$

35 Action $\square ABCD=\frac{1}{2}\times\overline{AC}\times\overline{BD}\times\sin(180^\circ-135^\circ)$임을 이용한다.

$\frac{1}{2}\times12\times\overline{BD}\times\sin(180^\circ-135^\circ)=30\sqrt{2}$이므로

$\frac{1}{2}\times12\times\overline{BD}\times\frac{\sqrt{2}}{2}=30\sqrt{2}$, $3\sqrt{2}\,\overline{BD}=30\sqrt{2}$

$\therefore \overline{BD}=10\,(\mathrm{cm})$

36 Action $0^\circ<x\le90^\circ$일 때, $0<\sin x\le1$임을 이용한다.

두 대각선이 이루는 각 중에서 크기가 작은 각의 크기를 x라고 하면

$\square ABCD=\frac{1}{2}\times6\times8\times\sin x=24\sin x\,(\mathrm{cm}^2)$

이때 $\sin x$의 값 중 가장 큰 값은 1이므로 $\square ABCD$의 넓이 중 가장 큰 값은 $24\,\mathrm{cm}^2$이다.

최고수준 완성하기

P 27- P 30

01 $\frac{4\sqrt{3}}{3}$ cm	**02** 18 cm	**03** $(50+20\sqrt{3})$ m
04 $20\sqrt{7}$ km	**05** $(4\sqrt{3}-4)$ cm	**06** $24-12\sqrt{3}$
07 78 %	**08** $(18+18\sqrt{2})\,\mathrm{cm}^2$	**09** $\frac{3}{5}$
10 $47\,\mathrm{cm}^2$	**11** (1) $4\sqrt{3}$ cm (2) $72\sqrt{3}\,\mathrm{cm}^2$	**12** $6\sqrt{3}$

01 Action $\triangle ABC$가 직각이등변삼각형임을 이용한다.

오른쪽 그림의 $\triangle BCD$에서

$15^\circ+\angle BCD=60^\circ$

$\therefore \angle BCD=45^\circ$

$\triangle ABC$에서

$\angle ABC=180^\circ-(90^\circ+45^\circ)$

$=45^\circ$

이므로 $\triangle ABC$는 직각이등변삼각형이다.

$\overline{AB}=\overline{AC}=x$ cm라고 하면 $\overline{AE}=x-4$ (cm)

$\triangle AEC$에서 $\angle AEC=180^\circ-105^\circ=75^\circ$이므로

$\overline{AC}=\overline{AE}\tan75^\circ$

$=(x-4)\tan75^\circ=(x-4)(2+\sqrt{3})$

즉 $x=(x-4)(2+\sqrt{3})$에서

$x=(2+\sqrt{3})x-8-4\sqrt{3}$, $(1+\sqrt{3})x=8+4\sqrt{3}$

$\therefore x=\frac{8+4\sqrt{3}}{1+\sqrt{3}}=2(1+\sqrt{3})$

$\therefore \overline{AB}=\overline{AC}=2(1+\sqrt{3})$ (cm)

한편, $\triangle ABD$에서

$\overline{AD}=\frac{\overline{AB}}{\tan60^\circ}=2(1+\sqrt{3})\div\sqrt{3}=\frac{2(3+\sqrt{3})}{3}$ (cm)

$\therefore \overline{CD}=\overline{AC}-\overline{AD}$

$=2(1+\sqrt{3})-\frac{2(3+\sqrt{3})}{3}$

$=2+2\sqrt{3}-2-\frac{2\sqrt{3}}{3}$

$=\frac{4\sqrt{3}}{3}$ (cm)

02 Action 먼저 점 C에서 $\overline{OA}$에 내린 수선의 발을 H로 놓고 $\overline{OH}$의 길이를 구한다.

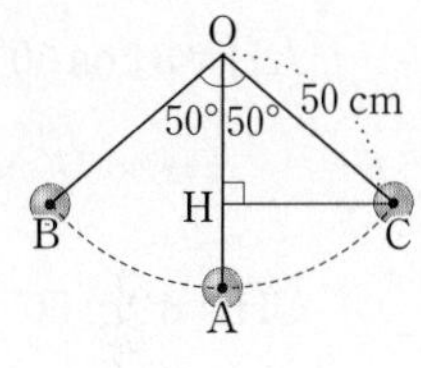

오른쪽 그림과 같이 점 C에서 $\overline{OA}$에 내린 수선의 발을 H라고 하면 구하는 높이는 $\overline{AH}$의 길이와 같다.

$\triangle OHC$에서

$\overline{OH}=50\cos50^\circ=50\times0.64$

$=32$ (cm)

$\therefore \overline{AH}=\overline{OA}-\overline{OH}=50-32=18$ (cm)

따라서 A 지점을 기준으로 추는 18 cm 높이에 있다.

03 Action 40초 후의 A의 위치를 A′으로 놓고 부채꼴 A′OA를 그려 본다.

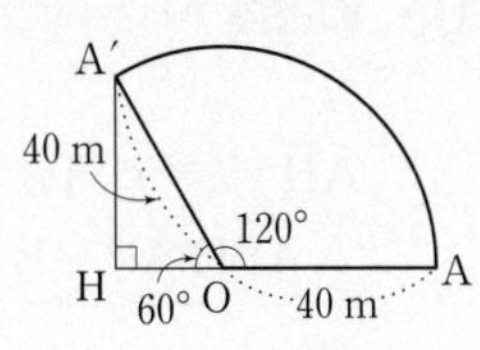

놀이기구는 2분에 1바퀴를 회전하므로 1초에 3°씩 회전한다.

즉 40초 동안

$3^\circ\times40=120^\circ$를 회전하므로 40초 후의 A의 위치를 A′이라고 하면 오른쪽 그림과 같다.

점 A′에서 $\overline{OA}$의 연장선에 내린 수선의 발을 H라고 하면 $\triangle A'HO$에서 $\angle HOA'=180^\circ-120^\circ=60^\circ$이므로

$\overline{A'H}=40\sin60^\circ=40\times\frac{\sqrt{3}}{2}=20\sqrt{3}$ (m)

따라서 40초 후에 지면에서 A 지점까지의 높이는 $(50+20\sqrt{3})$ m이다.

04 Action $\overline{OP}$, $\overline{OQ}$의 길이를 구한 후 점 P에서 $\overline{OQ}$에 내린 수선의 발을 H로 놓고 $\overline{PH}$, $\overline{OH}$의 길이를 각각 구한다.

두 자동차가 30분 동안 각각 시속 120 km, 시속 80 km로 달려 P, Q 지점에 도착하였으므로

$\overline{OP}=120\times\frac{30}{60}=60\ (\text{km})$, $\overline{OQ}=80\times\frac{30}{60}=40\ (\text{km})$

오른쪽 그림과 같이 점 P에서 $\overline{OQ}$에 내린 수선의 발을 H라고 하면

△POH에서

$\overline{PH}=60\sin 60^\circ$

$=60\times\frac{\sqrt{3}}{2}=30\sqrt{3}\ (\text{km})$

$\overline{OH}=60\cos 60^\circ$

$=60\times\frac{1}{2}=30\ (\text{km})$

$\overline{HQ}=\overline{OQ}-\overline{OH}=40-30=10\ (\text{km})$이므로

△PHQ에서

$\overline{PQ}=\sqrt{10^2+(30\sqrt{3})^2}=20\sqrt{7}\ (\text{km})$

05 Action 점 C에서 $\overline{AB}$의 연장선에 내린 수선의 발을 H로 놓고 $\overline{AH}$, $\overline{CH}$의 길이를 각각 구한다.

오른쪽 그림과 같이 점 C에서 $\overline{AB}$의 연장선에 내린 수선의 발을 H라고 하면 △CAH에서

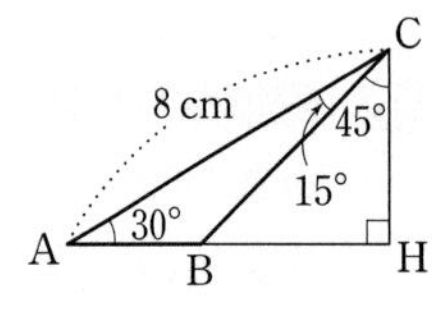

$\overline{AH}=8\cos 30^\circ$

$=8\times\frac{\sqrt{3}}{2}=4\sqrt{3}\ (\text{cm})$ …… 25%

$\overline{CH}=8\sin 30^\circ=8\times\frac{1}{2}=4\ (\text{cm})$ …… 25%

$\angle ACH=90^\circ-30^\circ=60^\circ$이므로

$\angle BCH=60^\circ-15^\circ=45^\circ$

따라서 △CBH에서

$\overline{BH}=4\tan 45^\circ=4\times 1=4\ (\text{cm})$ …… 30%

$\therefore\ \overline{AB}=\overline{AH}-\overline{BH}$

$=4\sqrt{3}-4\ (\text{cm})$ …… 20%

06 Action $\overline{AH}=h$로 놓고 $\overline{BH}$, $\overline{CH}$의 길이를 각각 h의 식으로 나타낸다.

$\overline{AH}=h$라고 하면

△ABH에서 $\angle BAH=90^\circ-60^\circ=30^\circ$이므로

$\overline{BH}=h\tan 30^\circ=\frac{\sqrt{3}}{3}h$

△AHC에서 $\angle CAH=90^\circ-45^\circ=45^\circ$이므로

$\overline{CH}=h\tan 45^\circ=h$

$\overline{BC}=\overline{BH}+\overline{CH}$이므로

$24=\frac{\sqrt{3}}{3}h+h$, $\frac{3+\sqrt{3}}{3}h=24$

$\therefore\ h=\frac{72}{3+\sqrt{3}}=12(3-\sqrt{3})$

이때 $\overline{CH}=\overline{AH}=12(3-\sqrt{3})$,

$\overline{CM}=\frac{1}{2}\overline{BC}=\frac{1}{2}\times 24=12$이므로

$\overline{HM}=\overline{CH}-\overline{CM}$

$=12(3-\sqrt{3})-12$

$=24-12\sqrt{3}$

07 Action $\overline{AB}=c$, $\overline{BC}=a$로 놓고 $\overline{BD}$, $\overline{BE}$의 길이를 각각 c, a의 식으로 나타낸다.

$\overline{AB}=c$, $\overline{BC}=a$라고 하면

$\triangle ABC=\frac{1}{2}\times\overline{AB}\times\overline{BC}\times\sin B=\frac{1}{2}ac\sin B$

$\overline{BD}=\frac{60}{100}\times c=\frac{3}{5}c$, $\overline{BE}=\frac{130}{100}\times a=\frac{13}{10}a$이므로

$\triangle DBE=\frac{1}{2}\times\overline{BD}\times\overline{BE}\times\sin B$

$=\frac{1}{2}\times\frac{3}{5}c\times\frac{13}{10}a\times\sin B$

$=\frac{39}{50}\times\left(\frac{1}{2}ac\sin B\right)$

$=\frac{78}{100}\triangle ABC$

따라서 △DBE의 넓이는 △ABC의 넓이의 78 %이다.

Lecture

증가, 감소

a에 대하여

(1) r % 증가 ➡ $a\left(1+\frac{r}{100}\right)$

(2) r % 감소 ➡ $a\left(1-\frac{r}{100}\right)$

08 Action $\widehat{AB}:\widehat{BC}:\widehat{CA}=3:2:3$이므로 $\angle AOB:\angle BOC:\angle COA=3:2:3$임을 이용한다.

오른쪽 그림과 같이 $\overline{OB}$, $\overline{OC}$를 그으면

$\widehat{AB}:\widehat{BC}:\widehat{CA}=3:2:3$이므로

$\angle AOB=\angle COA$

$=360^\circ\times\frac{3}{3+2+3}=135^\circ$,

$\angle BOC=360^\circ\times\frac{2}{3+2+3}=90^\circ$ …… 40%

$\therefore\ \triangle ABC$

$=\triangle OAB+\triangle OBC+\triangle OCA$

$=\frac{1}{2}\times6\times6\times\sin(180^\circ-135^\circ)+\frac{1}{2}\times6\times6\times\sin 90^\circ$

$+\frac{1}{2}\times6\times6\times\sin(180^\circ-135^\circ)$

$=\frac{1}{2}\times6\times6\times\frac{\sqrt{2}}{2}+\frac{1}{2}\times6\times6\times1+\frac{1}{2}\times6\times6\times\frac{\sqrt{2}}{2}$

$=9\sqrt{2}+18+9\sqrt{2}$

$=18+18\sqrt{2}\ (\text{cm}^2)$ …… 60%

09 Action $\overline{EF}$를 긋고
$\square ABCD=\triangle ABE+\triangle EBF+\triangle FBC+\triangle DEF$임을 이용한다.

정사각형 ABCD의 한 변의 길이를 $2a$라고 하면
$\overline{AE}=\overline{ED}=\overline{DF}=\overline{FC}=a$
$\triangle ABE$에서
$\overline{BE}=\sqrt{(2a)^2+a^2}=\sqrt{5}a$
마찬가지 방법으로 $\overline{BF}=\sqrt{5}a$
오른쪽 그림과 같이 $\overline{EF}$를 그으면

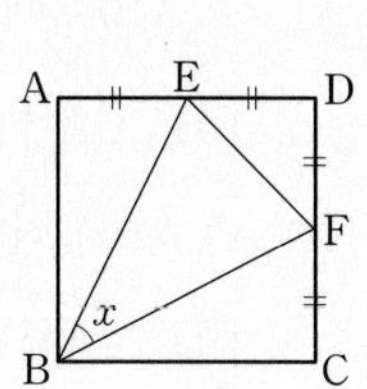

$\square ABCD$
$=\triangle ABE+\triangle EBF+\triangle FBC+\triangle DEF$
이므로 $\triangle ABE=\frac{1}{2}\times a\times 2a=a^2$
$\triangle EBF=\frac{1}{2}\times\sqrt{5}a\times\sqrt{5}a\times\sin x=\frac{5}{2}a^2\sin x$
$\triangle FBC=\frac{1}{2}\times 2a\times a=a^2$
$\triangle DEF=\frac{1}{2}\times a\times a=\frac{1}{2}a^2$
즉 $(2a)^2=a^2+\frac{5}{2}a^2\sin x+a^2+\frac{1}{2}a^2$이므로
$\frac{5}{2}a^2\sin x=\frac{3}{2}a^2 \qquad \therefore \sin x=\frac{3}{5}$

10 Action $\overline{AE}$를 긋고 $\triangle AB'E$와 $\triangle ADE$가 합동임을 이용하여
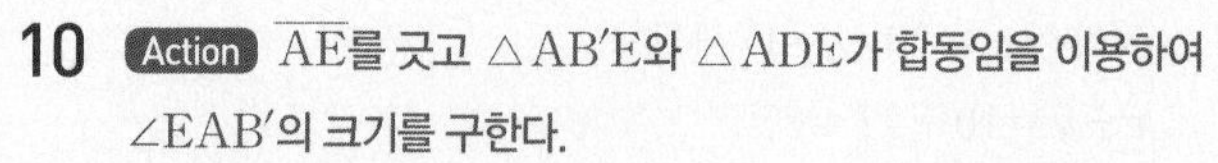
$\angle EAB'$의 크기를 구한다.

오른쪽 그림과 같이 $\overline{AE}$를 그으면
$\triangle AB'E$와 $\triangle ADE$에서
$\angle AB'E=\angle ADE=90°$,
$\overline{AB'}=\overline{AD}=10\text{ (cm)}$,
$\overline{AE}$는 공통이므로
$\triangle AB'E\equiv\triangle ADE$ (RHS 합동)
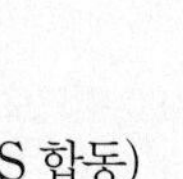
$\therefore \angle DAE=\angle B'AE=\frac{1}{2}\angle DAB'$
$=\frac{1}{2}\times(90°-40°)=25°$
$\triangle AB'E$에서
$\overline{B'E}=\overline{AB'}\tan 25°=10\times 0.47=4.7\text{ (cm)}$
$\therefore \square DAB'E=2\triangle AB'E$
$=2\times\left(\frac{1}{2}\times 10\times 4.7\right)$
$=47\text{ (cm}^2)$

11 Action 점 A에서 $\overline{GL}$에 수선을 긋고 $\overline{GL}$의 길이를 구한다.

(1) 정육각형의 한 내각의 크기는
$\frac{180°\times(6-2)}{6}=120°$
오른쪽 그림과 같이 점 A에서 $\overline{GL}$에 내린 수선의 발을 M이라고 하면
$\overline{AG}=\overline{AL}=\frac{1}{2}\overline{AF}$
$=\frac{1}{2}\times 8=4\text{ (cm)}$
이므로 $\overline{GM}=\overline{LM}$
$\angle GAL=120°$이므로 $\angle GAM=\frac{1}{2}\times 120°=60°$
$\triangle AGM$에서
$\overline{GM}=4\sin 60°=4\times\frac{\sqrt{3}}{2}=2\sqrt{3}\text{ (cm)}$
$\therefore \overline{GL}=2\overline{GM}=2\times 2\sqrt{3}=4\sqrt{3}\text{ (cm)}$
따라서 정육각형 GHIJKL의 한 변의 길이는 $4\sqrt{3}$ cm이다.

(2) 오른쪽 그림과 같이 정육각형 GHIJKL의 대각선을 그으면 한 변의 길이가 $4\sqrt{3}$ cm이고 합동인 정삼각형 6개로 나누어지므로 정육각형 GHIJKL의 넓이는

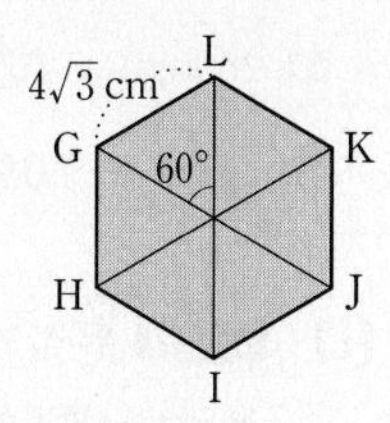

$6\times\left(\frac{1}{2}\times 4\sqrt{3}\times 4\sqrt{3}\times\sin 60°\right)$
$=6\times\left(\frac{1}{2}\times 4\sqrt{3}\times 4\sqrt{3}\times\frac{\sqrt{3}}{2}\right)=72\sqrt{3}\text{ (cm}^2)$

다른 풀이
(2) 정육각형 ABCDEF의 넓이는 한 변의 길이가 8 cm인 정삼각형 6개의 넓이와 같고, $\triangle AGL$, $\triangle BHG$, $\triangle CIH$, $\triangle DJI$, $\triangle EKJ$, $\triangle FLK$는 모두 합동이다.
따라서 정육각형 GHIJKL의 넓이는
(정육각형 ABCDEF의 넓이)$-6\triangle AGL$
$=6\times\left(\frac{1}{2}\times 8\times 8\times\sin 60°\right)$
$\quad -6\times\left\{\frac{1}{2}\times 4\times 4\times\sin(180°-120°)\right\}$
$=6\times\left(\frac{1}{2}\times 8\times 8\times\frac{\sqrt{3}}{2}\right)-6\times\left(\frac{1}{2}\times 4\times 4\times\frac{\sqrt{3}}{2}\right)$
$=96\sqrt{3}-24\sqrt{3}=72\sqrt{3}\text{ (cm}^2)$

12 Action 크기가 같은 각을 찾은 후 $\overline{AB}$, $\overline{BC}$의 길이를 x에 대한 식으로 나타낸다.
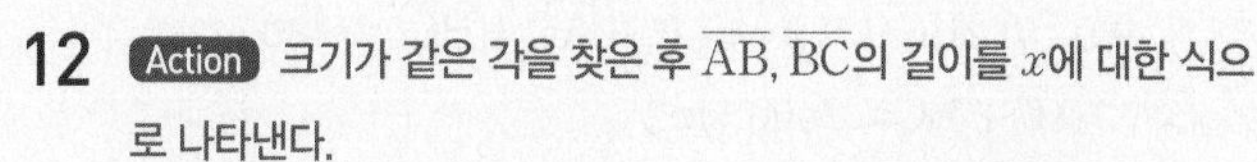

오른쪽 그림과 같이 점 B에서 $\overline{DA}$에 내린 수선의 발을 H라고 하면

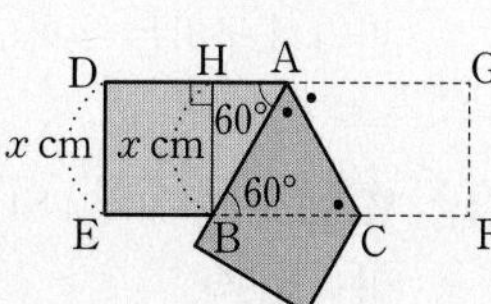

$\angle BAH=\angle ABC$
$=60°$ (엇각)
$\overline{BH}=x$ cm이므로 $\triangle AHB$에서
$\overline{AB}=\frac{x}{\sin 60°}=x\div\frac{\sqrt{3}}{2}=\frac{2\sqrt{3}}{3}x\text{ (cm)}$

이때 $\angle BAC=\angle GAC$ (접은 각),

$\angle GAC=\angle BCA$ (엇각)이므로 $\angle BAC=\angle BCA$

즉 $\triangle ABC$는 정삼각형이므로

$\overline{BC}=\overline{AB}=\frac{2\sqrt{3}}{3}x$ (cm)

이때 $\triangle ABC=36\sqrt{3}$ (cm^2)이므로

$\frac{1}{2}\times\frac{2\sqrt{3}}{3}x\times\frac{2\sqrt{3}}{3}x\times\sin 60^\circ=36\sqrt{3}$

$\frac{\sqrt{3}}{3}x^2=36\sqrt{3}$, $x^2=108$ $\quad\therefore x=6\sqrt{3}$ ($\because x>0$)

최고 수준 뛰어넘기

P 31-P 32

01 2400 m **02** 27 **03** $18+6\sqrt{3}$ **04** $\frac{\sqrt{21}}{14}$

05 3배 **06** $150\sqrt{3}-50\pi$

01 **Action** 두 점 B, C에서 바닥에 내린 수선의 발을 각각 D, E, 점 C에서 $\overline{BD}$에 내린 수선의 발을 F로 놓고 $\overline{BD}=\overline{BF}+\overline{FD}=\overline{BF}+\overline{CE}$임을 이용한다.

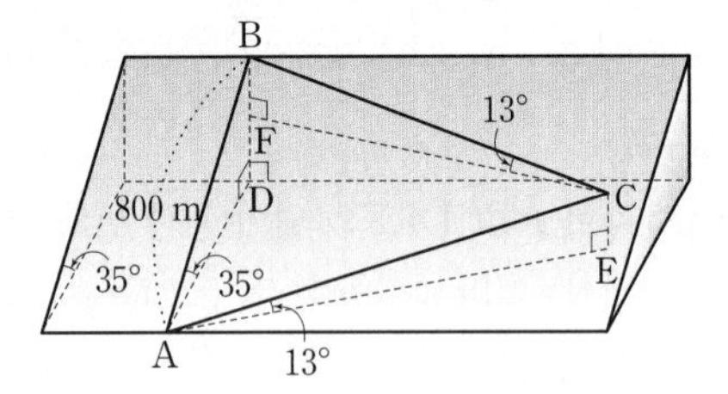

두 점 B, C에서 바닥에 내린 수선의 발을 각각 D, E라 하고 점 C에서 $\overline{BD}$에 내린 수선의 발을 F라고 하자.

$\triangle ADB$에서

$\overline{BD}=800\sin 35^\circ=800\times 0.6=480$ (m)

$\triangle AEC$에서

$\overline{CE}=\overline{AC}\sin 13^\circ=0.2\overline{AC}$ (m)

$\triangle CBF$에서

$\overline{BF}=\overline{BC}\sin 13^\circ=0.2\overline{BC}$ (m)

이때 $\overline{BD}=\overline{BF}+\overline{FD}=\overline{BF}+\overline{CE}$이므로

$480=0.2\overline{BC}+0.2\overline{AC}$, $0.2(\overline{AC}+\overline{BC})=480$

$\therefore \overline{AC}+\overline{BC}=2400$ (m)

따라서 구하는 우회도로의 길이는 2400 m이다.

02 **Action** $\overline{BB_1}$, $\overline{BB_2}$, $\overline{BB_3}$, $\cdots$, $\overline{BC}$의 길이를 각각 tan의 값을 사용하여 나타낸다.

$\triangle ABB_1$에서 $\angle BAB_1=5^\circ$이므로

$\overline{BB_1}=\overline{AB}\tan 5^\circ=10\tan 5^\circ$

$\triangle ABB_2$에서 $\angle BAB_2=10^\circ$이므로

$\overline{BB_2}=\overline{AB}\tan 10^\circ=10\tan 10^\circ$

$\triangle ABB_3$에서 $\angle BAB_3=15^\circ$이므로

$\overline{BB_3}=\overline{AB}\tan 15^\circ=10\tan 15^\circ$

$\vdots$

$\triangle ABB_8$에서 $\angle BAB_8=40^\circ$이므로

$\overline{BB_8}=\overline{AB}\tan 40^\circ=10\tan 40^\circ$

$\triangle ABB_9$에서 $\angle BAB_9=45^\circ$이므로

$\overline{BB_9}=\overline{AB}\tan 45^\circ=10$

$\triangle ABB_{10}$에서 $\angle BAB_{10}=50^\circ$이므로

$\overline{BB_{10}}=\overline{AB}\tan 50^\circ=\frac{\overline{AB}}{\tan 40^\circ}=\frac{10}{\tan 40^\circ}$

$\triangle ABB_{11}$에서 $\angle BAB_{11}=55^\circ$이므로

$\overline{BB_{11}}=\overline{AB}\tan 55^\circ=\frac{\overline{AB}}{\tan 35^\circ}=\frac{10}{\tan 35^\circ}$

$\vdots$

$\triangle ABC$에서 $\angle BAC=85^\circ$이므로

$\overline{BC}=\overline{AB}\tan 85^\circ=\frac{\overline{AB}}{\tan 5^\circ}=\frac{10}{\tan 5^\circ}$

$\therefore \overline{BB_1}\times\overline{BB_2}\times\overline{BB_3}\times\cdots\times\overline{BC}$

$=10\tan 5^\circ\times 10\tan 10^\circ\times 10\tan 15^\circ$

$\times\cdots\times 10\tan 40^\circ\times 10\times\frac{10}{\tan 40^\circ}\times\frac{10}{\tan 35^\circ}$

$\times\cdots\times\frac{10}{\tan 5^\circ}$

$=10^{2\times 8}\times 10=10^{17}$

따라서 $x=10$, $y=17$이므로

$x+y=10+17=27$

Lecture

tan의 성질

오른쪽 그림과 같이 $\angle B=90^\circ$인 직각삼각형 ABC에서

$\tan A=\frac{\overline{BC}}{\overline{AB}}$ ⋯⋯ ㉠

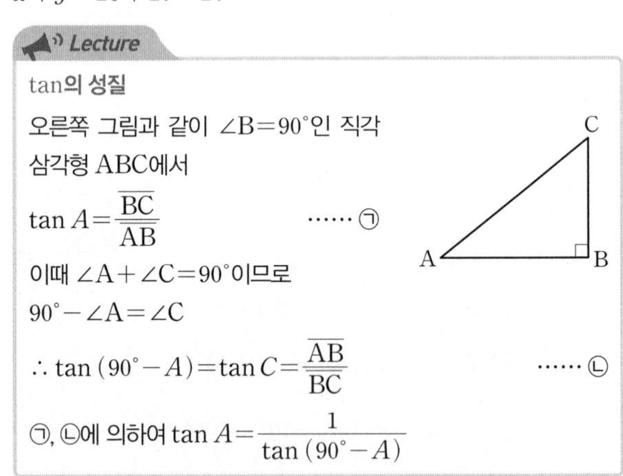

이때 $\angle A+\angle C=90^\circ$이므로

$90^\circ-\angle A=\angle C$

$\therefore \tan(90^\circ-A)=\tan C=\frac{\overline{AB}}{\overline{BC}}$ ⋯⋯ ㉡

㉠, ㉡에 의하여 $\tan A=\frac{1}{\tan(90^\circ-A)}$

03 **Action** 점 I가 $\triangle ABC$의 내심이므로 $\overline{AD}$는 $\angle A$의 이등분선이다.

점 I가 $\triangle ABC$의 내심이므로 $\overline{AD}$는 $\angle A$의 이등분선이다.

즉 $\angle BAD=\angle DAC=30^\circ$이므로

$\triangle ABC$에서

$\angle C=180^\circ-(30^\circ+30^\circ+45^\circ)=75^\circ$

$\triangle ADC$에서 $\angle ADC=180^\circ-(30^\circ+75^\circ)=75^\circ$이므로

$\triangle ADC$는 이등변삼각형이다.

$\therefore \overline{AC}=\overline{AD}=12$

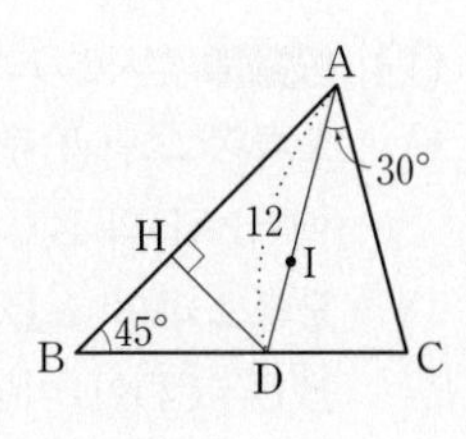

한편, 오른쪽 그림과 같이 점 D에서 $\overline{AB}$에 내린 수선의 발을 H라고 하면 △AHD에서

$\overline{AH}=12\cos 30°$

$=12\times\frac{\sqrt{3}}{2}=6\sqrt{3}$

$\overline{DH}=12\sin 30°=12\times\frac{1}{2}=6$

△BDH에서

$\overline{BH}=\frac{6}{\tan 45°}=\frac{6}{1}=6$

따라서 $\overline{AB}=\overline{AH}+\overline{BH}=6\sqrt{3}+6$이므로

$\overline{AB}+\overline{AC}=(6\sqrt{3}+6)+12$

$=18+6\sqrt{3}$

04

Action $\overline{CD}\perp\overline{AB}$임을 이용하여 $\overline{BC}=a$로 놓고 $\overline{BE}$, $\overline{CE}$의 길이를 각각 a의 식으로 나타낸다.

△ABC가 정삼각형이므로

$\overline{CD}\perp\overline{AB}$이고 $\angle ACD=\angle BCD=\frac{1}{2}\times 60°=30°$

$\overline{AB}=\overline{BC}=\overline{CA}=a$라고 하면

△BCD에서 $\overline{BD}=\frac{1}{2}\overline{AB}=\frac{1}{2}a$

$\overline{CD}=a\sin 60°=\frac{\sqrt{3}}{2}a$이므로

$\overline{CE}=\overline{DE}=\frac{1}{2}\overline{CD}$

$=\frac{1}{2}\times\frac{\sqrt{3}}{2}a=\frac{\sqrt{3}}{4}a$

△BED에서

$\overline{BE}=\sqrt{\left(\frac{1}{2}a\right)^2+\left(\frac{\sqrt{3}}{4}a\right)^2}=\frac{\sqrt{7}}{4}a$

$\triangle BCE=\frac{1}{2}\times\overline{BE}\times\overline{BC}\times\sin x$

$=\frac{1}{2}\times\overline{CE}\times\overline{BC}\times\sin 30°$

이므로

$\frac{1}{2}\times\frac{\sqrt{7}}{4}a\times a\times\sin x=\frac{1}{2}\times\frac{\sqrt{3}}{4}a\times a\times\frac{1}{2}$

$\therefore \sin x=\frac{\sqrt{3}}{2\sqrt{7}}=\frac{\sqrt{21}}{14}$

05

Action △APR, △BQP, △CRQ의 넓이가 각각 △ABC의 넓이의 몇 배인지 알아본다.

$\triangle ABC=\frac{1}{2}\times\overline{AB}\times\overline{AC}\times\sin A$

$=\frac{1}{2}\times\overline{AB}\times\overline{BC}\times\sin B$

$=\frac{1}{2}\times\overline{AC}\times\overline{BC}\times\sin C$

$\triangle APR=\frac{1}{2}\times\overline{AP}\times\overline{AR}\times\sin A$

$=\frac{1}{2}\times\frac{1}{3}\overline{AB}\times\frac{2}{3}\overline{AC}\times\sin A$

$=\frac{2}{9}\times\left(\frac{1}{2}\times\overline{AB}\times\overline{AC}\times\sin A\right)$

$=\frac{2}{9}\triangle ABC$

$\triangle BQP=\frac{1}{2}\times\overline{BQ}\times\overline{BP}\times\sin B$

$=\frac{1}{2}\times\frac{1}{3}\overline{BC}\times\frac{2}{3}\overline{AB}\times\sin B$

$=\frac{2}{9}\times\left(\frac{1}{2}\times\overline{AB}\times\overline{BC}\times\sin B\right)$

$=\frac{2}{9}\triangle ABC$

$\triangle CRQ=\frac{1}{2}\times\overline{CR}\times\overline{CQ}\times\sin C$

$=\frac{1}{2}\times\frac{1}{3}\overline{AC}\times\frac{2}{3}\overline{BC}\times\sin C$

$=\frac{2}{9}\times\left(\frac{1}{2}\times\overline{AC}\times\overline{BC}\times\sin C\right)$

$=\frac{2}{9}\triangle ABC$

$\therefore \triangle PQR=\triangle ABC-(\triangle APR+\triangle BQP+\triangle CRQ)$

$=\triangle ABC-3\times\frac{2}{9}\triangle ABC$

$=\frac{1}{3}\triangle ABC$

따라서 △ABC의 넓이는 △PQR의 넓이의 3배이다.

06

Action 색칠한 부분의 넓이는 (작은 원들의 중심을 연결하여 만든 정육각형의 넓이) $-6\times$(중심각의 크기가 $120°$인 부채꼴의 넓이)임을 이용한다.

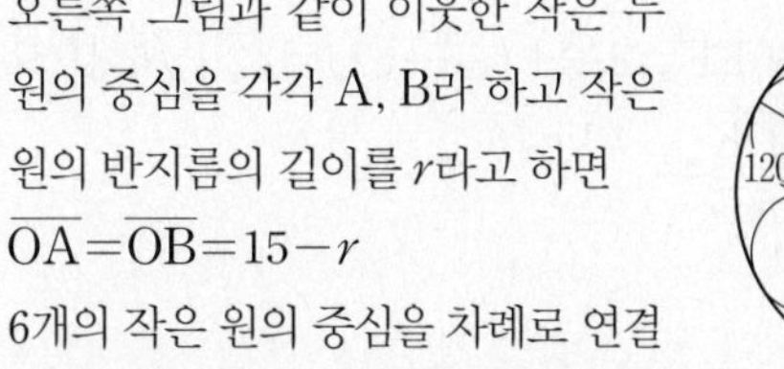

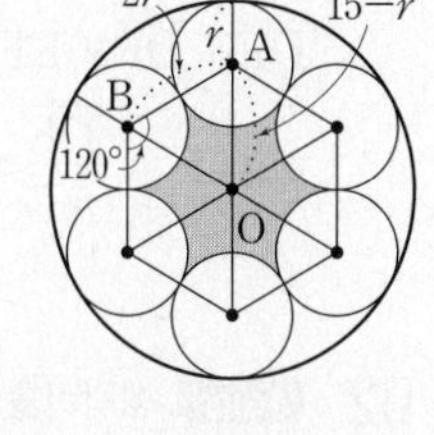

오른쪽 그림과 같이 이웃한 작은 두 원의 중심을 각각 A, B라 하고 작은 원의 반지름의 길이를 r라고 하면

$\overline{OA}=\overline{OB}=15-r$

6개의 작은 원의 중심을 차례로 연결하면 한 변의 길이가 $2r$인 정육각형이 되고, 이 정육각형은 합동인 정삼각형 6개로 이루어져 있다.

정삼각형 OAB에서 $\overline{AB}=\overline{OA}$이므로

$2r=15-r$, $3r=15$ $\quad\therefore r=5$, 즉 $\overline{OA}=\overline{OB}=10$

이때 정육각형의 한 내각의 크기는 $\frac{180°\times(6-2)}{6}=120°$

∴ (색칠한 부분의 넓이)

=(정육각형의 넓이)

$-6\times$(중심각의 크기가 $120°$인 부채꼴의 넓이)

$=6\times\left(\frac{1}{2}\times 10\times 10\times\sin 60°\right)-6\times\left(\pi\times 5^2\times\frac{120}{360}\right)$

$=6\times\left(\frac{1}{2}\times 10\times 10\times\frac{\sqrt{3}}{2}\right)-50\pi$

$=150\sqrt{3}-50\pi$

교과서 속 **창의 사고력** P 33~P 34

01 $\frac{\sqrt{2}+\sqrt{6}}{4}$ **02** $\frac{160\sqrt{3}}{3}$ m **03** $\frac{\sqrt{13}}{13}$ **04** $\frac{5\sqrt{3}-\sqrt{21}}{3}$

01

Action 먼저 크기가 75°인 각을 찾는다.

$\triangle$AED에서

$\angle DAE=180^\circ-(90^\circ+15^\circ)=75^\circ$이므로

$\angle DAC=75^\circ-45^\circ=30^\circ$

$\triangle$ACD에서

$\sin 30^\circ=\frac{\overline{DC}}{4}=\frac{1}{2}$

$2\overline{DC}=4$ $\quad\therefore \overline{DC}=2$

$\cos 30^\circ=\frac{\overline{AC}}{4}=\frac{\sqrt{3}}{2}$

$2\overline{AC}=4\sqrt{3}$ $\quad\therefore \overline{AC}=2\sqrt{3}$

$\angle ADC=180^\circ-(90^\circ+30^\circ)=60^\circ$이므로

$\angle CDE=60^\circ-15^\circ=45^\circ$

오른쪽 그림과 같이 $\overline{AC}$와 $\overline{DE}$의 교점을 F라고 하면 $\triangle$DFC는 직각이등변삼각형이므로

$\overline{CF}=\overline{DC}=2$

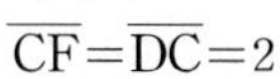

$\therefore \overline{DF}=\sqrt{2^2+2^2}=2\sqrt{2}$

$\triangle$AEF에서

$\overline{AF}=\overline{AC}-\overline{CF}=2\sqrt{3}-2$

$\sin 45^\circ=\frac{\overline{EF}}{2\sqrt{3}-2}=\frac{\sqrt{2}}{2}$

$2\overline{EF}=2\sqrt{6}-2\sqrt{2}$

$\therefore \overline{EF}=\sqrt{6}-\sqrt{2}$

따라서 $\triangle$AED에서

$\overline{DE}=\overline{DF}+\overline{EF}=2\sqrt{2}+(\sqrt{6}-\sqrt{2})=\sqrt{2}+\sqrt{6}$이므로

$\sin 75^\circ=\frac{\overline{DE}}{\overline{AD}}=\frac{\sqrt{2}+\sqrt{6}}{4}$

02

Action 삼각비를 이용하여 $\overline{BD}$, $\overline{AD}$의 길이를 각각 구한 후 $\overline{AB}=\overline{BD}-\overline{AD}$임을 이용한다.

$\triangle$CBD에서 $\angle BCD=90^\circ-30^\circ=60^\circ$이므로

$\overline{BD}=80\tan 60^\circ$

$=80\times\sqrt{3}=80\sqrt{3}$ (m)

$\triangle$CAD에서 $\angle ACD=90^\circ-60^\circ=30^\circ$이므로

$\overline{AD}=80\tan 30^\circ$

$=80\times\frac{\sqrt{3}}{3}=\frac{80\sqrt{3}}{3}$ (m)

$\therefore \overline{AB}=\overline{BD}-\overline{AD}$

$=80\sqrt{3}-\frac{80\sqrt{3}}{3}=\frac{160\sqrt{3}}{3}$ (m)

따라서 자동차가 4초 동안 움직인 거리는 $\frac{160\sqrt{3}}{3}$ m이다.

03

Action 정사면체의 전개도를 그려 본다.

오른쪽 그림과 같은 전개도에서 $\overline{AD}$와 $\overline{B'C}$의 교점을 E라고 하면 $\triangle$DB'C는 $\overline{B'D}=\overline{CD}$인 이등변삼각형이고 $\angle CDB'=60^\circ+60^\circ=120^\circ$이므로

$\angle B'CD=\angle CB'D=\frac{1}{2}\times(180^\circ-120^\circ)=30^\circ$

$\therefore \angle ACE=\angle AB'E=60^\circ-30^\circ=30^\circ$

따라서 $\overline{B'C}$는 $\angle ACD$와 $\angle AB'D$의 이등분선이므로 $\overline{B'C}\perp\overline{AD}$이다.

$\triangle$CDE에서

$\overline{CE}=\overline{CD}\sin 60^\circ=4\times\frac{\sqrt{3}}{2}=2\sqrt{3}$ (cm)

이등변삼각형 DB'C에서 $\overline{DE}\perp\overline{B'C}$이므로

$\overline{B'C}=2\overline{CE}=2\times 2\sqrt{3}=4\sqrt{3}$ (cm)

한편, $\triangle$B'MC에서 $\angle MCB'=60^\circ+30^\circ=90^\circ$이고

$\overline{MC}=\frac{1}{2}\times 4=2$ (cm), $\overline{B'C}=4\sqrt{3}$ (cm)이므로

$\overline{B'M}=\sqrt{2^2+(4\sqrt{3})^2}=2\sqrt{13}$ (cm)

$\therefore \cos x=\frac{\overline{MC}}{\overline{B'M}}=\frac{2}{2\sqrt{13}}=\frac{\sqrt{13}}{13}$

04

Action $\triangle$ABC의 넓이를 삼각비와 내접원을 이용하여 각각 구해 본다.

$\triangle ABC=\frac{1}{2}\times\overline{AB}\times\overline{BC}\times\sin 60^\circ$

$=\frac{1}{2}\times 4\times 6\times\frac{\sqrt{3}}{2}=6\sqrt{3}$ ······ ㉠

오른쪽 그림과 같이 점 A에서 $\overline{BC}$에 내린 수선의 발을 H라고 하면

$\triangle$ABH에서

$\overline{AH}=4\sin 60^\circ$

$=4\times\frac{\sqrt{3}}{2}=2\sqrt{3}$

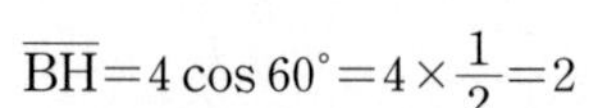

$\overline{BH}=4\cos 60^\circ=4\times\frac{1}{2}=2$

$\overline{CH}=\overline{BC}-\overline{BH}=6-2=4$이므로

$\triangle$AHC에서 $\overline{AC}=\sqrt{(2\sqrt{3})^2+4^2}=2\sqrt{7}$

이때 $\overline{IA}$, $\overline{IB}$, $\overline{IC}$를 긋고 내접원 I의 반지름의 길이를 r라고 하면

$\triangle ABC=\triangle ABI+\triangle BCI+\triangle CAI$

$=\frac{1}{2}\times 4\times r+\frac{1}{2}\times 6\times r+\frac{1}{2}\times 2\sqrt{7}\times r$

$=2r+3r+\sqrt{7}r=(5+\sqrt{7})r$ ······ ㉡

㉠, ㉡에 의하여 $6\sqrt{3}=(5+\sqrt{7})r$이므로

$r=\frac{6\sqrt{3}}{5+\sqrt{7}}=\frac{5\sqrt{3}-\sqrt{21}}{3}$

Ⅱ. 원의 성질

1. 원과 직선

최고수준 입문하기

Ⓟ 38- Ⓟ 43

01 $8\sqrt{3}$ cm	**02** $2\sqrt{13}$	**03** $\frac{15}{2}$	**04** $8\sqrt{2}$ cm
05 10 cm	**06** 30π cm	**07** $10\sqrt{3}$	**08** 12 cm
09 $8\sqrt{7}$	**10** 16π	**11** $40°$	**12** $52°$
13 48π	**14** $26°$	**15** $\frac{100}{9}\pi$ cm^2	**16** $2\sqrt{21}$
17 $2\sqrt{3}$ cm	**18** $\frac{120}{13}$	**19** 8	**20** 2
21 30 cm	**22** $6\sqrt{3}$ cm	**23** $2\sqrt{10}$ cm	**24** $48\sqrt{2}$ cm^2
25 $\frac{15}{2}$ cm	**26** $10\sqrt{3}$ cm	**27** 2500π m^2	**28** 8 cm
29 11 cm	**30** 14 cm	**31** 2 cm	**32** 9π cm^2
33 34 cm	**34** $2\sqrt{7}$ cm	**35** 76 cm^2	**36** 6

01 **Action** 원의 중심에서 현에 내린 수선은 그 현을 이등분함을 이용한다.

$\overline{AB}\perp\overline{OM}$이므로 $\overline{AM}=\overline{BM}$

$\triangle OAM$에서

$\overline{AM}=\sqrt{8^2-4^2}=4\sqrt{3}$ (cm)

$\therefore \overline{AB}=2\overline{AM}=2\times4\sqrt{3}=8\sqrt{3}$ (cm)

Lecture

현의 수직이등분선과 피타고라스 정리

현의 수직이등분선에 의하여 직각삼각형이 만들어지면 피타고라스 정리를 이용한다.

즉 오른쪽 그림과 같은 원 O에서 $\overline{AB}\perp\overline{OC}$이면 $\overline{AM}=\overline{BM}$이고 $\triangle OAM$이 직각삼각형이므로 피타고라스 정리를 이용한다.

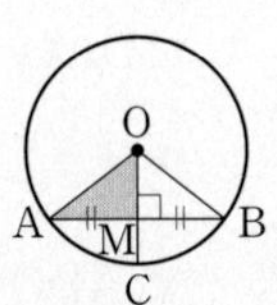

02 **Action** 원의 중심에서 현에 내린 수선은 그 현을 이등분함을 이용한다.

오른쪽 그림과 같이 $\overline{OA}$, $\overline{OD}$를 그으면

$\overline{AM}=\frac{1}{2}\overline{AB}=\frac{1}{2}\times10=5$이므로

$\triangle OAM$에서

$\overline{OA}=\sqrt{5^2+2^2}=\sqrt{29}$

$\overline{OD}=\overline{OA}=\sqrt{29}$이므로

$\triangle OND$에서

$\overline{DN}=\sqrt{(\sqrt{29})^2-4^2}=\sqrt{13}$

$\therefore \overline{CD}=2\overline{DN}=2\sqrt{13}$

03 **Action** $\triangle OAM$은 직각삼각형이므로 피타고라스 정리를 이용한다.

오른쪽 그림과 같이 $\overline{OA}$를 긋고 원 O의 반지름의 길이를 r라고 하면

$\overline{OA}=\overline{OC}=r$, $\overline{OM}=r-3$

$\triangle OAM$에서

$r^2=6^2+(r-3)^2$, $6r=45$

$\therefore r=\frac{15}{2}$

따라서 원 O의 반지름의 길이는 $\frac{15}{2}$이다.

04 **Action** $\overline{OA}=\overline{OB}=\overline{OC}=$(반지름의 길이)임을 이용한다.

원 O의 반지름의 길이는

$\frac{1}{2}\overline{AB}=\frac{1}{2}\times(16+2)=\frac{1}{2}\times18=9$ (cm) …… 30%

오른쪽 그림과 같이 $\overline{OC}$를 그으면

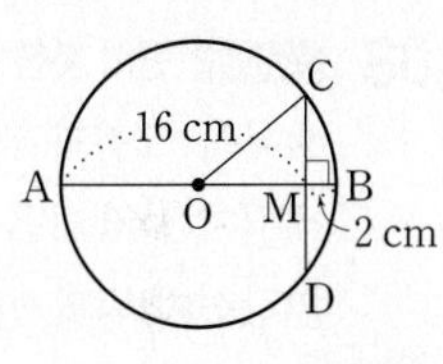

$\overline{OC}=9$ (cm)

$\overline{OM}=9-2=7$ (cm)이므로

$\triangle OMC$에서

$\overline{CM}=\sqrt{9^2-7^2}=4\sqrt{2}$ (cm) …… 50%

$\therefore \overline{CD}=2\overline{CM}=2\times4\sqrt{2}=8\sqrt{2}$ (cm) …… 20%

05 **Action** 현의 수직이등분선은 그 원의 중심을 지남을 이용한다.

오른쪽 그림과 같이 $\overline{CD}$의 연장선은 원의 중심을 지나므로 원의 중심을 O, 반지름의 길이를 r cm라고 하면

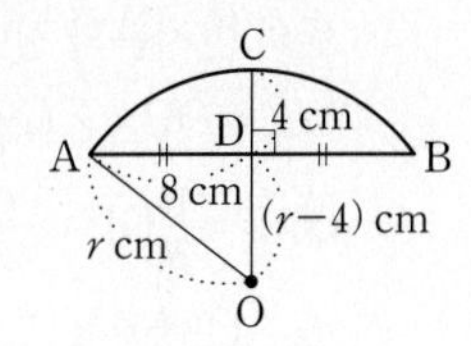

$\overline{OA}=r$ (cm), $\overline{OD}=r-4$ (cm)

$\triangle ODA$에서

$r^2=8^2+(r-4)^2$, $8r=80$ $\therefore r=10$

따라서 원의 반지름의 길이는 10 cm이다.

Lecture

원의 일부분이 주어진 경우

원의 일부분이 주어진 경우에는 현의 수직이등분선은 그 원의 중심을 지남을 이용하여 원의 중심을 찾는다. 이때 직각삼각형을 찾아 피타고라스 정리를 이용하여 원의 반지름의 길이를 구한다.

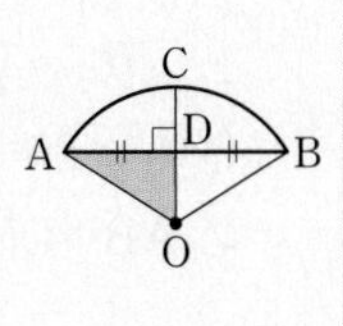

06 **Action** 현의 수직이등분선은 그 원의 중심을 지남을 이용한다.

오른쪽 그림에서

$\overline{AD}=\frac{1}{2}\overline{AB}=\frac{1}{2}\times18=9$ (cm)

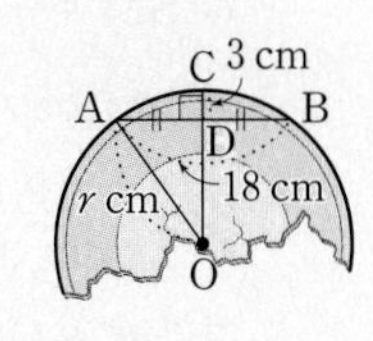

$\overline{CD}$의 연장선은 원의 중심을 지나므로 원의 중심을 O, 반지름의 길이를 r cm라고 하면

$\overline{OA}=r$ (cm), $\overline{OD}=r-3$ (cm)
$\triangle$ODA에서
$r^2=9^2+(r-3)^2$, $6r=90$ $\quad\therefore r=15$
따라서 깨지기 전 원래 원 모양의 접시의 둘레의 길이는
$2\pi\times15=30\pi$ (cm)

07 Action 원의 중심에서 현에 수선을 그어 본다.

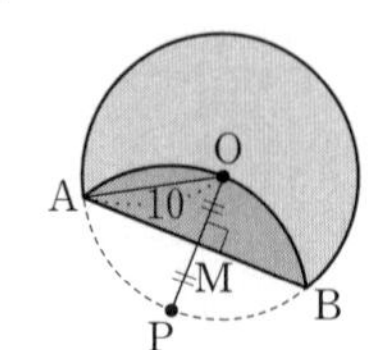

오른쪽 그림과 같이 점 O에서 $\overline{AB}$에 내린 수선의 발을 M이라 하고, $\overline{OM}$의 연장선이 원과 만나는 점을 P라고 하면
$\overline{OM}=\frac{1}{2}\overline{OP}=\frac{1}{2}\times10=5$
$\triangle$OAM에서 $\overline{AM}=\sqrt{10^2-5^2}=5\sqrt{3}$
$\therefore \overline{AB}=2\overline{AM}=2\times5\sqrt{3}=10\sqrt{3}$

08 Action 원의 중심에서 현에 수선을 그어 본다.

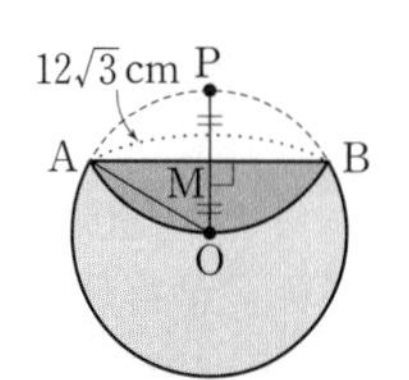

오른쪽 그림과 같이 점 O에서 $\overline{AB}$에 내린 수선의 발을 M이라 하고, $\overline{OM}$의 연장선이 원과 만나는 점을 P라고 하면
$\overline{AM}=\frac{1}{2}\overline{AB}$
$=\frac{1}{2}\times12\sqrt{3}=6\sqrt{3}$ (cm) …… 20%
원의 반지름의 길이를 r cm라고 하면
$\overline{OA}=\overline{OP}=r$ (cm)
$\overline{OM}=\frac{1}{2}\overline{OP}=\frac{r}{2}$ (cm) …… 30%
$\triangle$AOM에서
$r^2=\left(\frac{r}{2}\right)^2+(6\sqrt{3})^2$, $r^2=144$ $\quad\therefore r=12$ ($\because r>0$)
따라서 원의 반지름의 길이는 12 cm이다. …… 50%

09 Action 먼저 직각삼각형 OAM에서 $\overline{AM}$의 길이를 구한다.
$\triangle$OAM에서 $\overline{AM}=\sqrt{8^2-6^2}=2\sqrt{7}$
$\therefore \overline{AB}=2\overline{AM}=2\times2\sqrt{7}=4\sqrt{7}$
$\overline{OM}=\overline{ON}$이므로 $\overline{CD}=\overline{AB}=4\sqrt{7}$
$\therefore \overline{AB}+\overline{CD}=4\sqrt{7}+4\sqrt{7}=8\sqrt{7}$

10 Action 특수한 각의 삼각비를 이용하여 $\overline{OB}$의 길이를 구한다.
$\overline{OM}=\overline{ON}$이므로 $\overline{AB}=\overline{CD}=4\sqrt{3}$
$\therefore \overline{BM}=\frac{1}{2}\overline{AB}=\frac{1}{2}\times4\sqrt{3}=2\sqrt{3}$
$\triangle$OMB에서
$\overline{OB}=\frac{\overline{BM}}{\cos 30^\circ}=2\sqrt{3}\div\frac{\sqrt{3}}{2}=4$
따라서 원 O의 넓이는
$\pi\times4^2=16\pi$

11 Action $\overline{OM}=\overline{ON}$이므로 $\overline{AB}=\overline{AC}$임을 이용한다.
$\overline{OM}=\overline{ON}$이므로 $\overline{AB}=\overline{AC}$
따라서 $\triangle$ABC는 이등변삼각형이므로
$\angle A=180^\circ-2\times70^\circ=40^\circ$

Lecture
현의 길이와 삼각형
(1) 오른쪽 그림의 원 O에서
$\overline{OM}=\overline{ON}$이므로 $\overline{AB}=\overline{AC}$
➡ $\triangle$ABC는 이등변삼각형

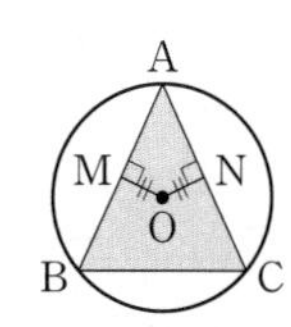

(2) 오른쪽 그림의 원 O에서
$\overline{OD}=\overline{OE}=\overline{OF}$이므로
$\overline{AB}=\overline{BC}=\overline{AC}$
➡ $\triangle$ABC는 정삼각형

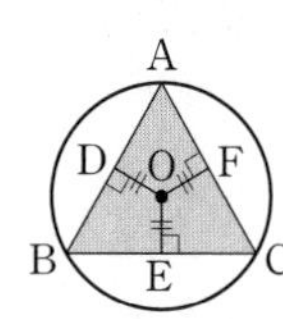

12 Action 먼저 $\angle$MAN의 크기를 구한다.
□AMON에서
$\angle MAN=360^\circ-(90^\circ+104^\circ+90^\circ)=76^\circ$
이때 $\overline{OM}=\overline{ON}$이므로 $\overline{AB}=\overline{AC}$
따라서 $\triangle$ABC는 이등변삼각형이므로
$\angle B=\frac{1}{2}\times(180^\circ-76^\circ)=52^\circ$

13 Action $\overline{OD}=\overline{OE}=\overline{OF}$이면 $\overline{AB}=\overline{BC}=\overline{CA}$임을 이용한다.
$\overline{OD}=\overline{OE}=\overline{OF}$이므로 $\overline{AB}=\overline{BC}=\overline{CA}$
즉 $\triangle$ABC는 정삼각형이므로
$\angle BAC=60^\circ$ …… 30%
오른쪽 그림과 같이 $\overline{OA}$를 그으면

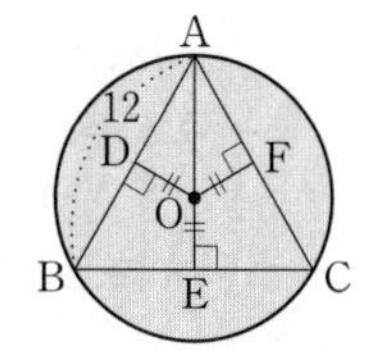

$\angle DAO=\frac{1}{2}\times60^\circ=30^\circ$이고

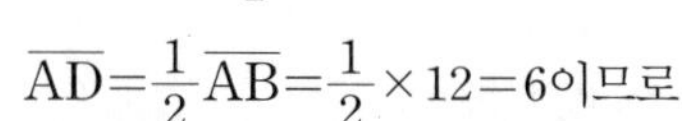

$\overline{AD}=\frac{1}{2}\overline{AB}=\frac{1}{2}\times12=6$이므로
$\triangle$ADO에서
$\overline{AO}=\frac{\overline{AD}}{\cos 30^\circ}=6\div\frac{\sqrt{3}}{2}=4\sqrt{3}$ …… 50%
따라서 원 O의 넓이는
$\pi\times(4\sqrt{3})^2=48\pi$ …… 20%

14 Action 원의 접선은 그 접점을 지나는 원의 반지름에 수직임을 이용한다.
$\angle PAO=\angle PBO=90^\circ$이므로 □APBO에서
$\angle AOB=360^\circ-(90^\circ+52^\circ+90^\circ)=128^\circ$
$\triangle$OAB에서 $\overline{OA}=\overline{OB}$이므로
$\angle OBA=\frac{1}{2}\times(180^\circ-128^\circ)=26^\circ$

15 **Action** $\angle AOB$의 크기를 구한 후 색칠한 부분인 부채꼴의 중심각의 크기를 구한다.

$\angle PAO=\angle PBO=90^\circ$이므로 □APBO에서

$\angle AOB=360^\circ-(90^\circ+70^\circ+90^\circ)=110^\circ$

따라서 색칠한 부분인 부채꼴의 중심각의 크기는 $360^\circ-110^\circ=250^\circ$이므로 색칠한 부분의 넓이는

$\pi\times4^2\times\frac{250}{360}=\frac{100}{9}\pi\ (\text{cm}^2)$

16 **Action** 원 밖의 한 점에서 그 원에 그은 두 접선의 길이는 같음을 이용한다.

$\overline{OC}=\overline{OB}=4$이므로 $\overline{OP}=4+6=10$

이때 $\angle PBO=90^\circ$이므로 $\triangle PBO$에서

$\overline{PB}=\sqrt{10^2-4^2}=2\sqrt{21}$

$\therefore\ \overline{PA}=\overline{PB}=2\sqrt{21}$

17 **Action** $\triangle PAO\equiv\triangle PBO$ (RHS 합동)임을 이용한다.

$\triangle PAO$와 $\triangle PBO$에서

$\angle PAO=\angle PBO=90^\circ$, $\overline{OA}=\overline{OB}$, $\overline{PO}$는 공통이므로

$\triangle PAO\equiv\triangle PBO$ (RHS 합동)

$\therefore\ \angle APO=\angle BPO=\frac{1}{2}\times60^\circ=30^\circ$ …… 60%

$\triangle APO$에서

$\overline{OA}=\overline{PA}\tan30^\circ=6\times\frac{\sqrt{3}}{3}=2\sqrt{3}\ (\text{cm})$

따라서 원 O의 반지름의 길이는 $2\sqrt{3}$ cm이다. …… 40%

18 **Action** $\overline{PO}$와 $\overline{AB}$의 교점을 H로 놓고 삼각형의 넓이를 이용하여 $\overline{AH}$의 길이를 구한다.

오른쪽 그림과 같이 $\overline{PO}$를 그으면 $\angle PAO=90^\circ$이므로

$\triangle APO$에서

$\overline{PO}=\sqrt{5^2+12^2}=13$

$\overline{PO}$와 $\overline{AB}$의 교점을 H라고 하면 $\overline{AH}=\overline{BH}$, $\overline{PO}\perp\overline{AB}$

$\triangle APO=\frac{1}{2}\times\overline{AP}\times\overline{AO}=\frac{1}{2}\times\overline{PO}\times\overline{AH}$이므로

$\frac{1}{2}\times12\times5=\frac{1}{2}\times13\times\overline{AH}$ $\quad\therefore\ \overline{AH}=\frac{60}{13}$

$\therefore\ \overline{AB}=2\overline{AH}=2\times\frac{60}{13}=\frac{120}{13}$

Lecture

$\overline{AH}=\overline{BH}$, $\overline{PO}\perp\overline{AB}$임을 확인하기

$\triangle PAO\equiv\triangle PBO$ (RHS 합동)이므로 $\angle APO=\angle BPO$

$\triangle APH$와 $\triangle BPH$에서

$\overline{PA}=\overline{PB}$, $\angle APH=\angle BPH$, $\overline{PH}$는 공통이므로

$\triangle APH\equiv\triangle BPH$ (SAS 합동)

$\therefore\ \overline{AH}=\overline{BH}$, $\angle AHP=\angle BHP$

$\therefore\ \overline{PO}\perp\overline{AB}$

19 **Action** $\overline{AE}=\overline{AF}$임을 이용하여 $\overline{CF}$의 길이를 구한다.

$\overline{BD}=\overline{BE}=\overline{AE}-\overline{AB}=13-8=5$

$\overline{AF}=\overline{AE}=13$이므로

$\overline{CD}=\overline{CF}=\overline{AF}-\overline{AC}=13-10=3$

$\therefore\ \overline{BC}=\overline{BD}+\overline{CD}=5+3=8$

20 **Action** $\overline{AE}=\overline{AF}$, $\overline{BD}=\overline{BE}$, $\overline{CD}=\overline{CF}$임을 이용한다.

$\overline{BD}=\overline{BE}$, $\overline{CD}=\overline{CF}$이므로

$$\begin{aligned}\overline{AE}+\overline{AF}&=\overline{AB}+\overline{BE}+\overline{AC}+\overline{CF}\\&=\overline{AB}+\overline{BD}+\overline{AC}+\overline{CD}\\&=\overline{AB}+\overline{BC}+\overline{AC}\\&=6+5+7=18\end{aligned}$$

이때 $\overline{AE}=\overline{AF}$이므로 $\overline{AE}=\overline{AF}=\frac{1}{2}\times18=9$

$\therefore\ \overline{CF}=\overline{AF}-\overline{AC}=9-7=2$

21 **Action** ($\triangle ABC$의 둘레의 길이)$=\overline{AE}+\overline{AF}=2\overline{AE}=2\overline{AF}$임을 이용한다.

$\angle AFO=90^\circ$이므로 $\triangle AOF$에서

$\overline{AF}=\sqrt{17^2-8^2}=15\ (\text{cm})$

$\overline{BD}=\overline{BE}$, $\overline{CD}=\overline{CF}$이므로 $\triangle ABC$의 둘레의 길이는

$$\begin{aligned}\overline{AB}+\overline{BC}+\overline{CA}&=\overline{AB}+\overline{BD}+\overline{CD}+\overline{CA}\\&=\overline{AB}+\overline{BE}+\overline{CF}+\overline{CA}\\&=\overline{AE}+\overline{AF}=2\overline{AF}\\&=2\times15=30\ (\text{cm})\end{aligned}$$

Lecture

원의 접선의 성질의 응용

오른쪽 그림에서 $\overrightarrow{AE}$, $\overrightarrow{AF}$, $\overline{BC}$는 원 O의 접선이고 세 점 D, E, F는 접점일 때,

$\overline{AE}=\overline{AF}$, $\overline{BD}=\overline{BE}$, $\overline{CD}=\overline{CF}$이므로

$$\begin{aligned}(\triangle ABC\text{의 둘레의 길이})&=\overline{AB}+\overline{BC}+\overline{CA}\\&=\overline{AB}+(\overline{BD}+\overline{CD})+\overline{CA}\\&=(\overline{AB}+\overline{BE})+(\overline{CF}+\overline{CA})\\&=\overline{AE}+\overline{AF}\\&=2\overline{AE}=2\overline{AF}\end{aligned}$$

22 **Action** $\overline{OA}$를 긋고 특수한 각의 삼각비를 이용하여 $\overline{AE}$의 길이를 구한다.

오른쪽 그림과 같이 $\overline{OA}$를 그으면

$\triangle OAE\equiv\triangle OAF$ (RHS 합동)이므로

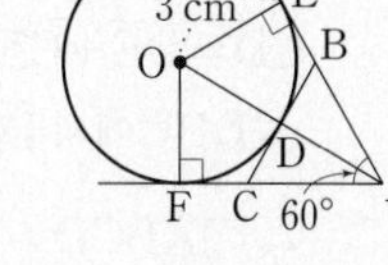

$\angle OAE=\angle OAF=\frac{1}{2}\times60^\circ=30^\circ$

$\angle OEA=90°$이므로 $\triangle OAE$에서

$\overline{AE}=\dfrac{\overline{OE}}{\tan 30°}$

$=3\div\dfrac{\sqrt{3}}{3}=3\sqrt{3}\,(cm)$

$\overline{BD}=\overline{BE}$, $\overline{CD}=\overline{CF}$이므로 $\triangle ABC$의 둘레의 길이는

$\overline{AB}+\overline{BC}+\overline{CA}=\overline{AB}+\overline{BD}+\overline{CD}+\overline{CA}$

$=\overline{AB}+\overline{BE}+\overline{CF}+\overline{CA}$

$=\overline{AE}+\overline{AF}=2\overline{AE}$

$=2\times 3\sqrt{3}=6\sqrt{3}\,(cm)$

23 **Action** 점 A에서 $\overline{CD}$에 내린 수선의 발을 H로 놓고 직각삼각형 AHD에서 피타고라스 정리를 이용한다.

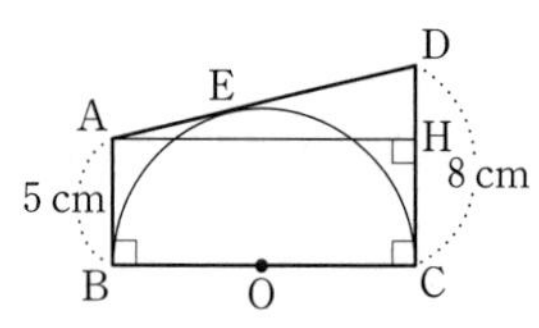

오른쪽 그림과 같이 점 A에서 $\overline{CD}$에 내린 수선의 발을 H라고 하면

$\overline{HC}=\overline{AB}=5\,(cm)$

$\therefore \overline{DH}=\overline{DC}-\overline{HC}=8-5=3\,(cm)$

$\overline{AE}=\overline{AB}=5\,(cm)$, $\overline{DE}=\overline{DC}=8\,(cm)$이므로

$\overline{AD}=\overline{AE}+\overline{DE}=5+8=13\,(cm)$

$\triangle AHD$에서 $\overline{AH}=\sqrt{13^2-3^2}=4\sqrt{10}\,(cm)$

따라서 반원 O의 반지름의 길이는

$\dfrac{1}{2}\overline{BC}=\dfrac{1}{2}\overline{AH}=\dfrac{1}{2}\times 4\sqrt{10}=2\sqrt{10}\,(cm)$

Lecture

반원에서의 접선

오른쪽 그림에서 $\overline{BC}$는 반원 O의 지름이고 $\overline{AB}$, $\overline{AD}$, $\overline{CD}$가 반원 O의 접선일 때, 점 A에서 $\overline{CD}$에 내린 수선의 발을 H라 고 하면

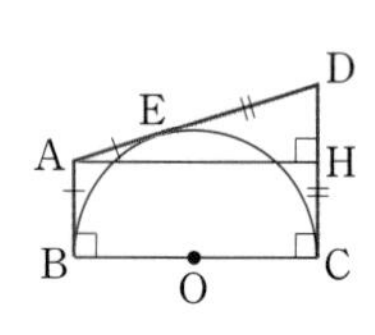

(1) $\overline{AB}=\overline{AE}$, $\overline{DC}=\overline{DE}$

$\therefore \overline{AD}=\overline{AE}+\overline{DE}=\overline{AB}+\overline{DC}$

(2) $\overline{BC}=\overline{AH}=\sqrt{\overline{AD}^2-\overline{DH}^2}$

24 **Action** 점 D에서 $\overline{BC}$에 내린 수선의 발을 H로 놓고 직각삼각형 DHC에서 피타고라스 정리를 이용한다.

오른쪽 그림과 같이 점 D에서 $\overline{BC}$에 내린 수선의 발을 H라고 하면

$\overline{BH}=\overline{AD}=4\,(cm)$

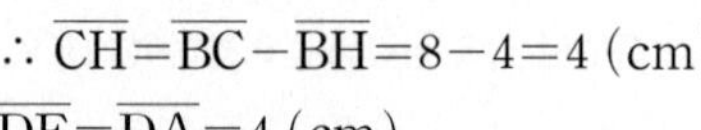

$\therefore \overline{CH}=\overline{BC}-\overline{BH}=8-4=4\,(cm)$

$\overline{DE}=\overline{DA}=4\,(cm)$,

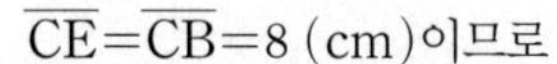

$\overline{CE}=\overline{CB}=8\,(cm)$이므로

$\overline{CD}=\overline{DE}+\overline{CE}=4+8=12\,(cm)$

$\triangle DHC$에서 $\overline{DH}=\sqrt{12^2-4^2}=8\sqrt{2}\,(cm)$

$\therefore \square ABCD=\dfrac{1}{2}\times(4+8)\times 8\sqrt{2}=48\sqrt{2}\,(cm^2)$

25 **Action** 점 E에서 $\overline{AB}$에 내린 수선의 발을 H로 놓고 직각삼각형 AHE에서 피타고라스 정리를 이용한다.

오른쪽 그림과 같이 점 E에서 $\overline{AB}$에 내린 수선의 발을 H라 하고 $\overline{EC}=x$ cm라고 하면

$\overline{HB}=\overline{EC}=x\,(cm)$,

$\overline{HE}=\overline{BC}=6\,(cm)$

$\overline{EF}=\overline{EC}=x\,(cm)$, $\overline{AF}=\overline{AB}=6\,(cm)$이므로

$\overline{AE}=\overline{AF}+\overline{EF}=6+x\,(cm)$,

$\overline{AH}=\overline{AB}-\overline{HB}=6-x\,(cm)$

$\triangle AHE$에서 $(6+x)^2=(6-x)^2+6^2$

$24x=36 \qquad \therefore x=\dfrac{3}{2}$

$\therefore \overline{AE}=6+\dfrac{3}{2}=\dfrac{15}{2}\,(cm)$

26 **Action** 원의 접선은 그 접점을 지나는 원의 반지름에 수직임을 이용한다.

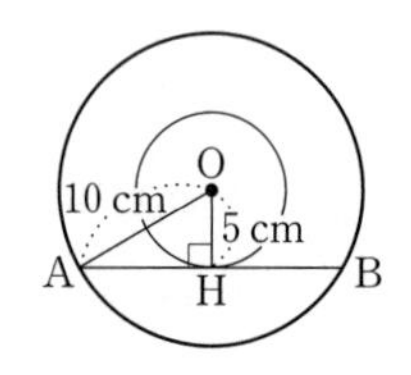

오른쪽 그림과 같이 작은 원과 $\overline{AB}$의 접점을 H라고 하면 $\triangle OAH$에서

$\overline{AH}=\sqrt{10^2-5^2}=5\sqrt{3}\,(cm)$

$\therefore \overline{AB}=2\overline{AH}$

$=2\times 5\sqrt{3}=10\sqrt{3}\,(cm)$

Lecture

중심이 같은 원

오른쪽 그림과 같이 중심이 O로 같고 반지름의 길이가 다른 두 원에서 큰 원의 현 AB가 작은 원의 접선이고 점 H가 접점일 때

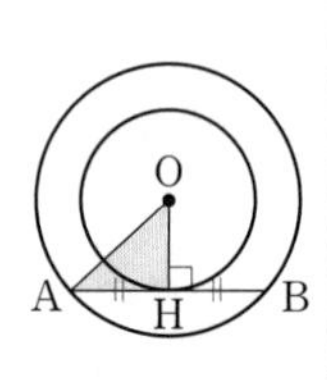

(1) $\overline{OH}\perp\overline{AB}$

(2) $\overline{AH}=\overline{BH}$

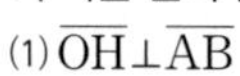

(3) $\overline{OA}^2=\overline{AH}^2+\overline{OH}^2$

27 **Action** 큰 원의 반지름의 길이를 x m, 작은 원의 반지름의 길이를 y m로 놓고 직각삼각형 OAH에서 피타고라스 정리를 이용한다.

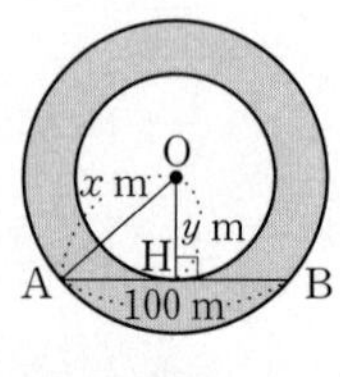

오른쪽 그림과 같이 $\overline{OA}$, $\overline{OH}$를 그으면

$\overline{OH}\perp\overline{AB}$이므로

$\overline{AH}=\dfrac{1}{2}\overline{AB}=\dfrac{1}{2}\times 100=50\,(m)$ …… 30%

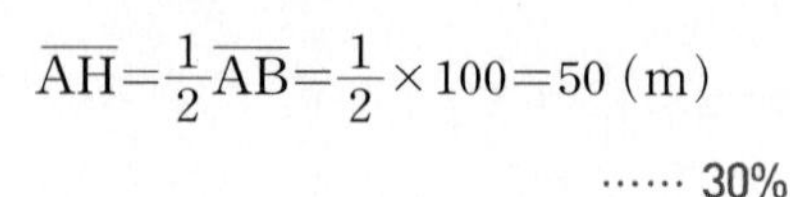

큰 원의 반지름의 길이를 x m, 작은 원의 반지름의 길이를 y m라고 하면 $\triangle OAH$에서

$x^2=50^2+y^2$

$\therefore x^2-y^2=2500$ …… 30%

따라서 색칠한 트랙의 넓이는

$\pi x^2-\pi y^2=\pi(x^2-y^2)$

$=2500\pi\,(m^2)$ …… 40%

28 Action $\overline{BE}=x$ cm로 놓고 $\overline{AF}$, $\overline{CF}$를 x의 식으로 각각 나타낸다.

$\overline{BE}=x$ cm라고 하면 $\overline{BD}=\overline{BE}=x$ (cm)

$\overline{AF}=\overline{AD}=10-x$ (cm), $\overline{CF}=\overline{CE}=14-x$ (cm)

$\overline{AC}=\overline{AF}+\overline{CF}$이므로

$8=(10-x)+(14-x)$, $2x=16$ $\quad\therefore x=8$

$\therefore \overline{BE}=8$ (cm)

29 Action $\overline{AF}=x$ cm로 놓고 $\triangle ABC$의 둘레의 길이가 32 cm임을 이용하여 x의 값을 구한다.

$\overline{AF}=x$ cm라고 하면 $\overline{AD}=\overline{AF}=x$ (cm)

$\overline{BE}=\overline{BD}=5$ (cm), $\overline{CF}=\overline{CE}=7$ (cm)

$\triangle ABC$의 둘레의 길이가 32 cm이므로

$\overline{AB}+\overline{BC}+\overline{CA}=2(x+5+7)=32$

$2x=8$ $\quad\therefore x=4$

$\therefore \overline{AC}=\overline{AF}+\overline{CF}=4+7=11$ (cm)

30 Action $\overline{BD}$의 길이를 구한 후 $\triangle GBH$의 둘레의 길이는 $2\overline{BD}$임을 이용한다.

$\overline{BD}=x$ cm라고 하면 $\overline{BE}=\overline{BD}=x$ (cm)

$\overline{AF}=\overline{AD}=8-x$ (cm), $\overline{CF}=\overline{CE}=12-x$ (cm)

$\overline{AC}=\overline{AF}+\overline{CF}$이므로

$6=(8-x)+(12-x)$, $2x=14$ $\quad\therefore x=7$

$\overline{GD}=\overline{GI}$, $\overline{HE}=\overline{HI}$이므로 $\triangle GBH$의 둘레의 길이는

$\overline{GB}+\overline{BH}+\overline{HG}=\overline{GB}+\overline{BH}+\overline{GI}+\overline{HI}$

$=\overline{GB}+\overline{BH}+\overline{GD}+\overline{HE}$

$=\overline{BD}+\overline{BE}=2\overline{BD}$

$=2\times7=14$ (cm)

31 Action $\square DBEO$가 정사각형임을 이용한다.

$\triangle ABC$에서 $\overline{BC}=\sqrt{10^2-6^2}=8$ (cm)

오른쪽 그림과 같이 $\overline{OD}$, $\overline{OE}$를 긋고 원 O의 반지름의 길이를 r cm라고 하면

$\square DBEO$는 정사각형이므로

$\overline{BD}=\overline{BE}=\overline{OD}=r$ (cm)

$\overline{AF}=\overline{AD}=6-r$ (cm), $\overline{CF}=\overline{CE}=8-r$ (cm)

$\overline{AC}=\overline{AF}+\overline{CF}$이므로

$10=(6-r)+(8-r)$, $2r=4$ $\quad\therefore r=2$

따라서 원 O의 반지름의 길이는 2 cm이다.

32 Action $\square DOFA$가 정사각형임을 이용한다.

오른쪽 그림과 같이 $\overline{OD}$, $\overline{OF}$를 긋고 원 O의 반지름의 길이를 r cm라고 하면 $\square DOFA$는 정사각형이므로

$\overline{AD}=\overline{AF}=\overline{OD}=r$ (cm)

또 $\overline{BD}=\overline{BE}=9$ (cm), $\overline{CF}=\overline{CE}=6$ (cm)이므로

$\overline{AB}=9+r$ (cm), $\overline{AC}=6+r$ (cm) $\quad$ …… 30%

$\triangle ABC$에서 $15^2=(9+r)^2+(6+r)^2$

$r^2+15r-54=0$, $(r-3)(r+18)=0$

$\therefore r=3$ ($\because r>0$) $\quad$ …… 40%

따라서 원 O의 넓이는

$\pi\times3^2=9\pi$ (cm^2) $\quad$ …… 30%

33 Action $\overline{AB}+\overline{CD}=\overline{AD}+\overline{BC}$임을 이용한다.

$\overline{AB}+\overline{CD}=\overline{AD}+\overline{BC}=7+10=17$ (cm)

따라서 $\square ABCD$의 둘레의 길이는

$\overline{AB}+\overline{BC}+\overline{CD}+\overline{DA}=2\times17=34$ (cm)

34 Action $\square ABCD$는 등변사다리꼴이므로 $\overline{AB}=\overline{DC}$임을 이용한다.

$\square ABCD$는 등변사다리꼴이므로 $\overline{AB}=\overline{DC}$

이때 $\overline{AB}+\overline{CD}=\overline{AD}+\overline{BC}$이므로

$2\overline{AB}=8+14=22$ (cm)

$\therefore \overline{AB}=11$ (cm)

오른쪽 그림과 같이 두 점 A, D에서 $\overline{BC}$에 내린 수선의 발을 각각 E, F라고 하면

$\triangle ABE\equiv\triangle DCF$ (RHA 합동)

이므로

$\overline{BE}=\overline{CF}=\frac{1}{2}\times(14-8)=3$ (cm)

$\triangle ABE$에서 $\overline{AE}=\sqrt{11^2-3^2}=4\sqrt{7}$ (cm)

따라서 원 O의 반지름의 길이는

$\frac{1}{2}\overline{AE}=\frac{1}{2}\times4\sqrt{7}=2\sqrt{7}$ (cm)

35 Action (사다리꼴의 넓이)

$=\frac{1}{2}\times$\{(윗변의 길이)+(아랫변의 길이)\}$\times$(높이)

원 O의 반지름의 길이가 4 cm이므로

$\overline{AB}=2\times4=8$ (cm)

$\overline{AD}+\overline{BC}=\overline{AB}+\overline{CD}=8+11=19$ (cm)

따라서 $\square ABCD$의 넓이는

$\frac{1}{2}\times(\overline{AD}+\overline{BC})\times\overline{AB}=\frac{1}{2}\times19\times8=76$ (cm^2)

36 Action $\square AECD$가 원 O에 외접함을 이용한다.

$\triangle ABE$에서 $\overline{BE}=\sqrt{10^2-8^2}=6$

$\overline{CE}=x$라고 하면 $\overline{AD}=\overline{BC}=x+6$

$\square AECD$가 원 O에 외접하므로

$\overline{AD}+\overline{CE}=\overline{AE}+\overline{CD}$에서

$(x+6)+x=10+8$, $2x=12$ $\quad\therefore x=6$

$\therefore \overline{CE}=6$

최고 수준 완성하기 P 44–P 48

01 $\sqrt{85}$ cm **02** $4\sqrt{5}$ **03** 24 cm **04** $\frac{24}{5}$
05 $(4\pi-3\sqrt{3})$ cm² **06** $27\sqrt{3}$ cm² **07** $24\sqrt{3}$ cm²
08 24 cm **09** 39 cm² **10** 6 cm **11** 25 cm
12 3 cm **13** 23 cm **14** 6초
15 $(40-20\sqrt{3})$ cm

01 Action 점 O에서 $\overline{AB}$, $\overline{CD}$에 내린 수선의 발을 각각 M, N으로 놓고 직각삼각형 OBM에서 피타고라스 정리를 이용한다.

오른쪽 그림과 같이 점 O에서 $\overline{AB}$, $\overline{CD}$에 내린 수선의 발을 각각 M, N이라고 하면

$\overline{AM}=\overline{BM}$, $\overline{CN}=\overline{DN}$이므로

$\overline{AM}=\overline{BM}=\frac{1}{2}\overline{AB}$

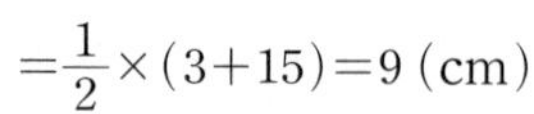

$=\frac{1}{2}\times(3+15)=9$ (cm)

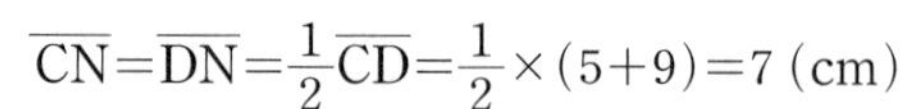

$\overline{CN}=\overline{DN}=\frac{1}{2}\overline{CD}=\frac{1}{2}\times(5+9)=7$ (cm)

$\therefore \overline{OM}=\overline{NH}=\overline{CN}-\overline{CH}=7-5=2$ (cm)

$\triangle$OBM에서 $\overline{OB}=\sqrt{9^2+2^2}=\sqrt{85}$ (cm)

따라서 원 O의 반지름의 길이는 $\sqrt{85}$ cm이다.

02 Action 현의 수직이등분선은 그 원의 중심을 지남을 이용한다.

오른쪽 그림과 같이 점 A에서 $\overline{BC}$에 내린 수선의 발을 H라고 하면

$\overline{AH}\perp\overline{BC}$, $\overline{BH}=\overline{CH}$이므로 $\overline{AH}$의 연장선은 원의 중심 O를 지난다.

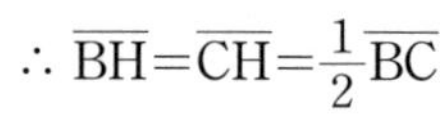

$\therefore \overline{BH}=\overline{CH}=\frac{1}{2}\overline{BC}$

$=\frac{1}{2}\times16=8$ …… 30%

$\overline{OB}$를 그으면 $\triangle$BOH에서 $\overline{OH}=\sqrt{10^2-8^2}=6$

$\therefore \overline{AH}=\overline{AO}-\overline{OH}=10-6=4$ …… 40%

따라서 $\triangle$ABH에서 $\overline{AB}=\sqrt{8^2+4^2}=4\sqrt{5}$ …… 30%

03 Action 원의 중심에서 현에 내린 수선은 그 현을 이등분함을 이용한다.

오른쪽 그림과 같이 점 O′에서 $\overline{OM}$에 내린 수선의 발을 H라고 하면

$\overline{MN}=\overline{HO'}$,

$\overline{HM}=\overline{O'N}=5$ (cm)

$\therefore \overline{OH}=\overline{OM}-\overline{HM}=10-5=5$ (cm)

$\triangle$OHO′에서 $\overline{HO'}=\sqrt{13^2-5^2}=12$ (cm)

$\therefore \overline{MN}=\overline{HO'}=12$ (cm)

$\overline{AM}=\overline{PM}$, $\overline{PN}=\overline{BN}$이므로

$\overline{AB}=\overline{AP}+\overline{PB}=2\overline{PM}+2\overline{PN}$

$=2(\overline{PM}+\overline{PN})=2\overline{MN}$

$=2\times12=24$ (cm)

04 Action $\overline{OO'}$, $\overline{OB}$, $\overline{O'B}$를 긋고 $\triangle AOO'\equiv\triangle BOO'$임을 이용한다.

오른쪽 그림과 같이 $\overline{OO'}$을 그으면 $\triangle$AOO′에서

$\overline{OO'}=\sqrt{3^2+4^2}=5$

$\overline{OB}$, $\overline{O'B}$를 그으면

$\triangle$AOO′과 $\triangle$BOO′에서

$\overline{OA}=\overline{OB}$, $\overline{O'A}=\overline{O'B}$, $\overline{OO'}$은 공통이므로

$\triangle AOO'\equiv\triangle BOO'$ (SSS 합동)

즉 $\overline{OO'}$은 이등변삼각형 AOB의 꼭지각의 이등분선이므로

$\overline{AB}\perp\overline{OO'}$이다.

$\overline{OO'}$과 $\overline{AB}$가 만나는 점을 M이라고 하면

$\triangle$AOO′에서 $\overline{OA}\times\overline{O'A}=\overline{OO'}\times\overline{AM}$이므로

$3\times4=5\times\overline{AM}$ $\quad\therefore \overline{AM}=\frac{12}{5}$

$\therefore \overline{AB}=2\overline{AM}=2\times\frac{12}{5}=\frac{24}{5}$

05 Action ∠AOB의 크기를 구한 후 색칠한 부분의 넓이는 (부채꼴 AOB의 넓이)$-\triangle$AOB임을 이용한다.

오른쪽 그림과 같이 점 O에서 $\overline{AB}$에 내린 수선의 발을 M이라 하고 $\overline{OA}$, $\overline{OB}$를 그으면

$\overline{OA}=2\sqrt{3}$ (cm),

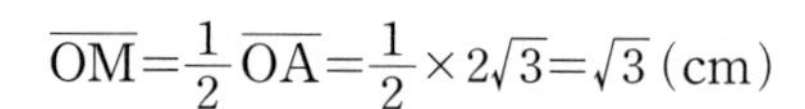

$\overline{OM}=\frac{1}{2}\overline{OA}=\frac{1}{2}\times2\sqrt{3}=\sqrt{3}$ (cm)

$\triangle$AOM에서 $\overline{AM}=\sqrt{(2\sqrt{3})^2-(\sqrt{3})^2}=3$ (cm)

$\therefore \overline{AB}=2\overline{AM}=2\times3=6$ (cm)

이때 $\cos(\angle AOM)=\frac{\overline{OM}}{\overline{AO}}=\frac{\sqrt{3}}{2\sqrt{3}}=\frac{1}{2}$이고 ∠AOM은 예각이므로 $\angle AOM=60°$

$\therefore \angle AOB=2\angle AOM=2\times60°=120°$

∴ (색칠한 부분의 넓이)

=(부채꼴 AOB의 넓이)$-\triangle$AOB

$=\pi\times(2\sqrt{3})^2\times\frac{120}{360}-\frac{1}{2}\times6\times\sqrt{3}$

$=4\pi-3\sqrt{3}$ (cm²)

06 Action $\triangle$ABC가 어떤 삼각형인지 알아본다.

$\overline{OM}=\overline{ON}$이므로 $\overline{AB}=\overline{AC}$

$\angle A=60°$이므로

$\angle B=\angle C=\frac{1}{2}\times(180°-60°)=60°$

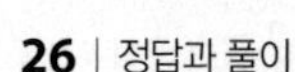

따라서 $\triangle ABC$는 정삼각형이다.

오른쪽 그림과 같이 $\overline{OA}$를 그으면

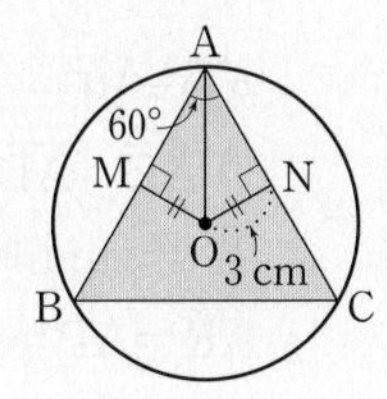

$\triangle AMO \equiv \triangle ANO$ (RHS 합동)이므로

$\angle OAM = \angle OAN = \frac{1}{2} \times 60^\circ = 30^\circ$

$\triangle AMO$에서

$\overline{AM} = \frac{\overline{OM}}{\tan 30^\circ} = 3 \div \frac{\sqrt{3}}{3} = 3\sqrt{3}\ (\text{cm})$

$\therefore\ \overline{AB} = \overline{AC} = 2\overline{AM} = 2 \times 3\sqrt{3} = 6\sqrt{3}\ (\text{cm})$

$\therefore\ \triangle ABC = \frac{1}{2} \times 6\sqrt{3} \times 6\sqrt{3} \times \sin 60^\circ$

$= \frac{1}{2} \times 6\sqrt{3} \times 6\sqrt{3} \times \frac{\sqrt{3}}{2}$

$= 27\sqrt{3}\ (\text{cm}^2)$

Lecture

예각삼각형의 넓이

$\triangle ABC$에서 $\angle A$가 예각일 때,

$\triangle ABC = \frac{1}{2} bc \sin A$

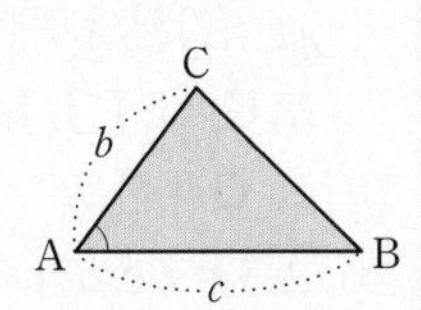

07

Action (오각형 AMDEN의 넓이)$= \triangle ABC - 2\triangle BDM$임을 이용한다.

$\overline{OM} = \overline{ON}$이므로

$\overline{AC} = \overline{AB} = 12\ (\text{cm})$

오른쪽 그림과 같이 점 A에서 $\overline{BC}$에 내린 수선의 발을 F라고 하면

$\overline{BF} = \overline{CF}$

$\triangle ABF$에서

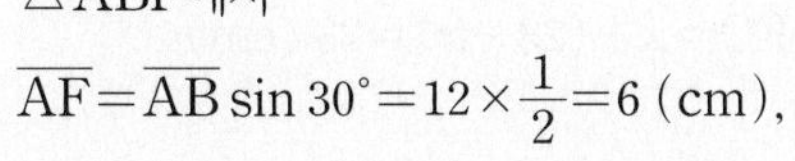

$\overline{AF} = \overline{AB} \sin 30^\circ = 12 \times \frac{1}{2} = 6\ (\text{cm})$,

$\overline{BF} = \overline{AB} \cos 30^\circ = 12 \times \frac{\sqrt{3}}{2} = 6\sqrt{3}\ (\text{cm})$

$\therefore\ \overline{BC} = 2\overline{BF} = 2 \times 6\sqrt{3} = 12\sqrt{3}\ (\text{cm})$

한편, $\overline{AB} \perp \overline{OM}$이므로

$\overline{BM} = \frac{1}{2}\overline{AB} = \frac{1}{2} \times 12 = 6\ (\text{cm})$

$\triangle BDM$에서

$\overline{DM} = \overline{BM} \tan 30^\circ = 6 \times \frac{\sqrt{3}}{3} = 2\sqrt{3}\ (\text{cm})$

이때 $\triangle BDM \equiv \triangle CEN$ (ASA 합동)이므로

$\triangle BDM = \triangle CEN$

$\therefore$ (오각형 AMDEN의 넓이)

$= \triangle ABC - 2\triangle BDM$

$= \frac{1}{2} \times 12\sqrt{3} \times 6 - 2 \times \left(\frac{1}{2} \times 6 \times 2\sqrt{3}\right)$

$= 36\sqrt{3} - 12\sqrt{3}$

$= 24\sqrt{3}\ (\text{cm}^2)$

08

Action 삼각형의 닮음을 이용하여 점 O′과 $\overline{PQ}$ 사이의 거리를 구한다.

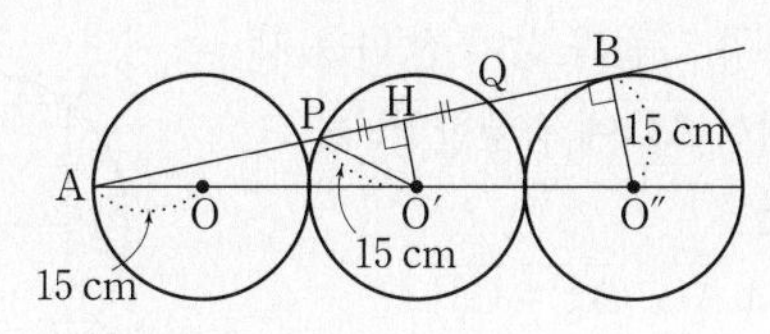

위 그림과 같이 $\overline{O''B}$를 그으면

$\angle ABO'' = 90^\circ$

점 O′에서 $\overline{PQ}$에 내린 수선의 발을 H라고 하면

$\triangle AO'H$와 $\triangle AO''B$에서

$\angle A$는 공통, $\angle AHO' = \angle ABO'' = 90^\circ$이므로

$\triangle AO'H \backsim \triangle AO''B$ (AA 닮음)

세 원의 반지름의 길이가 모두 15 cm이므로

$\overline{AO'} = 45\ (\text{cm})$, $\overline{AO''} = 75\ (\text{cm})$

따라서 $\overline{AO'} : \overline{AO''} = \overline{HO'} : \overline{BO''}$이므로

$45 : 75 = \overline{HO'} : 15$, $3 : 5 = \overline{HO'} : 15$

$\therefore\ \overline{HO'} = 9\ (\text{cm})$

$\triangle PO'H$에서 $\overline{PH} = \sqrt{15^2 - 9^2} = 12\ (\text{cm})$

$\therefore\ \overline{PQ} = 2\overline{PH} = 2 \times 12 = 24\ (\text{cm})$

09

Action 점 D에서 $\overline{AB}$에 내린 수선의 발을 H로 놓고 직각삼각형 AHD에서 피타고라스 정리를 이용한다.

오른쪽 그림과 같이 반원 O와 $\overline{AD}$의 접점을 T라고 하면

$\overline{AT} = \overline{AB} = 9\ (\text{cm})$,

$\overline{DT} = \overline{DC} = 4\ (\text{cm})$이므로

$\overline{AD} = \overline{AT} + \overline{DT}$

$= 9 + 4 = 13\ (\text{cm})$ …… 30%

점 D에서 $\overline{AB}$에 내린 수선의 발을 H라고 하면

$\overline{BH} = \overline{CD} = 4\ (\text{cm})$이므로

$\overline{AH} = \overline{AB} - \overline{BH} = 9 - 4 = 5\ (\text{cm})$

$\triangle AHD$에서 $\overline{HD} = \sqrt{13^2 - 5^2} = 12\ (\text{cm})$ …… 30%

$\overline{BC} = \overline{HD} = 12\ (\text{cm})$이므로

$\overline{OT} = \overline{OC} = \frac{1}{2}\overline{BC} = \frac{1}{2} \times 12 = 6\ (\text{cm})$ …… 20%

$\therefore\ \triangle AOD = \frac{1}{2} \times \overline{AD} \times \overline{OT}$

$= \frac{1}{2} \times 13 \times 6 = 39\ (\text{cm}^2)$ …… 20%

다른 풀이

$\triangle ABO \equiv \triangle ATO$ (RHS 합동),

$\triangle DCO \equiv \triangle DTO$ (RHS 합동)이므로

$\triangle AOD = \triangle ATO + \triangle DTO$

$= \frac{1}{2} \square ABCD$

$= \frac{1}{2} \times \left\{\frac{1}{2} \times (4+9) \times 12\right\} = 39\ (\text{cm}^2)$

10 Action 점 O를 지나고 $\overline{AB}$, $\overline{AD}$에 평행한 선분을 각각 그어 현의 수직이등분선의 성질을 이용한다.

오른쪽 그림과 같이 점 O를 지나면서 $\overline{AD}$에 평행한 $\overline{PF}$를 그으면

$\overline{OP}\perp\overline{AG}$, $\overline{AP}=\overline{GP}$

$\overline{AG}=\overline{AB}-\overline{GB}$

$=27-3=24\ (\text{cm})$

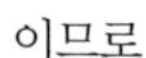

이므로

$\overline{AP}=\overline{GP}=\frac{1}{2}\overline{AG}=\frac{1}{2}\times24=12\ (\text{cm})$

$\therefore\ \overline{CF}=\overline{BP}=\overline{BG}+\overline{GP}=3+12=15\ (\text{cm})$

또, 점 O를 지나면서 $\overline{AB}$에 평행한 $\overline{QE}$를 그으면

$\overline{AH}\perp\overline{OQ}$, $\overline{AQ}=\overline{HQ}$

이때 $\overline{CE}=\overline{CF}=15\ (\text{cm})$이므로

$\overline{AQ}=\overline{BE}=\overline{BC}-\overline{CE}=24-15=9\ (\text{cm})$

따라서 $\overline{AH}=2\overline{AQ}=2\times9=18\ (\text{cm})$이므로

$\overline{DH}=\overline{AD}-\overline{AH}=24-18=6\ (\text{cm})$

11 Action 원 밖의 한 점에서 그 원에 그은 두 접선의 길이는 같음을 이용한다.

오른쪽 그림과 같이 원 O와 $\triangle ABC$의 접점을 차례로 P, Q, R라고 하면

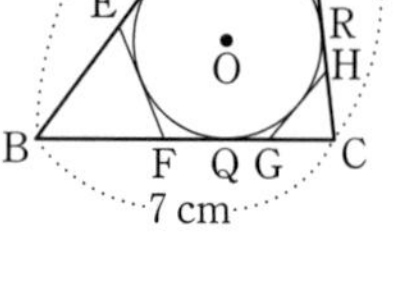

$\overline{AP}=\overline{AR}$, $\overline{BP}=\overline{BQ}$, $\overline{CQ}=\overline{CR}$

($\triangle ADI$의 둘레의 길이)

$=\overline{AD}+\overline{DI}+\overline{IA}$

$=\overline{AP}+\overline{AR}$ …… 20%

($\triangle BFE$의 둘레의 길이)$=\overline{BF}+\overline{FE}+\overline{EB}$

$=\overline{BP}+\overline{BQ}$ …… 20%

($\triangle CHG$의 둘레의 길이)$=\overline{CH}+\overline{HG}+\overline{GC}$

$=\overline{CQ}+\overline{CR}$ …… 20%

따라서 $\triangle ADI$, $\triangle BFE$, $\triangle CHG$의 둘레의 길이의 합은

$(\overline{AP}+\overline{AR})+(\overline{BP}+\overline{BQ})+(\overline{CQ}+\overline{CR})$

$=(\overline{AP}+\overline{BP})+(\overline{BQ}+\overline{CQ})+(\overline{AR}+\overline{CR})$

$=\overline{AB}+\overline{BC}+\overline{CA}$

$=10+7+8$

$=25\ (\text{cm})$ …… 40%

12 Action $\overline{AD}=\overline{AE}$, $\overline{CE}=\overline{CF}$임을 이용하여 $\overline{BD}$의 길이를 구한다.

$\overline{AD}=\overline{AE}$, $\overline{CE}=\overline{CF}$이므로

$\overline{BD}+\overline{BF}=\overline{AB}+\overline{BC}+\overline{CA}$

$=5+8+7=20\ (\text{cm})$

따라서 $\overline{BD}=\overline{BF}=\frac{1}{2}\times20=10\ (\text{cm})$이므로

$\overline{AD}=\overline{BD}-\overline{AB}=10-5=5\ (\text{cm})$

$\therefore\ \overline{AE}=\overline{AD}=5\ (\text{cm})$

$\overline{AP}=x$ cm라고 하면

$\overline{AR}=\overline{AP}=x\ (\text{cm})$, $\overline{BQ}=\overline{BP}=5-x\ (\text{cm})$,

$\overline{CQ}=\overline{CR}=7-x\ (\text{cm})$

$\overline{BC}=\overline{BQ}+\overline{CQ}$이므로

$8=(5-x)+(7-x)$

$2x=4\qquad\therefore\ x=2$

$\therefore\ \overline{RE}=\overline{AE}-\overline{AR}=5-2=3\ (\text{cm})$

13 Action 원 밖의 한 점에서 그 원에 그은 두 접선의 길이는 같음을 이용한다.

오른쪽 그림과 같이 네 원과 삼각형의 접점을 차례로 G, H, I, J, K, L, M, N, O라 하고

$\overline{AG}=x$ cm라고 하면

$\overline{BH}=\overline{BG}$

$=30-x\ (\text{cm})$

$\overline{CJ}=\overline{CI}=\overline{CH}$

$=18-(30-x)$

$=x-12\ (\text{cm})$

$\overline{DL}=\overline{DK}=\overline{DJ}=14-(x-12)=26-x\ (\text{cm})$

$\overline{EN}=\overline{EM}=\overline{EL}=10-(26-x)=x-16\ (\text{cm})$

$\overline{FO}=\overline{FN}=7-(x-16)=23-x\ (\text{cm})$

이때 $\overline{AG}=\overline{AI}=\overline{AK}=\overline{AM}=\overline{AO}=x\ (\text{cm})$이므로

$\overline{AF}=\overline{AO}+\overline{FO}=x+(23-x)=23\ (\text{cm})$

14 Action (거리)=(속력)×(시간)임을 이용한다.

오른쪽 그림과 같이 원 O와 $\overline{AB}$, $\overline{BC}$, $\overline{DE}$, $\overline{FG}$의 접점을 차례로 H, I, J, K라고 하면

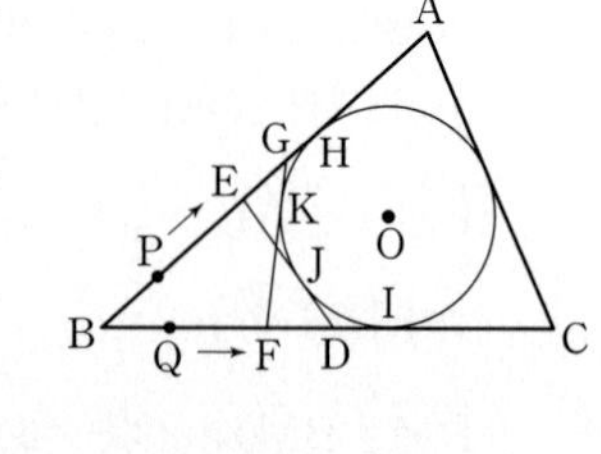

$\overline{DI}=\overline{DJ}$, $\overline{EH}=\overline{EJ}$,

$\overline{FI}=\overline{FK}$, $\overline{GH}=\overline{GK}$

($\triangle BDE$의 둘레의 길이)$=\overline{BD}+\overline{DE}+\overline{EB}$

$=\overline{BD}+(\overline{DJ}+\overline{EJ})+\overline{EB}$

$=(\overline{BD}+\overline{DI})+(\overline{EH}+\overline{EB})$

$=\overline{BI}+\overline{BH}$

($\triangle BFG$의 둘레의 길이)$=\overline{BF}+\overline{FG}+\overline{GB}$

$=\overline{BF}+(\overline{FK}+\overline{GK})+\overline{GB}$

$=(\overline{BF}+\overline{FI})+(\overline{GH}+\overline{GB})$

$=\overline{BI}+\overline{BH}$

즉 $\triangle$BDE와 $\triangle$BFG의 둘레의 길이는 같으므로

($\triangle$BFG의 둘레의 길이)=($\triangle$BDE의 둘레의 길이)

$=3\times4=12$ (cm)

따라서 점 Q가 점 B를 출발하여 처음으로 점 B로 돌아오는 데 걸리는 시간은 $\frac{12}{2}=6$(초)이다.

15 **Action** 보조선을 그어 $\overline{OO'}$을 빗변으로 하는 직각삼각형을 만든다.

오른쪽 그림과 같이 두 원 O, O′과 $\overline{BC}$의 접점을 각각 P, Q라 하고 점 O′에서 $\overline{OP}$에 내린 수선의 발을 H라고 하자.

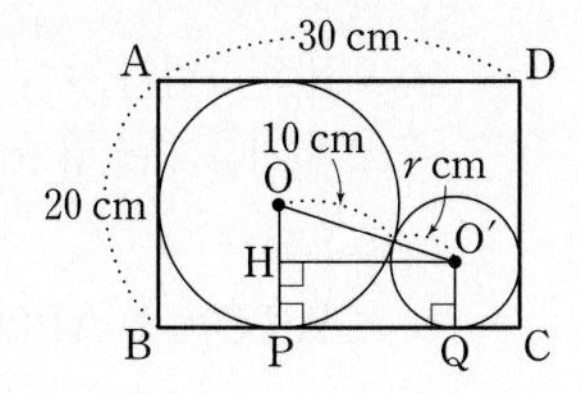

원 O의 반지름의 길이는

$\frac{1}{2}\overline{AB}=\frac{1}{2}\times20=10$ (cm)

원 O′의 반지름의 길이를 r cm라고 하면

$\overline{OO'}=10+r$ (cm), $\overline{OH}=\overline{OP}-\overline{HP}=10-r$ (cm),

$\overline{HO'}=\overline{PQ}=\overline{BC}-\overline{BP}-\overline{CQ}$

$=30-10-r=20-r$ (cm)

$\triangle$OHO′에서

$(10+r)^2=(20-r)^2+(10-r)^2$, $r^2-80r+400=0$

$\therefore r=40-20\sqrt{3}$ ($\because 0<r<10$)

따라서 원 O′의 반지름의 길이는 $(40-20\sqrt{3})$ cm이다.

최고수준 뛰어넘기

P 49- P 50

01 $\sqrt{19}$ cm **02** $\left(50\sqrt{3}+\frac{160}{3}\pi\right)$ cm **03** $\sqrt{2}$ cm

04 25 **05** (1) 5 (2) $6x$ (3) $4y$ (4) 2

06 $(21-6\sqrt{10})$ cm

01 **Action** 원의 중심에서 현에 내린 수선은 그 현을 이등분함을 이용한다.

오른쪽 그림과 같이 점 O에서 $\overline{CD}$에 내린 수선의 발을 H라고 하면 $\overline{CH}=\overline{DH}$

두 점 C, D에서 $\overline{AB}$에 내린 수선의 발을 각각 E, F라 하고

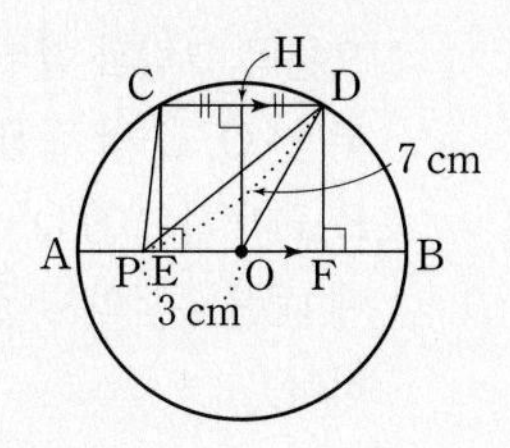

$\overline{CH}=x$ cm라고 하면

$\overline{EO}=\overline{FO}=\overline{DH}=\overline{CH}=x$ (cm), $\overline{PF}=3+x$ (cm)

$\triangle$DOF에서 $\overline{DF}^2=5^2-x^2$ ······ ㉠

$\triangle$DPF에서 $\overline{DF}^2=7^2-(3+x)^2$ ······ ㉡

㉠, ㉡에서 $5^2-x^2=7^2-(3+x)^2$이므로

$6x=15 \quad \therefore x=\frac{5}{2}$

따라서 $\overline{CE}=\overline{DF}=\sqrt{5^2-\left(\frac{5}{2}\right)^2}=\frac{5\sqrt{3}}{2}$ (cm),

$\overline{PE}=\overline{PO}-\overline{EO}=3-\frac{5}{2}=\frac{1}{2}$ (cm)이므로

$\triangle$CPE에서

$\overline{PC}=\sqrt{\left(\frac{1}{2}\right)^2+\left(\frac{5\sqrt{3}}{2}\right)^2}=\sqrt{19}$ (cm)

02 **Action** 원의 접선은 그 접점을 지나는 원의 반지름에 수직임을 이용한다.

오른쪽 그림과 같이 작은 바퀴의 중심을 O, 큰 바퀴의 중심을 P, 벨트와 두 원 O, P의 접점을 각각 A, B, C, D라 하고 $\overline{AC}$, $\overline{BD}$, $\overline{OP}$의 연장선의 교점을 E라고 하자.

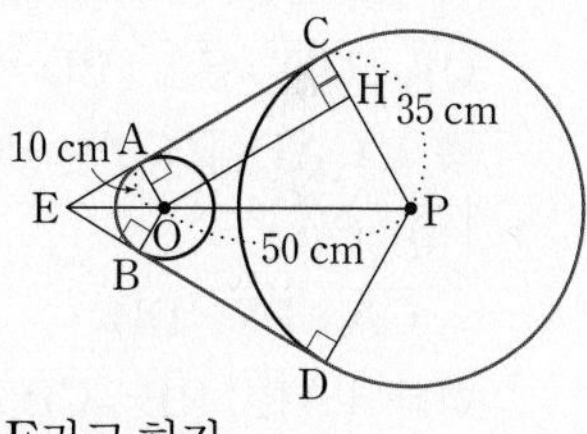

점 O에서 $\overline{CP}$에 내린 수선의 발을 H라고 하면

$\overline{CH}=\overline{AO}=10$ (cm)

$\therefore \overline{HP}=\overline{CP}-\overline{CH}=35-10=25$ (cm)

$\triangle$OPH에서

$\overline{OH}=\sqrt{50^2-25^2}=25\sqrt{3}$ (cm)

$\therefore \overline{AC}=\overline{OH}=25\sqrt{3}$ (cm)

이때 $\triangle$OPH에서 $\cos(\angle OPH)=\frac{25}{50}=\frac{1}{2}$이므로

$\angle OPH=60^\circ$

$\triangle AEO \backsim \triangle CEP$ (AA 닮음)이므로

$\angle AOE=\angle CPE=60^\circ$

또, $\triangle AEO\equiv\triangle BEO$ (RHS 합동),

$\triangle CEP\equiv\triangle DEP$ (RHS 합동)이므로

$\angle AOB=60^\circ+60^\circ=120^\circ$, $\angle CPD=60^\circ+60^\circ=120^\circ$

한편, $\overline{BD}=\overline{ED}-\overline{EB}=\overline{EC}-\overline{EA}=\overline{AC}=25\sqrt{3}$ (cm)

따라서 필요한 벨트의 길이는

$2\pi\times10\times\frac{120}{360}+25\sqrt{3}+2\pi\times35\times\frac{240}{360}+25\sqrt{3}$

$=50\sqrt{3}+\frac{160}{3}\pi$ (cm)

Lecture

(필요한 벨트의 길이)

=(중심각의 크기가 120°인 부채꼴 AOB의 호의 길이)

+$\overline{BD}$+(중심각의 크기가 240°인 부채꼴 CPD의 호의 길이)

+$\overline{CA}$

03 **Action** 삼각형의 닮음과 평행선 사이의 선분의 길이의 비를 이용하여 $\overline{CA}\,/\!/\,\overline{PR}\,/\!/\,\overline{DB}$임을 보이고, 이를 이용하여 $\overline{AR}$의 길이를 구한다.

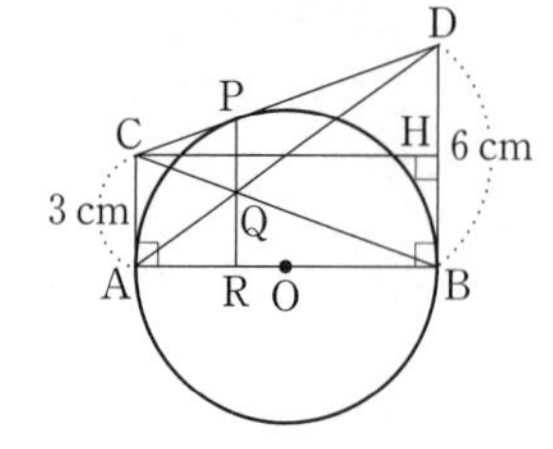

오른쪽 그림과 같이 점 C에서 $\overline{DB}$에 내린 수선의 발을 H라고 하면

$\overline{HB}=\overline{CA}=3\ (\text{cm})$

$\therefore \overline{DH}=\overline{DB}-\overline{HB}$

$=6-3=3\ (\text{cm})$

$\overline{CP}=\overline{CA}=3\ (\text{cm})$, $\overline{DP}=\overline{DB}=6\ (\text{cm})$이므로

$\overline{CD}=\overline{CP}+\overline{DP}=3+6=9\ (\text{cm})$

$\triangle$CHD에서

$\overline{CH}=\sqrt{9^2-3^2}=6\sqrt{2}\ (\text{cm})$

$\therefore \overline{AB}=\overline{CH}=6\sqrt{2}\ (\text{cm})$,

$\overline{OA}=\frac{1}{2}\overline{AB}=\frac{1}{2}\times6\sqrt{2}=3\sqrt{2}\ (\text{cm})$

한편, $\angle CAB=\angle ABD=90^\circ$이므로 $\overline{AC}\,/\!/\,\overline{BD}$

따라서 $\triangle QCA \backsim \triangle QBD$ (AA 닮음)이므로

$\overline{QA}:\overline{QD}=\overline{CA}:\overline{BD}=3:6=1:2$

즉 $\triangle$CAD에서 $\overline{DP}:\overline{PC}=\overline{DQ}:\overline{QA}=2:1$이므로

$\overline{PQ}\,/\!/\,\overline{CA}$

$\therefore \overline{CA}\,/\!/\,\overline{PR}\,/\!/\,\overline{DB}$

따라서 $\overline{AR}:\overline{RB}=\overline{CP}:\overline{PD}=1:2$이므로

$\overline{AR}=\frac{1}{1+2}\overline{AB}=\frac{1}{3}\times6\sqrt{2}=2\sqrt{2}\ (\text{cm})$

$\therefore \overline{OR}=\overline{OA}-\overline{AR}=3\sqrt{2}-2\sqrt{2}=\sqrt{2}\ (\text{cm})$

04 **Action** $\overline{AB}=x$로 놓고 $\overline{AC}$의 길이를 구한 후 직각삼각형 ABC에서 피타고라스 정리를 이용하여 $\overline{AB}$, $\overline{BC}$의 길이를 각각 구한다.

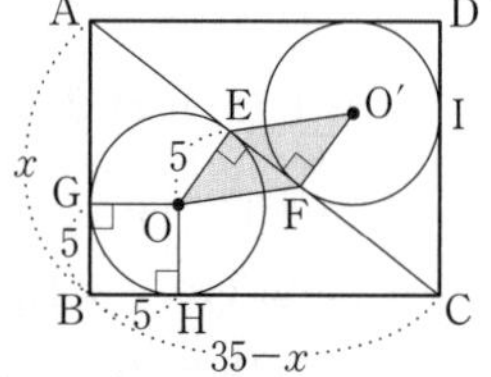

오른쪽 그림과 같이 원 O와 $\overline{AB}$, $\overline{BC}$의 접점을 각각 G, H라 하고 원 O′과 $\overline{CD}$의 접점을 I라고 하자.

$\overline{AB}=x$라고 하면 $\overline{BC}=35-x$

$\overline{OG}$, $\overline{OH}$를 그으면 $\square$GBHO는 정사각형이므로

$\overline{BG}=\overline{BH}=5$

$\overline{AE}=\overline{AG}=x-5$, $\overline{CE}=\overline{CH}=(35-x)-5=30-x$

$\therefore \overline{AC}=\overline{AE}+\overline{CE}=(x-5)+(30-x)=25$

$\triangle$ABC에서 $x^2+(35-x)^2=25^2$

$x^2-35x+300=0$, $(x-15)(x-20)=0$

$\therefore x=15$ 또는 $x=20$

이때 $\overline{AB}<\overline{BC}$이므로 $\overline{AB}=15$, $\overline{BC}=20$

따라서 $\overline{CE}=30-15=15$,

$\overline{CF}=\overline{CI}=\overline{CD}-\overline{DI}=15-5=10$이므로

$\overline{EF}=\overline{CE}-\overline{CF}=15-10=5$

$\triangle EOF \equiv \triangle FO'E$ (SAS 합동)이므로

$\square EOFO'=2\triangle EOF=2\times\left(\frac{1}{2}\times5\times5\right)=25$

05 **Action** (1) $\overline{AB}+\overline{CD}=\overline{AD}+\overline{BC}$이고 $\square$ABCD의 둘레의 길이가 30임을 이용하여 $x+y$의 값을 구한다.

(1) $\overline{AB}+\overline{CD}=\overline{AD}+\overline{BC}$이고 $\square$ABCD의 둘레의 길이가 30이므로

$\overline{AB}+\overline{BC}+\overline{CD}+\overline{DA}=2(\overline{AD}+\overline{BC})$

$=2(x+y+6+4)$

$=2(x+y+10)=30$

$\therefore x+y=5$ …… ㉠

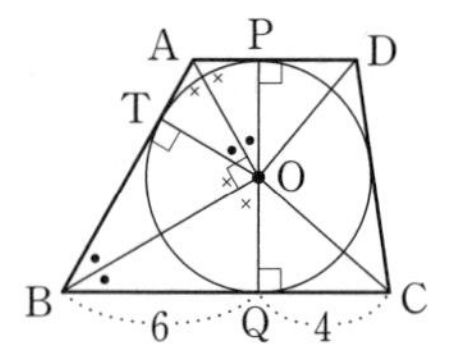

(2) 오른쪽 그림과 같이 원 O와 $\overline{AB}$의 접점을 T라 하고 $\overline{OA}$, $\overline{OB}$를 그으면

$\triangle ATO \equiv \triangle APO$ (RHS 합동),

$\triangle BTO \equiv \triangle BQO$ (RHS 합동)이므로

$\angle AOP=\angle AOT$, $\angle BOT=\angle BOQ$

이때 $\overline{PQ}$는 원 O의 지름이므로

$\angle AOB=\angle AOT+\angle BOT$

$=\frac{1}{2}(\angle POT+\angle QOT)$

$=\frac{1}{2}\times180^\circ=90^\circ$

따라서 $\triangle OAP \backsim \triangle BOQ$ (AA 닮음)이므로

$\overline{OP}:\overline{BQ}=\overline{AP}:\overline{OQ}$에서 $\overline{OP}:6=x:\overline{OQ}$

$\therefore \overline{OP}\times\overline{OQ}=6x$ …… ㉡

(3) $\overline{OC}$, $\overline{OD}$를 그으면 마찬가지 방법으로

$\triangle ODP \backsim \triangle COQ$ (AA 닮음)이므로

$\overline{OP}:\overline{CQ}=\overline{DP}:\overline{OQ}$에서 $\overline{OP}:4=y:\overline{OQ}$

$\therefore \overline{OP}\times\overline{OQ}=4y$ …… ㉢

(4) ㉡, ㉢에서 $6x=4y$ $\quad\therefore y=\frac{3}{2}x$ …… ㉣

㉣을 ㉠에 대입하면 $x+\frac{3}{2}x=5$

$\frac{5}{2}x=5$ $\quad\therefore x=2$, 즉 $\overline{AP}=2$

06 **Action** $\overline{AD}+\overline{BP}=\overline{AB}+\overline{DP}$임을 이용하여 $\overline{AD}$의 길이를 구한 후 $\overline{OO'}$을 빗변으로 하는 직각삼각형을 그려 본다.

$\triangle$DPC에서

$\overline{DP}=\sqrt{5^2+12^2}=13\ (\text{cm})$

$\overline{AD}+\overline{BP}=\overline{AB}+\overline{DP}=12+13=25\ (\text{cm})$이므로

$\overline{AD}+\overline{BC}=\overline{AD}+\overline{BP}+\overline{CP}=25+5=30\ (\text{cm})$

$\therefore \overline{AD}=\overline{BC}=15\ (\text{cm})$

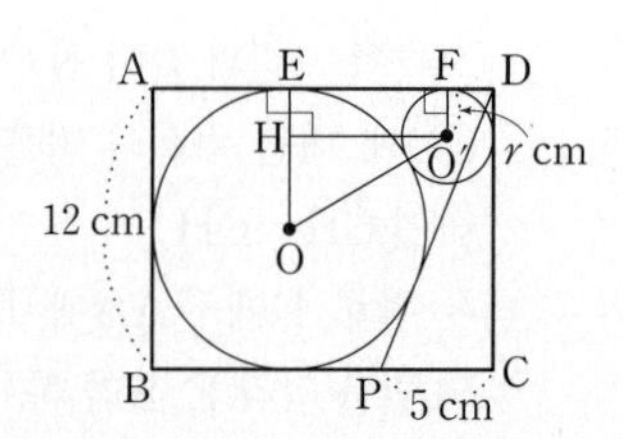

오른쪽 그림과 같이 $\overline{AD}$와 두 원 O, O′의 접점을 각각 E, F라 하고 점 O′에서 $\overline{OE}$에 내린 수선의 발을 H라고 하자.

원 O′의 반지름의 길이를 r cm라고 하면 원 O의 반지름의 길이는 $\frac{1}{2}\overline{AB}=\frac{1}{2}\times12=6$ (cm)이므로

$\overline{OO'}=6+r$ (cm),

$\overline{OH}=\overline{OE}-\overline{HE}=6-r$ (cm),

$\overline{O'H}=\overline{EF}=\overline{AD}-\overline{AE}-\overline{DF}$

$=15-6-r=9-r$ (cm)

△OO′H에서 $(6+r)^2=(9-r)^2+(6-r)^2$

$r^2-42r+81=0$

$\therefore r=21-6\sqrt{10}$ ($\because 0<r<6$)

따라서 원 O′의 반지름의 길이는 $(21-6\sqrt{10})$ cm이다.

2. 원주각

최고수준 입문하기

P52-P55

01 76°	**02** 10π cm^2	**03** 18°	**04** 284°
05 57°	**06** 35°	**07** 70°	**08** 114°
09 106°	**10** 30°	**11** 53°	**12** 32°
13 34°	**14** 100°	**15** 80°	**16** $2\sqrt{19}$
17 $\frac{2\sqrt{5}}{9}$	**18** 52°	**19** 35°	**20** 144°
21 75°	**22** 100°		

23 ∠BAC=60°, ∠ABC=75°, ∠BCA=45°

24 ∠x=36°, ∠y=54°

01 Action ∠AOC=∠AOB+∠BOC임을 이용한다.

오른쪽 그림과 같이 $\overline{OB}$를 그으면

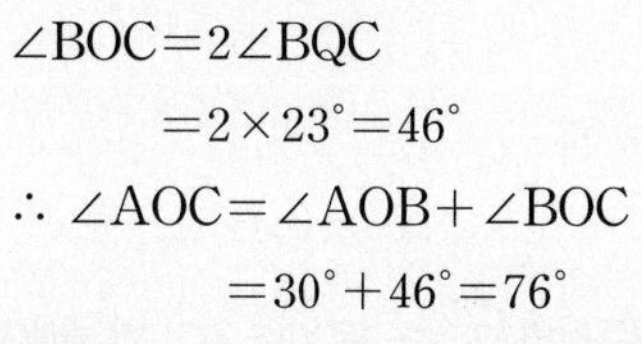

∠AOB=2∠APB

=2×15°=30°

∠BOC=2∠BQC

=2×23°=46°

∴ ∠AOC=∠AOB+∠BOC

=30°+46°=76°

02 Action ∠BOC=2∠BAC임을 이용한다.

∠BOC=2∠BAC=2×50°=100°

따라서 부채꼴 BOC의 넓이는

$\pi\times6^2\times\frac{100}{360}=10\pi$ (cm^2)

03 Action $\overline{OA}$를 그으면 △AOC는 이등변삼각형임을 이용한다.

오른쪽 그림과 같이 $\overline{OA}$를 그으면

∠AOC=2∠ABC=2×72°=144°

△AOC에서 $\overline{OA}=\overline{OC}$이므로

∠$x=\frac{1}{2}\times(180°-144°)=18°$

04 Action 원에서 한 호에 대한 원주각의 크기는 그 호에 대한 중심각의 크기의 $\frac{1}{2}$임을 이용한다.

∠y=2∠BCD=2×104°=208°

∠$x=\frac{1}{2}\times(360°-∠y)=\frac{1}{2}\times152°=76°$

∴ ∠x+∠y=76°+208°=284°

05 Action 원에서 한 호에 대한 원주각의 크기는 그 호에 대한 중심각의 크기의 $\frac{1}{2}$임을 이용한다.

∠ABC=$\frac{1}{2}\times(360°-140°)=110°$

따라서 □ABCO에서

∠x=360°−(110°+53°+140°)=57°

06 Action ∠BCD의 크기를 구한 후 삼각형의 한 외각의 크기는 그와 이웃하지 않은 두 내각의 크기의 합과 같음을 이용한다.

∠BCD=$\frac{1}{2}$∠BOD=$\frac{1}{2}\times150°=75°$ …… 50%

△BPC에서

∠x+40°=75° ∴ ∠x=35° …… 50%

07 Action 먼저 $\overline{OA}$, $\overline{OB}$를 그어 ∠AOB의 크기를 구한다.

오른쪽 그림과 같이 $\overline{OA}$, $\overline{OB}$를 그으면

∠PAO=∠PBO=90°

∠AOB=2∠ACB=2×55°=110°

이므로 □APBO에서

∠APB=360°−(90°+110°+90°)

=70°

08 Action 먼저 $\overline{OA}$, $\overline{OB}$를 그어 ∠AOB의 크기를 구한다.

오른쪽 그림과 같이 $\overline{OA}$, $\overline{OB}$를 그으면

∠PAO=∠PBO=90°

□AOBP에서

∠AOB

=360°−(90°+90°+48°)

=132°

∴ ∠ACB=$\frac{1}{2}\times(360°-132°)=114°$

09 **Action** 원에서 한 호에 대한 원주각의 크기는 모두 같음을 이용한다.

$\angle y=\angle \mathrm{ABD}=30^\circ$

$\triangle \mathrm{ABP}$에서

$\angle x+30^\circ=68^\circ \qquad \therefore \angle x=38^\circ$

$\angle z=\angle x=38^\circ$

$\therefore \angle x+\angle y+\angle z=38^\circ+30^\circ+38^\circ=106^\circ$

10 **Action** 먼저 $\overline{\mathrm{BQ}}$를 그어 $\angle \mathrm{BQC}$의 크기를 구한다.

오른쪽 그림과 같이 $\overline{\mathrm{BQ}}$를 그으면

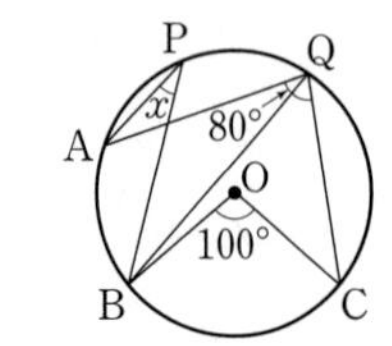

$\angle \mathrm{BQC}=\frac{1}{2}\angle \mathrm{BOC}$

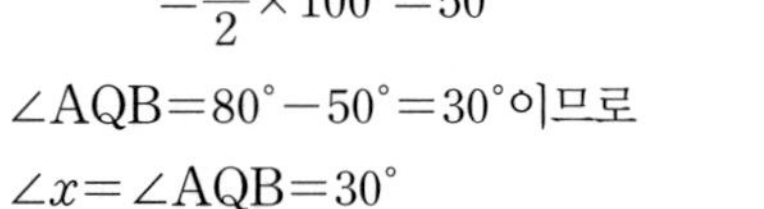

$=\frac{1}{2}\times 100^\circ=50^\circ$

$\angle \mathrm{AQB}=80^\circ-50^\circ=30^\circ$이므로

$\angle x=\angle \mathrm{AQB}=30^\circ$

11 **Action** 원에서 한 호에 대한 원주각의 크기는 모두 같음을 이용한다.

$\angle \mathrm{BAC}=\angle \mathrm{BDC}=72^\circ$, $\angle \mathrm{DBC}=\angle \mathrm{DAC}=25^\circ$

따라서 $\triangle \mathrm{ABC}$에서

$72^\circ+(30^\circ+25^\circ)+\angle x=180^\circ$

$\therefore \angle x=53^\circ$

12 **Action** 반원에 대한 원주각의 크기는 90°임을 이용한다.

$\overline{\mathrm{AB}}$가 원 O의 지름이므로 $\angle \mathrm{ADB}=90^\circ$

$\angle \mathrm{ABD}=\angle \mathrm{ACD}=58^\circ$이므로

$\triangle \mathrm{ADB}$에서

$\angle x=180^\circ-(90^\circ+58^\circ)=32^\circ$

13 **Action** $\overline{\mathrm{BC}}$를 그은 후 반원에 대한 원주각의 크기는 90°임을 이용한다.

오른쪽 그림과 같이 $\overline{\mathrm{BC}}$를 그으면

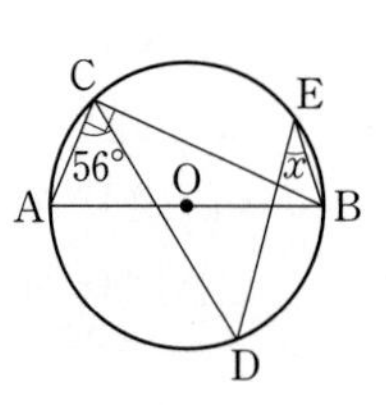

$\overline{\mathrm{AB}}$가 원 O의 지름이므로

$\angle \mathrm{ACB}=90^\circ$

$\angle \mathrm{DCB}=90^\circ-56^\circ=34^\circ$이므로

$\angle x=\angle \mathrm{DCB}=34^\circ$

14 **Action** $\overline{\mathrm{BC}}$를 그은 후 $\overline{\mathrm{AB}}$가 원 O의 지름이므로 $\angle \mathrm{ACB}=90^\circ$이고, $\angle \mathrm{DAB}=\angle \mathrm{DCB}$임을 이용하여 $\angle x$의 크기를 구한다.

오른쪽 그림과 같이 $\overline{\mathrm{BC}}$를 그으면 $\overline{\mathrm{AB}}$가 원 O의 지름이므로

$\angle \mathrm{ACB}=90^\circ$

$\therefore \angle \mathrm{DCB}=90^\circ-40^\circ=50^\circ$

$\angle \mathrm{DAB}=\angle \mathrm{DCB}=50^\circ$이므로

$\triangle \mathrm{APD}$에서

$\angle x=180^\circ-(50^\circ+30^\circ)=100^\circ$

15 **Action** $\overline{\mathrm{AD}}$를 그은 후 반원에 대한 원주각의 크기는 90°임을 이용한다.

오른쪽 그림과 같이 $\overline{\mathrm{AD}}$를 그으면

$\overline{\mathrm{AB}}$가 반원 O의 지름이므로

$\angle \mathrm{ADB}=90^\circ$ …… **30%**

$\triangle \mathrm{PAD}$에서

$\angle \mathrm{PAD}=180^\circ-(50^\circ+90^\circ)$

$=40^\circ$ …… **30%**

$\therefore \angle \mathrm{COD}=2\angle \mathrm{CAD}=2\times 40^\circ=80^\circ$ …… **40%**

16 **Action** $\angle \mathrm{BAC}=\angle \mathrm{BA'C}$가 되도록 원의 중심 O를 지나는 지름 $\mathrm{A'B}$를 긋고 $\tan A=\tan A'$임을 이용한다.

오른쪽 그림과 같이 원 O의 지름인

$\overline{\mathrm{A'B}}$를 그으면 $\angle \mathrm{A'CB}=90^\circ$

$\angle \mathrm{BA'C}=\angle \mathrm{BAC}$이므로

$\tan A'=\tan A=3\sqrt{2}$

$\triangle \mathrm{A'BC}$에서

$\overline{\mathrm{A'C}}=\frac{\overline{\mathrm{BC}}}{\tan A'}=\frac{6\sqrt{2}}{3\sqrt{2}}=2$

$\therefore \overline{\mathrm{A'B}}=\sqrt{(6\sqrt{2})^2+2^2}=2\sqrt{19}$

따라서 원 O의 지름의 길이는 $2\sqrt{19}$이다.

17 **Action** x와 크기가 같은 각을 찾는다.

$\overline{\mathrm{AB}}$가 반원 O의 지름이므로 $\angle \mathrm{ACB}=90^\circ$

$\therefore \angle \mathrm{CAB}=90^\circ-\angle \mathrm{ACD}=\angle \mathrm{BCD}=x$

이때 $\triangle \mathrm{ABC}$에서 $\overline{\mathrm{BC}}=\sqrt{9^2-(3\sqrt{5})^2}=6$이므로

$\sin x=\frac{\overline{\mathrm{BC}}}{\overline{\mathrm{AB}}}=\frac{6}{9}=\frac{2}{3}$

$\cos x=\frac{\overline{\mathrm{AC}}}{\overline{\mathrm{AB}}}=\frac{3\sqrt{5}}{9}=\frac{\sqrt{5}}{3}$

$\therefore \sin x\times\cos x=\frac{2}{3}\times\frac{\sqrt{5}}{3}=\frac{2\sqrt{5}}{9}$

18 **Action** 한 원에서 길이가 같은 호에 대한 원주각의 크기는 서로 같음을 이용한다.

$\widehat{\mathrm{AC}}=\widehat{\mathrm{BD}}$이므로 $\angle \mathrm{ABC}=\angle \mathrm{DCB}=26^\circ$

따라서 $\triangle \mathrm{PCB}$에서

$\angle \mathrm{APC}=26^\circ+26^\circ=52^\circ$

19 **Action** 반원에 대한 원주각의 크기는 90°임을 알고 한 원에서 길이가 같은 호에 대한 원주각의 크기는 서로 같음을 이용한다.

$\overline{\mathrm{AB}}$가 원 O의 지름이므로 $\angle \mathrm{ADB}=90^\circ$

$\widehat{\mathrm{AD}}=\widehat{\mathrm{DC}}$이므로 $\angle \mathrm{DBA}=\angle \mathrm{DAC}=\angle x$

$\triangle \mathrm{DAB}$에서 $90^\circ+(\angle x+20^\circ)+\angle x=180^\circ$이므로

$2\angle x=70^\circ \qquad \therefore \angle x=35^\circ$

20 Action $\overset{\frown}{AB}$의 길이는 원주의 $\frac{1}{5}$임을 이용한다.

$\overset{\frown}{AB}=\overset{\frown}{BC}=\overset{\frown}{CD}=\overset{\frown}{DE}=\overset{\frown}{EA}$이므로

$\angle BCA=\angle x=\angle y=\frac{1}{5}\times 180^\circ=36^\circ$

$\triangle BCP$에서 $\angle BPC=180^\circ-(36^\circ+36^\circ+36^\circ)=72^\circ$

$\therefore \angle z=\angle BPC=72^\circ$ (맞꼭지각)

$\therefore \angle x+\angle y+\angle z=36^\circ+36^\circ+72^\circ=144^\circ$

Lecture

원주각의 크기와 호의 길이

한 원에서 모든 호에 대한 원주각의 크기의 합은 180°이므로 길이가 원주의 $\frac{1}{k}$인 호에 대한 원주각의 크기는 $\frac{1}{k}\times 180^\circ$이다.

21 Action $\angle ABC : \angle BCD=\overset{\frown}{AC} : \overset{\frown}{BD}=5:3$임을 이용한다.

$\angle ABC : \angle BCD=\overset{\frown}{AC} : \overset{\frown}{BD}=5:3$이므로

$\angle ABC=5\angle x$, $\angle BCD=3\angle x$라고 하면

$\triangle PCB$에서 $5\angle x+3\angle x=120^\circ$

$8\angle x=120^\circ \quad \therefore \angle x=15^\circ$

$\therefore \angle ABC=5\angle x=5\times 15^\circ=75^\circ$

22 Action 먼저 $\overline{AD}$를 그은 후 $\angle ADC$의 크기를 구한다.

오른쪽 그림과 같이 $\overline{AD}$를 그으면

$\overset{\frown}{AC}$의 길이가 원주의 $\frac{1}{9}$이므로

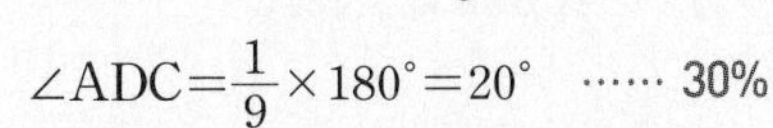

$\angle ADC=\frac{1}{9}\times 180^\circ=20^\circ$ …… 30%

$\angle ADC : \angle DAB=\overset{\frown}{AC} : \overset{\frown}{BD}=1:4$

이므로

$20^\circ : \angle DAB=1:4 \quad \therefore \angle DAB=80^\circ$ …… 40%

따라서 $\triangle APD$에서 $\angle APC=80^\circ+20^\circ=100^\circ$ …… 30%

23 Action 한 원에서 원주각의 크기는 호의 길이에 정비례함을 이용한다.

$\angle BCA : \angle BAC : \angle ABC=\overset{\frown}{AB} : \overset{\frown}{BC} : \overset{\frown}{CA}=3:4:5$

$\therefore \angle BCA=\frac{3}{3+4+5}\times 180^\circ=45^\circ$

$\angle BAC=\frac{4}{3+4+5}\times 180^\circ=60^\circ$

$\angle ABC=\frac{5}{3+4+5}\times 180^\circ=75^\circ$

Lecture

원주각의 크기와 호의 길이

한 원에서 원주각의 크기는 호의 길이에 정비례하므로

$\overset{\frown}{AB} : \overset{\frown}{BC} : \overset{\frown}{CA}=l:m:n$일 때,

$\angle BCA=\frac{l}{l+m+n}\times 180^\circ$

$\angle BAC=\frac{m}{l+m+n}\times 180^\circ$

$\angle ABC=\frac{n}{l+m+n}\times 180^\circ$

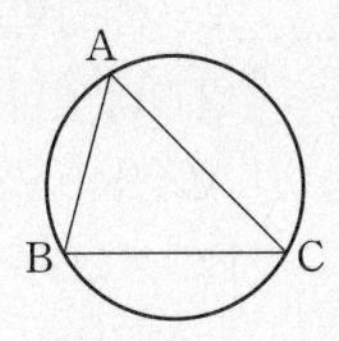

24 Action 이웃한 두 대관람차 사이의 호의 길이는 원주의 $\frac{1}{10}$임을 이용한다.

대관람차의 10개의 칸이 일정한 간격으로 놓여 있으므로 이웃한 두 대관람차 사이의 호의 길이는 원주의 $\frac{1}{10}$이다.

$\angle x$에 대한 호의 길이는 원주의 $\frac{2}{10}$, 즉 $\frac{1}{5}$이므로

$\angle x=\frac{1}{5}\times 180^\circ=36^\circ$

$\angle y$에 대한 호의 길이는 원주의 $\frac{3}{10}$이므로

$\angle y=\frac{3}{10}\times 180^\circ=54^\circ$

최고수준 완성하기

P 56 - P 59

01 66° **02** 45° **03** $(750\pi+225\sqrt{3})\ m^2$
04 (1) 60° (2) $30\sqrt{3}\ cm^2$ **05** 5°
06 (1) $4\sqrt{3}$ (2) $6\sqrt{3}$ **07** 4 cm
08 $\frac{\sqrt{2}+\sqrt{6}}{2}$ cm **09** 5π **10** 21°
11 110° **12** 68°

01 Action 원의 접선은 그 접점을 지나는 원의 반지름에 수직임을 이용한다.

$\angle PAO=\angle PBO=90^\circ$이므로 $\square APBO$에서

$\angle AOB=360^\circ-(90^\circ+48^\circ+90^\circ)=132^\circ$

$\therefore \angle ACB=\frac{1}{2}\angle AOB=\frac{1}{2}\times 132^\circ=66^\circ$

$\square APBC$에서

$(\angle x+90^\circ)+48^\circ+(\angle y+90^\circ)+66^\circ=360^\circ$

$\therefore \angle x+\angle y=66^\circ$

02 Action $\overline{BC}$를 긋고 원에서 한 호에 대한 원주각의 크기는 그 호에 대한 중심각의 크기의 $\frac{1}{2}$임을 이용한다.

오른쪽 그림과 같이 $\overline{BC}$를 그으면

$\angle ABC=\frac{1}{2}\angle AOC$

$=\frac{1}{2}\times 130^\circ=65^\circ$

$\angle BCD=\frac{1}{2}\angle BOD$

$=\frac{1}{2}\times 40^\circ=20^\circ$

$\triangle BCP$에서 $\angle x+20^\circ=65^\circ$

$\therefore \angle x=45^\circ$

03

Action 원에서 한 호에 대한 원주각의 크기는 그 호에 대한 중심각의 크기의 $\frac{1}{2}$임을 이용한다.

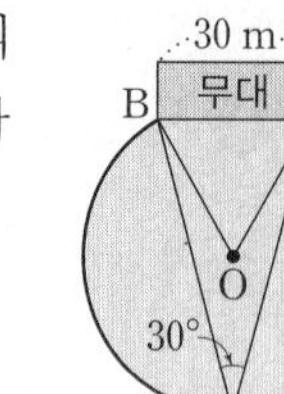

오른쪽 그림과 같이 원 모양의 공연장의 중심을 O, 무대의 양 끝 지점을 B, C라 고 하면

$\angle BOC=2\angle BAC=2\times30^\circ=60^\circ$

$\triangle OCB$에서 $\overline{OB}=\overline{OC}$이므로

$\angle OBC=\angle OCB$

$=\frac{1}{2}\times(180^\circ-60^\circ)=60^\circ$

즉 $\triangle OCB$는 정삼각형이므로 $\overline{OB}=\overline{BC}=30\ (m)$

따라서 무대를 제외한 공연장의 넓이는

$\pi\times30^2\times\frac{300}{360}+\frac{1}{2}\times30\times30\times\sin 60^\circ$

$=750\pi+\frac{1}{2}\times30\times30\times\frac{\sqrt{3}}{2}$

$=750\pi+225\sqrt{3}\ (m^2)$

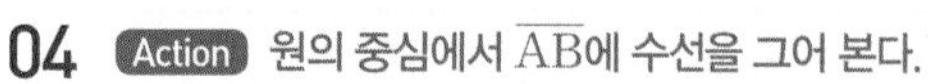

04

Action 원의 중심에서 $\overline{AB}$에 수선을 그어 본다.

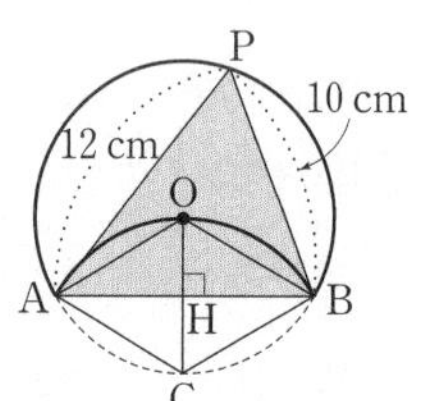

(1) 오른쪽 그림과 같이 점 O에서 $\overline{AB}$에 내린 수선의 발을 H라 하고 $\overline{OH}$의 연장선이 원 O와 만나는 점을 C라고 하자.

$\overline{OA}, \overline{OB}, \overline{AC}, \overline{BC}$를 그으면

$\triangle AOH$와 $\triangle ACH$에서

$\overline{OH}=\overline{CH}$, $\angle AHO=\angle AHC=90^\circ$, $\overline{AH}$는 공통이므로 $\triangle AOH\equiv\triangle ACH$ (SAS 합동)

$\therefore \overline{AO}=\overline{AC}$

마찬가지 방법으로 $\triangle BOH\equiv\triangle BCH$ (SAS 합동)이므로 $\overline{BO}=\overline{BC}$

이때 $\overline{OA}=\overline{OC}=\overline{OB}$이므로 $\triangle OAC$, $\triangle OCB$는 모두 정삼각형이다. …… 40%

따라서 $\angle AOB=60^\circ+60^\circ=120^\circ$이므로

$\angle APB=\frac{1}{2}\angle AOB=\frac{1}{2}\times120^\circ=60^\circ$ …… 20%

(2) $\triangle PAB=\frac{1}{2}\times12\times10\times\sin 60^\circ$

$=\frac{1}{2}\times12\times10\times\frac{\sqrt{3}}{2}$

$=30\sqrt{3}\ (cm^2)$ …… 40%

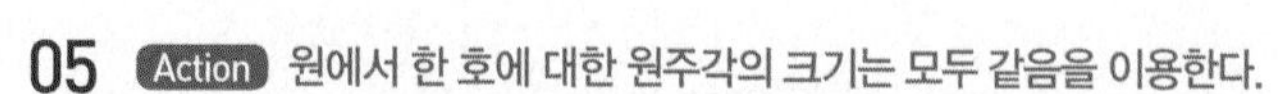

05

Action 원에서 한 호에 대한 원주각의 크기는 모두 같음을 이용한다.

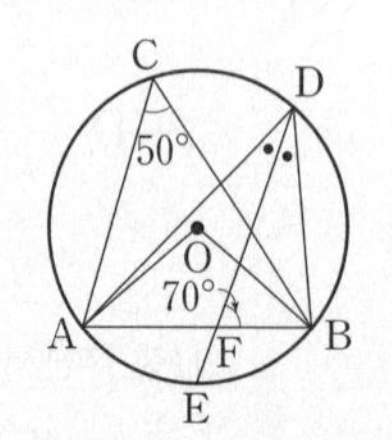

오른쪽 그림과 같이 $\overline{OB}$를 그으면

$\angle AOB=2\angle ACB=2\times50^\circ=100^\circ$

$\triangle OAB$에서 $\overline{OA}=\overline{OB}$이므로

$\angle OAB=\angle OBA$

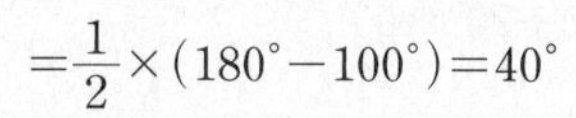

$=\frac{1}{2}\times(180^\circ-100^\circ)=40^\circ$

$\angle ADB=\angle ACB=50^\circ$이므로

$\angle ADE=\frac{1}{2}\angle ADB=\frac{1}{2}\times50^\circ=25^\circ$

$\triangle DAF$에서

$\angle DAF+25^\circ=70^\circ \quad \therefore \angle DAF=45^\circ$

$\therefore \angle DAO=\angle DAF-\angle OAF=45^\circ-40^\circ=5^\circ$

06

Action $\overline{AP}$의 길이를 구한 후 삼각형의 닮음을 이용하여 $\overline{AQ}$의 길이를 구한다.

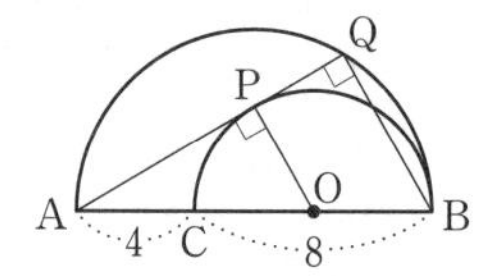

(1) 오른쪽 그림과 같이 작은 반원의 중심을 O라 하고 $\overline{OP}$를 그으면

$\overline{OB}=\overline{OP}=\overline{OC}=\frac{1}{2}\times8=4$

$\overline{AO}=4+4=8$

$\overline{AQ}$는 반원 O의 접선이므로 $\angle APO=90^\circ$

따라서 $\triangle AOP$에서 $\overline{AP}=\sqrt{8^2-4^2}=4\sqrt{3}$

(2) 위 그림과 같이 $\overline{BQ}$를 그으면

$\overline{AB}$는 큰 반원의 지름이므로 $\angle AQB=90^\circ$

$\triangle AOP$와 $\triangle ABQ$에서

$\angle APO=\angle AQB=90^\circ$, $\angle A$는 공통이므로

$\triangle AOP\backsim\triangle ABQ$ (AA 닮음)

따라서 $\overline{AO}:\overline{AB}=\overline{AP}:\overline{AQ}$이므로

$8:(4+8)=4\sqrt{3}:\overline{AQ}$, $8\overline{AQ}=48\sqrt{3}$

$\therefore \overline{AQ}=6\sqrt{3}$

07

Action $\overline{CD}$를 긋고 삼각형의 닮음을 이용한다.

오른쪽 그림과 같이 $\overline{CD}$를 그으면

$\angle ABC=\angle ADC$

$\overline{AD}$는 원 O의 지름이므로

$\angle ACD=90^\circ$

$\triangle ABH$와 $\triangle ADC$에서

$\angle ABH=\angle ADC$, $\angle AHB=\angle ACD=90^\circ$이므로

$\triangle ABH\backsim\triangle ADC$ (AA 닮음)

따라서 $\overline{AB}:\overline{AD}=\overline{AH}:\overline{AC}$이므로

$4:\overline{AD}=3:6$, $3\overline{AD}=24 \quad \therefore \overline{AD}=8\ (cm)$

따라서 원 O의 반지름의 길이는 $\frac{1}{2}\times8=4\ (cm)$

08

Action 원에서 한 호에 대한 원주각의 크기는 모두 같고 반원에 대한 원주각의 크기는 90°임을 이용한다.

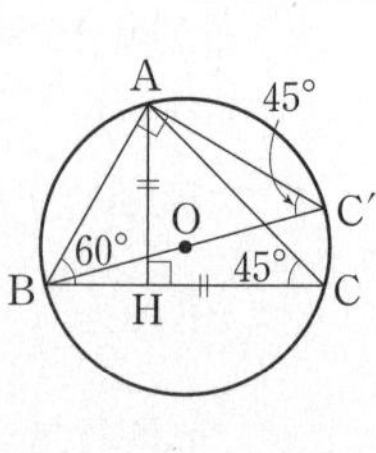

오른쪽 그림과 같이 $\overline{BO}$의 연장선이 원 O와 만나는 점을 C′이라 하고 $\overline{AC'}$을 그으면

$\overline{BC'}=2\overline{BO}=2\times1=2(cm)$

$\angle AC'B=\angle ACB=45^\circ$

$\overline{BC'}$이 원 O의 지름이므로 $\angle BAC'=90^\circ$

$\triangle ABC'$에서

$\overline{AB}=\overline{BC'}\sin 45^\circ=2\times\frac{\sqrt{2}}{2}=\sqrt{2}\,(\text{cm})$

한편, 점 A에서 $\overline{BC}$에 내린 수선의 발을 H라고 하면

$\triangle ABH$에서

$\overline{BH}=\overline{AB}\cos 60^\circ=\sqrt{2}\times\frac{1}{2}=\frac{\sqrt{2}}{2}\,(\text{cm})$

$\overline{AH}=\overline{AB}\sin 60^\circ=\sqrt{2}\times\frac{\sqrt{3}}{2}=\frac{\sqrt{6}}{2}\,(\text{cm})$

$\triangle AHC$에서 $\angle ACH=45^\circ$이므로

$\overline{CH}=\overline{AH}=\frac{\sqrt{6}}{2}\,(\text{cm})$

$\therefore \overline{BC}=\overline{BH}+\overline{CH}=\frac{\sqrt{2}}{2}+\frac{\sqrt{6}}{2}=\frac{\sqrt{2}+\sqrt{6}}{2}\,(\text{cm})$

09 **Action** $\overline{AD}$를 그은 후 $\widehat{AC}$와 $\widehat{BD}$에 대한 원주각의 크기의 합을 구한다.

오른쪽 그림과 같이 $\overline{AD}$를 그으면

$\triangle PAD$에서

$\angle ADC+\angle BAD=45^\circ$

즉 $\widehat{AC}$와 $\widehat{BD}$에 대한 원주각의 크기의 합이 45°이므로 $\widehat{AC}$와 $\widehat{BD}$의 길

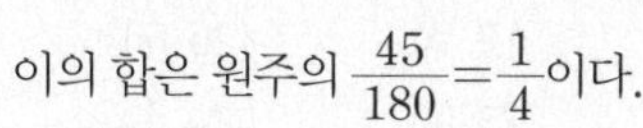

이의 합은 원주의 $\frac{45}{180}=\frac{1}{4}$이다.

이때 원 O의 둘레의 길이는 $2\pi\times10=20\pi$

$\therefore \widehat{AC}+\widehat{BD}=\frac{1}{4}\times20\pi=5\pi$

10 **Action** 한 원에서 길이가 같은 호에 대한 원주각의 크기가 같음을 이용하여 $\widehat{AB}$, $\widehat{BC}$, $\widehat{CD}$에 대한 원주각의 크기를 구한다.

오른쪽 그림과 같이 $\overline{BC}$, $\overline{BD}$를 그으면

$\angle ABD=\angle ACD=\angle x$

$\triangle ACE$에서

$\angle BAC=\angle x+32^\circ$ …… 40%

$\widehat{AB}=\widehat{BC}=\widehat{CD}$이므로

$\angle BCA=\angle CBD=\angle BAC=\angle x+32^\circ$ …… 30%

따라서 $\triangle ABC$에서

$(\angle x+32^\circ)+(\angle x+32^\circ+\angle x)+(\angle x+32^\circ)=180^\circ$

$4\angle x+96^\circ=180^\circ$, $4\angle x=84^\circ$

$\therefore \angle x=21^\circ$ …… 30%

11 **Action** 반원에 대한 원주각의 크기는 90°임을 알고 한 원에서 원주각의 크기와 호의 길이는 정비례함을 이용한다.

오른쪽 그림과 같이 $\overline{AC}$, $\overline{BC}$를 그으면 $\widehat{AD}=\widehat{DE}=\widehat{EB}$이므로

$\angle ACD=\angle DCE=\angle ECB=\angle x$

이때 $\overline{AB}$는 원 O의 지름이므로

$\angle ACB=90^\circ$

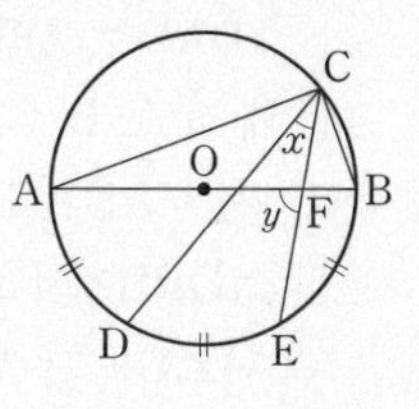

즉 $3\angle x=90^\circ$이므로 $\angle x=30^\circ$

$\triangle ABC$에서 $\angle ABC+\angle CAB=90^\circ$이고

$\angle ABC:\angle CAB=\widehat{AC}:\widehat{CB}=7:2$이므로

$\angle CAB=\frac{2}{7+2}\times90^\circ=20^\circ$

$\overline{AB}$와 $\overline{CE}$의 교점을 F라고 하면 $\triangle CAF$에서

$\angle y=\angle ACF+\angle CAF=60^\circ+20^\circ=80^\circ$

$\therefore \angle x+\angle y=30^\circ+80^\circ=110^\circ$

12 **Action** 한 원에서 길이가 같은 호에 대한 원주각의 크기가 같음을 알고 삼각형의 한 외각의 크기는 그와 이웃하지 않은 두 내각의 크기의 합과 같음을 이용한다.

오른쪽 그림과 같이 $\overline{AM}$, $\overline{AN}$을 긋고 $\angle ANM=\bullet$라고 하면

$\widehat{AM}=\widehat{MB}$이므로

$\angle MAB=\angle ANM=\bullet$

$\angle AMN=\times$라고 하면

$\widehat{AN}=\widehat{NC}$이므로 $\angle NAC=\angle AMN=\times$

$\triangle AMP$에서

$\angle APQ=\angle AMP+\angle MAP=\times+\bullet$

$\triangle AQN$에서

$\angle AQP=\angle NAQ+\angle ANQ=\times+\bullet$

따라서 $\triangle APQ$는 $\overline{AP}=\overline{AQ}$인 이등변삼각형이다.

이때 $\triangle PBQ$에서

$\angle APQ=\angle PBQ+\angle PQB=20^\circ+48^\circ=68^\circ$이므로

$\angle AQP=\angle APQ=68^\circ$

P 60

01 $(4\sqrt{6}-4\sqrt{2}+8\sqrt{3})$ cm **02** 7 **03** 400

01 **Action** 점 A에서 $\overline{BC}$에 내린 수선의 발을 H, $\overline{AH}=x$ cm로 놓고 특수한 각의 삼각비의 값을 이용하여 $\overline{BH}$, $\overline{CH}$의 길이를 각각 x의 식으로 나타낸다.

$\angle BAC=\frac{1}{2}\times(360^\circ-150^\circ)=105^\circ$

$\triangle ABC$에서

$\angle ACB=180^\circ-(45^\circ+105^\circ)=30^\circ$

오른쪽 그림과 같이 점 A에서 $\overline{BC}$에 내린 수선의 발을 H라 하고 $\overline{AH}=x$ cm라고 하면

△ABH에서

$\overline{BH}=\dfrac{x}{\tan 45^\circ}=x$ (cm)

$\overline{AB}=\dfrac{x}{\sin 45^\circ}=x\div\dfrac{\sqrt{2}}{2}=\sqrt{2}x$ (cm)

△AHC에서

$\overline{CH}=\dfrac{x}{\tan 30^\circ}=x\div\dfrac{\sqrt{3}}{3}=\sqrt{3}x$ (cm)

$\overline{AC}=\dfrac{x}{\sin 30^\circ}=x\div\dfrac{1}{2}=2x$ (cm)

이때 $\overline{BC}=\overline{BH}+\overline{CH}$이므로

$8=x+\sqrt{3}x \qquad \therefore x=\dfrac{8}{\sqrt{3}+1}=4(\sqrt{3}-1)$

$\therefore \overline{AB}=\sqrt{2}x=\sqrt{2}\times4(\sqrt{3}-1)=4\sqrt{6}-4\sqrt{2}$ (cm),

$\overline{AC}=2x=2\times4(\sqrt{3}-1)=8\sqrt{3}-8$ (cm)

따라서 △ABC의 둘레의 길이는

$\overline{AB}+\overline{BC}+\overline{CA}=(4\sqrt{6}-4\sqrt{2})+8+(8\sqrt{3}-8)$

$=4\sqrt{6}-4\sqrt{2}+8\sqrt{3}$ (cm)

02 Action $\overline{AC}$, $\overline{BO}$, $\overline{BD}$를 긋고 닮음인 삼각형을 찾는다.

오른쪽 그림과 같이 $\overline{AC}$, $\overline{BO}$, $\overline{BD}$를 그으면 $\overline{CD}$는 반원 O의 지름이므로

$\angle CAD=\angle CBD=90^\circ$

△BCD에서

$\overline{BD}=\sqrt{8^2-2^2}=2\sqrt{15}$

$\overline{AB}=\overline{BC}$이므로 $\widehat{AB}=\widehat{BC}$

$\therefore \angle ADB=\angle ACB=\angle BDC=\angle BAC$

△BOD에서 $\overline{OB}=\overline{OD}$이므로

$\angle OBD=\angle ODB$

△ABC∽△BOD (AA 닮음)이므로

$\overline{AB}:\overline{BO}=\overline{AC}:\overline{BD}$에서

$2:4=\overline{AC}:2\sqrt{15}$, $4\overline{AC}=4\sqrt{15}$

$\therefore \overline{AC}=\sqrt{15}$

따라서 △ACD에서

$\overline{AD}=\sqrt{8^2-(\sqrt{15})^2}=7$

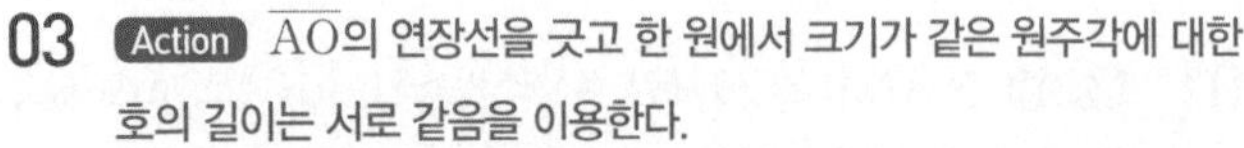

03 Action $\overline{AO}$의 연장선을 긋고 한 원에서 크기가 같은 원주각에 대한 호의 길이는 서로 같음을 이용한다.

오른쪽 그림과 같이 $\overline{AO}$의 연장선이 원 O와 만나는 점을 E라 하고 $\overline{BE}$, $\overline{CE}$를 그으면 $\overline{AE}$는 원 O의 지름이므로

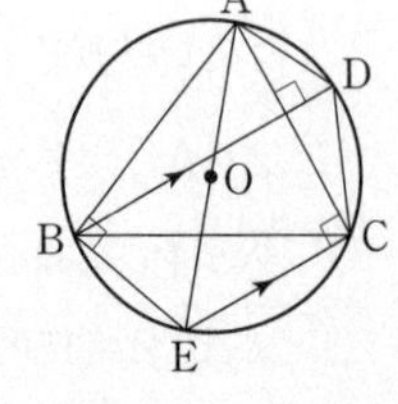

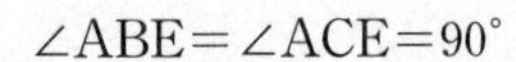

$\angle ABE=\angle ACE=90^\circ$

즉 $\overline{BD}/\!/\overline{EC}$이므로

$\angle BCE=\angle DBC$ (엇각)

이때 $\widehat{BE}$와 $\widehat{CD}$의 원주각의 크기가 같으므로

$\widehat{BE}=\widehat{CD} \qquad \therefore \overline{BE}=\overline{CD}$

$\overline{AE}=2\overline{AO}=2\times10=20$이므로

△ABE에서

$\overline{AB}^2+\overline{BE}^2=\overline{AE}^2=20^2=400$

$\therefore \overline{AB}^2+\overline{CD}^2=\overline{AB}^2+\overline{BE}^2=400$

3. 원주각의 활용

최고수준 **입문하기** P 62-P 66

01 3개	**02** 80°	**03** 36°	**04** 55°
05 217°	**06** 120°	**07** 4°	**08** 166°
09 20°	**10** 65°	**11** 140°	**12** 200°
13 260°	**14** 175°	**15** ㉡, ㉢	**16** 20°
17 ④	**18** 40°	**19** 70°	**20** 60°
21 30°	**22** 27°	**23** 50°	**24** 60°
25 $\dfrac{9\sqrt{3}}{2}$ cm^2	**26** 62°	**27** 17°	**28** 58°
29 ②	**30** 53°		

01 Action 네 점이 한 원 위에 있을 조건을 생각한다.

㉠ $\angle BDC=90^\circ-70^\circ=20^\circ$

즉 $\angle BAC=\angle BDC$이므로 네 점 A, B, C, D는 한 원 위에 있다.

㉡ $\angle BAC\neq\angle BDC$이므로 네 점 A, B, C, D는 한 원 위에 있지 않다.

㉢ $\angle BAC=\angle BDC$이므로 네 점 A, B, C, D는 한 원 위에 있다.

㉣ $\angle BDC=180^\circ-(95^\circ+30^\circ)=55^\circ$

즉 $\angle BAC=\angle BDC$이므로 네 점 A, B, C, D는 한 원 위에 있다.

따라서 네 점 A, B, C, D가 한 원 위에 있는 것은 ㉠, ㉢, ㉣의 3개이다.

02 Action 네 점이 한 원 위에 있으므로 $\angle ADB=\angle ACB$, $\angle DAC=\angle DBC$이다.

네 점 A, B, C, D가 한 원 위에 있으므로

$\angle y=\angle DAC=55^\circ$

△DPB에서 $30^\circ+\angle x=55^\circ \qquad \therefore \angle x=25^\circ$

$\therefore \angle x+\angle y=25^\circ+55^\circ=80^\circ$

03 Action $\angle BEC=\angle BDC=90°$이므로 네 점 B, C, D, E는 한 원 위에 있음을 알고 $\overline{BC}$가 지름임을 이용한다.

$\angle BEC=\angle BDC=90°$이므로 네 점 B, C, D, E는 오른쪽 그림과 같이 한 원 위에 있고, $\overline{BC}$는 원의 지름이다.

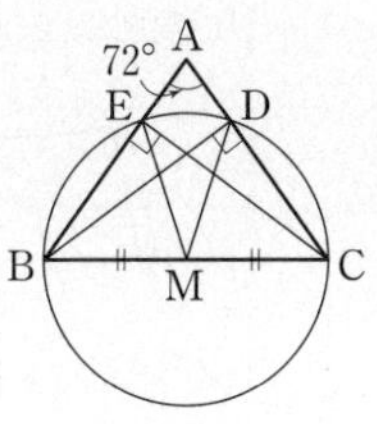

이때 $\overline{BM}=\overline{CM}$이므로 점 M은 원의 중심이다.

$\triangle ABD$에서

$\angle ABD=90°-72°=18°$

$\therefore \angle EMD=2\angle EBD=2\times 18°=36°$

04 Action 원에 내접하는 사각형에서 한 쌍의 대각의 크기의 합은 180°임을 이용한다.

□ABCD가 원에 내접하므로

$\angle BAD+\angle BCD=180°$에서

$\angle BAD+100°=180°$ $\quad\therefore \angle BAD=80°$

따라서 $\triangle ABD$에서

$\angle x=180°-(80°+45°)=55°$

05 Action □EBCD가 원에 내접하므로 $\angle BED+\angle BCD=180°$임을 이용한다.

$\angle ADE=\angle ABE=37°$

$\triangle EFD$에서 $\angle x=85°+37°=122°$ …… 40%

□EBCD가 원에 내접하므로

$\angle BED+\angle BCD=180°$에서

$85°+\angle y=180°$ $\quad\therefore \angle y=95°$ …… 40%

$\therefore \angle x+\angle y=122°+95°=217°$ …… 20%

06 Action 반원에 대한 원주각의 크기는 90°임을 알고 원에 내접하는 사각형의 성질을 이용한다.

$\overline{AC}$가 원 O의 지름이므로 $\angle ABC=90°$

$\therefore \angle EBC=90°-70°=20°$

$\triangle PBC$에서 $20°+\angle BCP=80°$ $\quad\therefore \angle BCP=60°$

따라서 □ABCD가 원 O에 내접하므로

$\angle DAB+\angle BCD=180°$에서

$\angle DAB+60°=180°$ $\quad\therefore \angle DAB=120°$

07 Action 원에 내접하는 사각형에서 한 외각의 크기는 그와 이웃하는 내각에 대한 대각의 크기와 같음을 이용한다.

□ABCD가 원에 내접하므로

$\angle DAB=\angle DCE$에서

$\angle x+36°=80°$ $\quad\therefore \angle x=44°$

$\triangle ABD$에서 $\angle y=180°-(44°+36°+52°)=48°$

$\therefore \angle y-\angle x=48°-44°=4°$

08 Action 원에 내접하는 사각형에서 한 쌍의 대각의 크기의 합은 180°임을 알고, 한 외각의 크기는 그와 이웃하는 내각에 대한 대각의 크기와 같음을 이용한다.

□ABCD가 원 O에 내접하므로

$\angle DAB=\angle DCE$에서

$\angle x+32°=70°$ $\quad\therefore \angle x=38°$

$\overline{AD}$가 원 O의 지름이므로 $\angle ACD=90°$

$\triangle ACD$에서 $\angle ADC=90°-38°=52°$

따라서 $\angle ABC+\angle ADC=180°$에서

$\angle y+52°=180°$ $\quad\therefore \angle y=128°$

$\therefore \angle x+\angle y=38°+128°=166°$

09 Action $\widehat{ABC}$, $\widehat{BCD}$의 길이가 각각 원주의 $\frac{2}{3}$, $\frac{4}{9}$임을 이용하여 $\angle ADC$, $\angle BAD$의 크기를 각각 구한다.

$\widehat{ABC}$의 길이가 원주의 $\frac{2}{3}$이므로

$\angle ADC=180°\times\frac{2}{3}=120°$

□ABCD가 원에 내접하므로 $\angle x=\angle ADC=120°$

$\widehat{BCD}$의 길이가 원주의 $\frac{4}{9}$이므로

$\angle BAD=180°\times\frac{4}{9}=80°$

$\angle BAD+\angle BCD=180°$에서

$80°+\angle y=180°$ $\quad\therefore \angle y=100°$

$\therefore \angle x-\angle y=120°-100°=20°$

10 Action 원에 내접하는 사각형에서 한 외각의 크기는 그와 이웃하는 내각에 대한 대각의 크기와 같음을 이용한다.

□ABCD가 원에 내접하므로

$\angle QDC=\angle ABC=\angle x$

$\triangle PBC$에서 $\angle PCQ=\angle x+20°$

따라서 $\triangle DCQ$에서

$\angle x+(\angle x+20°)+30°=180°$이므로

$2\angle x=130°$ $\quad\therefore \angle x=65°$

11 Action $\overline{CF}$를 긋고, 원에 내접하는 사각형에서 한 쌍의 대각의 크기의 합은 180°임을 이용한다.

오른쪽 그림과 같이 $\overline{CF}$를 그으면

□ABCF가 원에 내접하므로

$\angle ABC+\angle CFA=180°$에서

$100°+\angle CFA=180°$

$\therefore \angle CFA=80°$

또 □CDEF가 원에 내접하므로

$\angle CDE+\angle CFE=180°$에서

$120°+\angle CFE=180°$ $\quad\therefore \angle CFE=60°$

$\therefore \angle AFE=\angle CFA+\angle CFE$

$=80°+60°=140°$

12 **Action** $\overline{CE}$를 긋고 $\angle CED$의 크기를 구한 후, 원에 내접하는 사각형에서 한 쌍의 대각의 크기의 합은 $180°$임을 이용한다.

오른쪽 그림과 같이 $\overline{CE}$를 그으면

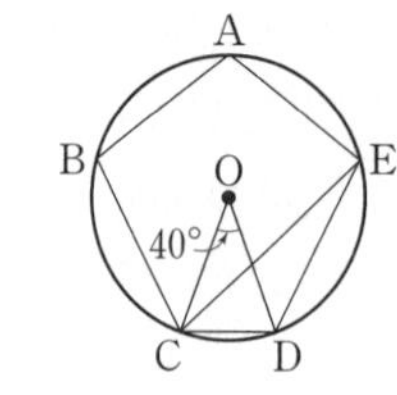

$\angle CED = \frac{1}{2}\angle COD$

$= \frac{1}{2} \times 40° = 20°$ …… 30%

□ABCE가 원 O에 내접하므로

$\angle ABC + \angle AEC = 180°$ …… 30%

$\therefore \angle ABC + \angle AED = \angle ABC + (\angle AEC + \angle CED)$

$= (\angle ABC + \angle AEC) + \angle CED$

$= 180° + 20° = 200°$ …… 40%

13 **Action** □PQCD가 원 O′에 내접함을 이용하여 $\angle y$의 크기를 구하고, □ABQP가 원 O에 내접함을 이용하여 $\angle x$의 크기를 구한다.

□PQCD가 원 O′에 내접하므로

$\angle y = \angle CDP = 100°$

□ABQP가 원 O에 내접하므로

$\angle BAP + \angle BQP = 180°$에서

$\angle BAP + 100° = 180°$ $\therefore \angle BAP = 80°$

$\therefore \angle x = 2\angle BAP = 2 \times 80° = 160°$

$\therefore \angle x + \angle y = 160° + 100° = 260°$

14 **Action** 원에 내접하는 사각형의 성질을 이용하여 $\angle x$, $\angle y$의 크기를 각각 구한다.

□ABQP가 원 O_1에 내접하므로

$\angle PQS = \angle PAB = 97°$, $\angle RPQ = \angle ABQ = 102°$

□PQSR가 원 O_2에 내접하므로

$\angle RSC = \angle RPQ = 102°$, $\angle DRS = \angle PQS = 97°$

□RSCD가 원 O_3에 내접하므로

$\angle RSC + \angle CDR = 180°$에서

$102° + \angle x = 180°$ $\therefore \angle x = 78°$

$\angle y = \angle DRS = 97°$

$\therefore \angle x + \angle y = 78° + 97° = 175°$

15 **Action** 사각형이 원에 내접하기 위한 조건을 생각한다.

㉠ $\angle BAC \neq \angle BDC$이므로 □ABCD는 원에 내접하지 않는다.

㉡ $\angle BDC = 180° - (105° + 35°) = 40°$

즉 $\angle BAC = \angle BDC$이므로 □ABCD는 원에 내접한다.

㉢ $\angle DAB = \angle DCE$이므로 □ABCD는 원에 내접한다.

㉣ $\angle ABC = 180° - 85° = 95°$,

$\angle ADC = 180° - 85° = 95°$

즉 $\angle ABC + \angle ADC \neq 180°$이므로 □ABCD는 원에 내접하지 않는다.

따라서 □ABCD가 원에 내접하는 것은 ㉡, ㉢이다.

Lecture

사각형이 원에 내접하기 위한 조건

다음의 각 경우에 □ABCD는 원에 내접한다.

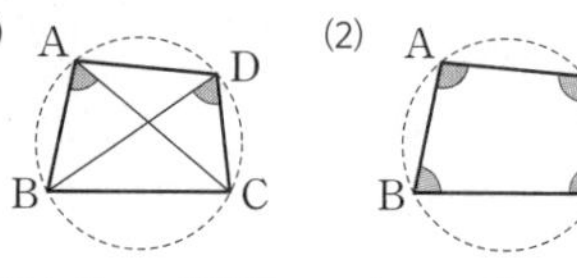

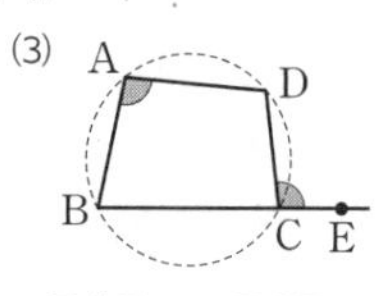

(1) $\angle BAC = \angle BDC$

(2) $\angle A + \angle C = 180°$, $\angle B + \angle D = 180°$

(3) $\angle BAD = \angle DCE$

16 **Action** 한 쌍의 대각의 크기의 합이 $180°$인 사각형은 원에 내접함을 이용한다.

□ABCD가 원에 내접하려면 한 쌍의 대각의 크기의 합이 $180°$이어야 하므로 $\angle ABC + \angle ADC = 180°$에서

$\angle ABC + 115° = 180°$ $\therefore \angle ABC = 65°$

△ABF에서 $\angle EAF = 65° + 30° = 95°$

△EAD에서 $\angle x + 95° = 115°$ $\therefore \angle x = 20°$

17 **Action** 각 사각형이 원에 내접하기 위한 조건을 만족하는지 확인한다.

㉡ 등변사다리꼴의 아랫변의 양 끝 각의 크기가 서로 같고 윗변의 양 끝 각의 크기가 서로 같으므로 대각의 크기의 합이 $180°$이다.

즉 등변사다리꼴은 항상 원에 내접한다.

㉣ 직사각형의 네 내각의 크기는 모두 $90°$이므로 대각의 크기의 합이 $180°$이다.

즉 직사각형은 항상 원에 내접한다.

㉤ 정사각형의 네 내각의 크기는 모두 $90°$이므로 대각의 크기의 합이 $180°$이다.

즉 정사각형은 항상 원에 내접한다.

따라서 항상 원에 내접하는 사각형은 ㉡, ㉣, ㉥이다.

18 **Action** 접선과 현이 이루는 각의 성질을 이용한다.

$\angle x = \angle CBT = 65°$

$\angle BOC = 2\angle x = 2 \times 65° = 130°$

△OBC에서 $\overline{OB} = \overline{OC}$이므로

$\angle y = \frac{1}{2} \times (180° - 130°) = 25°$

$\therefore \angle x - \angle y = 65° - 25° = 40°$

19 **Action** $\widehat{AB} : \widehat{BC} : \widehat{CA} = 5 : 7 : 6$임을 이용하여 $\angle CAB$와 $\angle CBT$의 크기를 구한다.

원주각의 크기는 호의 길이에 정비례하므로

$\angle BCA : \angle CAB : \angle ABC = \widehat{AB} : \widehat{BC} : \widehat{CA}$

$= 5 : 7 : 6$

$\therefore \angle CBT = \angle CAB = \frac{7}{5+7+6} \times 180° = 70°$

20 Action △BAT가 이등변삼각형임을 이용하여 ∠BCA의 크기를 먼저 구한다.

$\triangle$BAT는 $\overline{BA}=\overline{BT}$인 이등변삼각형이므로

$\angle BAT=\angle BTA=40^\circ$ …… 30%

$\therefore \angle BCA=\angle BAT=40^\circ$ …… 30%

따라서 $\triangle$CAT에서

$40^\circ+(\angle CAB+40^\circ)+40^\circ=180^\circ$이므로

$\angle CAB=60^\circ$ …… 40%

21 Action 사각형이 원에 내접함을 이용하여 $\angle y$의 크기를 구한 후 접선과 현이 이루는 각의 성질을 이용하여 $\angle x$의 크기를 구한다.

$\triangle$ABD에서

$\angle BAD=180^\circ-(42^\circ+38^\circ)=100^\circ$

□ABCD가 원에 내접하므로

$\angle BAD+\angle BCD=180^\circ$에서

$100^\circ+\angle y=180^\circ \quad \therefore \angle y=80^\circ$

$\angle DBC=\angle DCT=50^\circ$이므로

$\triangle$BCD에서

$\angle x=180^\circ-(50^\circ+80^\circ)=50^\circ$

$\therefore \angle y-\angle x=80^\circ-50^\circ=30^\circ$

22 Action 한 원에서 현의 길이가 같으면 호의 길이가 같음을 이용한다.

오른쪽 그림과 같이 $\overline{AC}$를 그으면

$\overline{BC}=\overline{CD}$이므로

$\angle CAD=\angle BAC$

$=\frac{1}{2}\times 54^\circ=27^\circ$

$\therefore \angle x=\angle CAD=27^\circ$

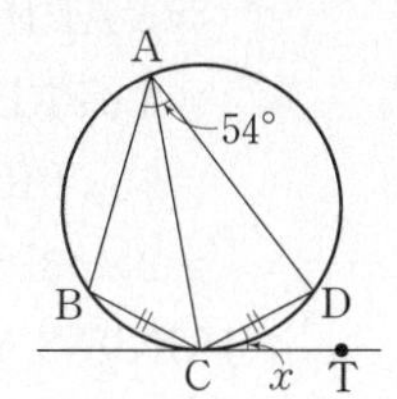

23 Action $\overline{AT}$를 그은 후 접선과 현이 이루는 각의 성질을 이용한다.

오른쪽 그림과 같이 $\overline{AT}$를 그으면 $\overline{AB}$가 원 O의 지름이므로

$\angle ATB=90^\circ$

$\therefore \angle ATP=180^\circ-(90^\circ+70^\circ)$

$=20^\circ$ …… 50%

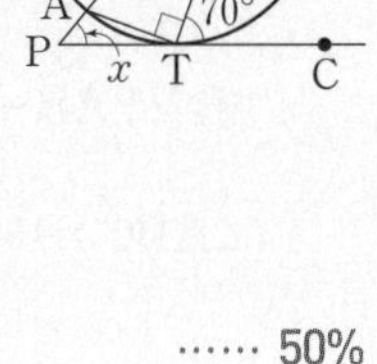

$\angle BAT=\angle BTC=70^\circ$이므로

$\triangle$APT에서

$\angle x+20^\circ=70^\circ \quad \therefore \angle x=50^\circ$ …… 50%

24 Action $\overline{BC}$를 그은 후 접선과 현이 이루는 각의 성질을 이용한다.

오른쪽 그림과 같이 $\overline{BC}$를 그으면 $\overline{AB}$가 원 O의 지름이므로

$\angle ACB=90^\circ$

$\angle ABC=\angle ACT=\angle x$이므로

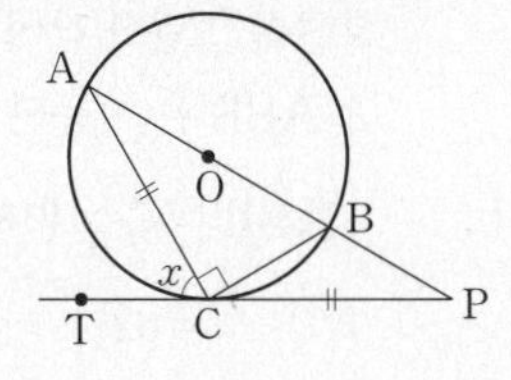

$\triangle$ACB에서

$\angle BAC=90^\circ-\angle x$

$\triangle$ACP에서 $\overline{AC}=\overline{PC}$이므로

$\angle CPB=\angle BAC=90^\circ-\angle x$

따라서 $\angle x=(90^\circ-\angle x)+(90^\circ-\angle x)$이므로

$3\angle x=180^\circ \quad \therefore \angle x=60^\circ$

25 Action 반원에 대한 원주각의 크기는 90°임을 알고 특수한 각의 삼각비의 값을 이용하여 변의 길이를 구한다.

$\overline{AB}$가 원 O의 지름이므로 $\angle ATB=90^\circ$ …… 10%

$\angle BAT=\angle BTP=30^\circ$이므로 …… 30%

$\triangle$ATB에서

$\overline{AT}=\overline{AB}\cos 30^\circ=6\times\frac{\sqrt{3}}{2}=3\sqrt{3}\ (\mathrm{cm})$

$\overline{BT}=\overline{AB}\sin 30^\circ=6\times\frac{1}{2}=3\ (\mathrm{cm})$ …… 30%

$\therefore \triangle ATB=\frac{1}{2}\times 3\sqrt{3}\times 3=\frac{9\sqrt{3}}{2}\ (\mathrm{cm}^2)$ …… 30%

26 Action △DBE가 이등변삼각형임을 이용한다.

$\triangle$DBE에서 $\overline{BD}=\overline{BE}$이므로

$\angle BED=\frac{1}{2}\times(180^\circ-68^\circ)=56^\circ$

$\overline{BC}$는 원 O의 접선이므로

$\angle DFE=\angle DEB=56^\circ$

따라서 $\triangle$DEF에서

$\angle x=180^\circ-(62^\circ+56^\circ)=62^\circ$

> **Lecture**
>
> **접선과 현이 이루는 각의 활용**
>
> 오른쪽 그림과 같이 $\overrightarrow{PA}, \overrightarrow{PB}$가 원의 접선이고 두 점 A, B가 접점일 때,
>
> $\overline{PA}=\overline{PB}$이고
>
> $\angle PAB=\angle PBA=\angle ACB$

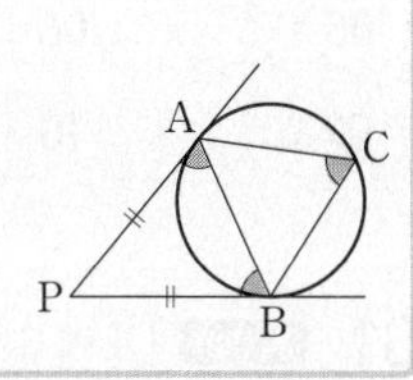

27 Action $\overline{PA}, \overline{PC}$는 접선이므로 $\overline{PA}=\overline{PB}$이고, $\widehat{AD}$에 대하여 $\angle DAP=\angle DEA$임을 이용한다.

$\triangle$ABC에서 $\angle PBA=22^\circ+25^\circ=47^\circ$

$\triangle$APB에서 $\overline{PA}=\overline{PB}$이므로

$\angle PAB=\angle PBA=47^\circ$

$\therefore \angle x=180^\circ-(47^\circ+47^\circ)=86^\circ$

이때 $\overline{PA}$는 원의 접선이므로

$\angle y=\angle DAP=22^\circ+47^\circ=69^\circ$

$\therefore \angle x-\angle y=86^\circ-69^\circ=17^\circ$

28 Action 접선과 현이 이루는 각의 성질을 이용한다.

$\angle BTQ=\angle BAT=70^\circ,\ \angle CTQ=\angle CDT=52^\circ$

$\therefore \angle x=180^\circ-(70^\circ+52^\circ)=58^\circ$

29 Action 서로 다른 두 직선이 한 직선과 만날 때, 동위각 또는 엇각의 크기가 서로 같으면 두 직선은 평행함을 이용한다.

① 오른쪽 그림에서
$\angle PAB = \angle PQC = \angle EDC$
즉 동위각의 크기가 같으므로
$\overline{AB} /\!/ \overline{CD}$

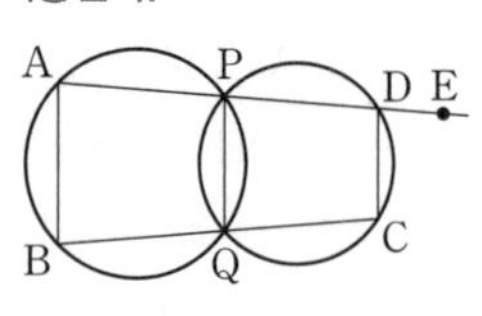

③ $\angle TAB = \angle BTQ = \angle TCD$
즉 동위각의 크기가 같으므로 $\overline{AB} /\!/ \overline{CD}$

④ $\angle BAT = \angle BTQ = \angle DTP = \angle DCT$
즉 엇각의 크기가 같으므로 $\overline{AB} /\!/ \overline{CD}$

⑤ $\angle BAP = \angle PQC = \angle PDC$
즉 엇각의 크기가 같으므로 $\overline{AB} /\!/ \overline{CD}$

따라서 $\overline{AB} /\!/ \overline{CD}$가 아닌 것은 ②이다.

30 Action 접선과 현이 이루는 각의 성질을 이용한다.

$\angle TBD = \angle CTQ = \angle CAT = 52^\circ$이므로
$\triangle BDT$에서
$52^\circ + \angle x = 105^\circ \qquad \therefore \angle x = 53^\circ$

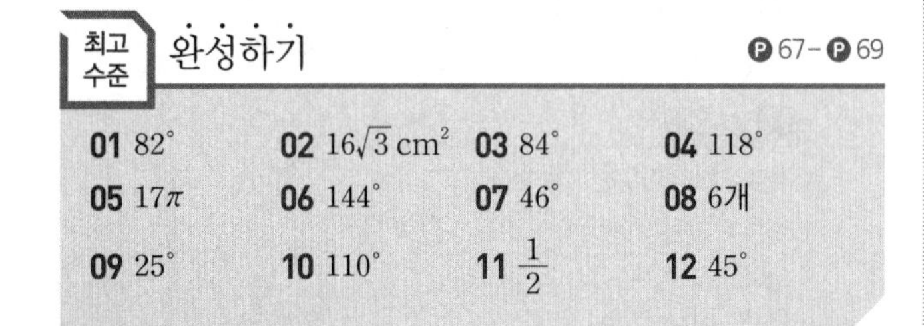

최고 수준 완성하기

P 67 - P 69

01 82°	**02** $16\sqrt{3}\ cm^2$	**03** 84°	**04** 118°
05 17π	**06** 144°	**07** 46°	**08** 6개
09 25°	**10** 110°	**11** $\frac{1}{2}$	**12** 45°

01 Action $\overline{OP}$에 대하여 $\angle OCP = \angle ODP$이므로 네 점 C, O, P, D는 한 원 위에 있음을 이용한다.

오른쪽 그림과 같이
$\angle OCP = \angle ODP = 13^\circ$이므로
네 점 C, O, P, D는 한 원 위에 있다.

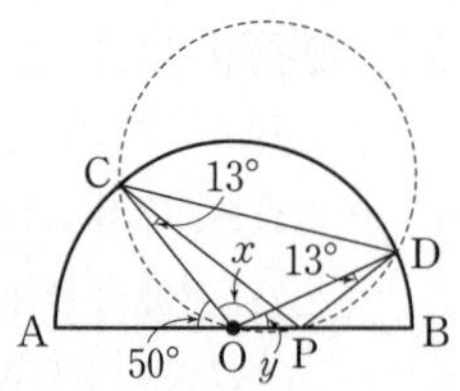

$\triangle COP$에서
$13^\circ + \angle CPO = 50^\circ \qquad \therefore \angle CPO = 37^\circ$
$\overline{CD}$를 그으면 $\angle CDO = \angle CPO = 37^\circ$
이때 $\triangle COD$에서 $\overline{OC} = \overline{OD}$이므로
$\angle DCO = \angle CDO = 37^\circ$
$\therefore \angle x = 180^\circ - (37^\circ + 37^\circ) = 106^\circ$
이때 $\angle DCP = \angle DCO - \angle PCO = 37^\circ - 13^\circ = 24^\circ$이므로
$\angle y = \angle DOP = \angle DCP = 24^\circ$
$\therefore \angle x - \angle y = 106^\circ - 24^\circ = 82^\circ$

02 Action 원에 내접하는 사각형에서 한 쌍의 대각의 크기의 합은 180°임을 알고, 한 원에서 호의 길이가 같으면 원주각의 크기가 같음을 이용한다.

$\square ABCD$가 원에 내접하므로
$\angle BAD + \angle BCD = 180^\circ$에서
$\angle BAD + 120^\circ = 180^\circ \qquad \therefore \angle BAD = 60^\circ$
또, $\widehat{AB} = \widehat{AD}$이므로 $\angle ADB = \angle ABD$
즉 $\triangle ABD$에서
$\angle ABD = \angle ADB = \frac{1}{2} \times (180^\circ - 60^\circ) = 60^\circ$
따라서 $\triangle ABD$는 정삼각형이므로
$\overline{AB} = \overline{AD} = \overline{BD} = 8\ (cm)$
$\therefore \triangle ABD = \frac{1}{2} \times 8 \times 8 \times \sin 60^\circ$
$= \frac{1}{2} \times 8 \times 8 \times \frac{\sqrt{3}}{2}$
$= 16\sqrt{3}\ (cm^2)$

03 Action $\overline{RA}, \overline{RB}, \overline{RC}$를 긋고 $\square ABCR$가 원에 내접함을 이용한다.

오른쪽 그림과 같이 $\overline{RA}, \overline{RB}, \overline{RC}$를 그으면
$\widehat{AP} = \widehat{PB}$, $\widehat{BQ} = \widehat{QC}$이므로
$\angle ARP = \angle PRB$, $\angle BRQ = \angle QRC$

$\therefore \angle ARC$
$= \angle ARP + \angle PRB + \angle BRQ + \angle QRC$
$= 2\angle PRB + 2\angle BRQ$
$= 2(\angle PRB + \angle BRQ) = 2\angle PRQ$
$= 2 \times 48^\circ = 96^\circ$
$\square ABCR$가 원에 내접하므로
$\angle ABC + \angle ARC = 180^\circ$에서
$\angle ABC + 96^\circ = 180^\circ \qquad \therefore \angle ABC = 84^\circ$

다른 풀이

$\angle PRQ = 48^\circ$이므로 $\widehat{PQ}$의 길이는 원주의 $\frac{48}{180} = \frac{4}{15}$이다.
$\widehat{AB} + \widehat{BC} = 2\widehat{PB} + 2\widehat{BQ} = 2(\widehat{PB} + \widehat{BQ}) = 2\widehat{PQ}$이므로
$\widehat{AB} + \widehat{BC}$의 길이는 원주의 $2 \times \frac{4}{15} = \frac{8}{15}$이다.
따라서 $\widehat{AR} + \widehat{RC}$의 길이는 원주의 $1 - \frac{8}{15} = \frac{7}{15}$이므로
$\angle ABC = 180^\circ \times \frac{7}{15} = 84^\circ$

04 Action 네 점 A, B, B′, C′이 한 원 위에 있으므로 $\square ABB'C'$은 원에 내접함을 이용한다.

$\triangle ABC \equiv \triangle AB'C'$이므로 $\overline{AB} = \overline{AB'}$
오른쪽 그림과 같이 $\overline{BB'}$을 그으면
$\triangle ABB'$은 이등변삼각형이므로
$\angle ABB' = \frac{1}{2} \times (180^\circ - 56^\circ)$
$= 62^\circ$

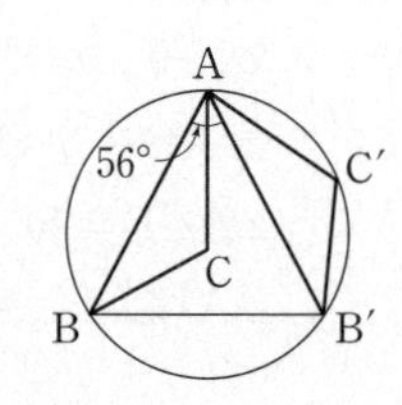

이때 네 점 A, B, B′, C′이 한 원 위에 있으므로 □ABB′C′은 원에 내접한다.

$\angle ABB' + \angle AC'B' = 180^\circ$에서

$62^\circ + \angle AC'B' = 180^\circ$ $\quad \therefore \angle AC'B' = 118^\circ$

$\therefore \angle ACB = \angle AC'B' = 118^\circ$

05 **Action** 원에 내접하는 사각형에서 한 외각의 크기는 그와 이웃하는 내각에 대한 대각의 크기와 같음을 이용하여 ∠BAD의 크기를 구한 후 △OAB가 어떤 삼각형인지 알아본다.

□ABCD가 원 O에 내접하므로

$\angle BAD = \angle DCP = 85^\circ$

$\therefore \angle BOD = 2\angle BAD = 2 \times 85^\circ = 170^\circ$

이때 $\angle AOB = 360^\circ - (170^\circ + 130^\circ) = 60^\circ$이고 $\overline{OA} = \overline{OB}$이므로 △OAB는 정삼각형이다.

$\therefore \overline{OA} = \overline{OB} = \overline{OD} = \overline{AB} = 6$

따라서 색칠한 부분의 넓이는

$\pi \times 6^2 \times \frac{170}{360} = 17\pi$

06 **Action** $\overline{BD}$를 긋고 □ABCD와 □ABDE가 원에 내접함을 이용한다.

□ABCD가 원에 내접하므로

$\angle BAD + \angle BCD = 180^\circ$에서

$\angle BAD + 72^\circ = 180^\circ$ $\quad \therefore \angle BAD = 108^\circ$

오른쪽 그림과 같이 $\overline{BD}$를 그으면

△ABD에서 $\overline{AB} = \overline{AD}$이므로

$\angle ABD = \frac{1}{2} \times (180^\circ - 108^\circ) = 36^\circ$

□ABDE가 원에 내접하므로

$\angle ABD + \angle AED = 180^\circ$에서

$36^\circ + \angle AED = 180^\circ$ $\quad \therefore \angle AED = 144^\circ$

다른 풀이

오른쪽 그림과 같이 $\overline{AC}$를 그으면

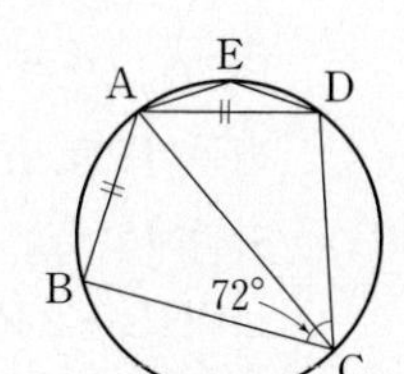

$\overline{AB} = \overline{AD}$이므로

$\angle ACB = \angle ACD$

$= \frac{1}{2} \times 72^\circ = 36^\circ$

□ACDE가 원에 내접하므로

$\angle ACD + \angle AED = 180^\circ$에서

$36^\circ + \angle AED = 180^\circ$ $\quad \therefore \angle AED = 144^\circ$

07 **Action** □BCDE가 원 O에 내접함을 이용하여 ∠BED의 크기를 구한 후, 삼각형의 한 외각의 크기는 그와 이웃하지 않는 두 내각의 크기의 합과 같음을 이용하여 ∠x의 크기를 구한다.

□BCDE가 원 O에 내접하므로

$\angle BCD + \angle BED = 180^\circ$에서

$112^\circ + \angle BED = 180^\circ$ $\quad \therefore \angle BED = 68^\circ$

$\overline{BE}$가 원 O의 지름이므로 $\angle BDE = 90^\circ$

△BDE에서 $\angle EBD = 180^\circ - (68^\circ + 90^\circ) = 22^\circ$

$\therefore \angle FBE = \angle EBD = 22^\circ$

따라서 △FBE에서

$\angle x + 22^\circ = 68^\circ$ $\quad \therefore \angle x = 46^\circ$

08 **Action** 네 점이 한 원 위에 있을 조건과 사각형이 원에 내접하기 위한 조건을 이용한다.

$\overline{BC}$에 대하여 $\angle BFC = \angle BEC = 90^\circ$이므로 □FBCE는 원에 내접한다.

마찬가지 방법으로 □ABDE, □AFDC도 원에 내접한다.

또, $\angle AFG + \angle AEG = 180^\circ$이므로 □AFGE는 원에 내접한다.

마찬가지 방법으로 □FBDG, □GDCE도 원에 내접한다.

따라서 원에 내접하는 사각형은 모두 6개이다.

09 **Action** $\widehat{BC} = \widehat{CT}$임을 이용하여 ∠CBT의 크기를 구하고 접선과 현이 이루는 각의 성질을 이용하여 ∠x의 크기를 구한다.

$\widehat{BC} = \widehat{CT}$이므로

$\angle CBT = \angle BTC = 28^\circ$ …… 20%

△BTC에서

$\angle BCT = 180^\circ - (28^\circ + 28^\circ) = 124^\circ$ …… 30%

오른쪽 그림과 같이 $\overline{AT}$를 그으면

□ATCB가 원에 내접하므로

$\angle TAP = \angle BCT = 124^\circ$

$\overline{PT}$가 원의 접선이므로

$\angle ATP = \angle ABT$

$= \angle x$ …… 20%

따라서 △APT에서

$31^\circ + \angle x + 124^\circ = 180^\circ$ $\quad \therefore \angle x = 25^\circ$ …… 30%

10 **Action** $\overline{AT}$를 긋고 ∠ABT=∠ATP임을 이용하여 ∠ATP의 크기를 먼저 구한 후, 원에 내접하는 사각형의 성질을 이용하여 ∠x의 크기를 구한다.

오른쪽 그림과 같이 $\overline{AT}$를 긋고 $\angle ATP = \angle y$라고 하면 $\overline{PT}$가 원의 접선이므로

$\angle ABT = \angle ATP = \angle y$

△APT에서

$\angle BAT = \angle y + 30^\circ$

△BAT에서 $\overline{AB} = \overline{BT}$이므로

$\angle BTA = \angle BAT = \angle y + 30^\circ$

즉 $\angle y + (\angle y + 30^\circ) + (\angle y + 30^\circ) = 180^\circ$에서

$3\angle y = 120^\circ$ $\quad \therefore \angle y = 40^\circ$

$\therefore \angle BAT = \angle y + 30^\circ = 40^\circ + 30^\circ = 70^\circ$

이때 □ATCB가 원에 내접하므로

$\angle BAT+\angle BCT=180^\circ$에서

$70^\circ+\angle x=180^\circ \qquad \therefore \angle x=110^\circ$

11 **Action** $\overline{AM}$을 긋고 $\angle BAM=\angle ACM$임을 이용한다.

오른쪽 그림과 같이 $\overline{AM}$을 긋고

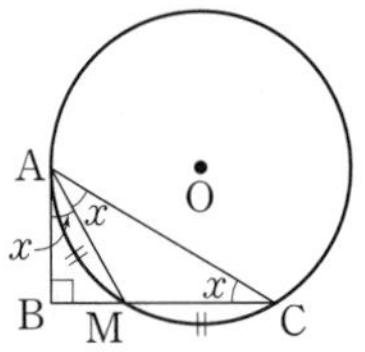

$\angle ACB=\angle x$라고 하면

$\widehat{AM}=\widehat{MC}$이므로

$\angle CAM=\angle ACM=\angle x$

$\overline{AB}$가 원 O의 접선이므로

$\angle BAM=\angle ACM=\angle x$

△ABC에서 $(\angle x+\angle x)+90^\circ+\angle x=180^\circ$

$3\angle x=90^\circ \qquad \therefore \angle x=30^\circ$

$\therefore \sin C=\sin 30^\circ=\frac{1}{2}$

12 **Action** $\overline{AT}$와 작은 원의 교점을 D로 놓고 접선과 현이 이루는 각의 성질을 이용한다.

$\angle ATP=\angle TBA=55^\circ$

오른쪽 그림과 같이 $\overline{AT}$와 작은 원의 교점을 D라 하고 $\overline{CD}$를 그으면

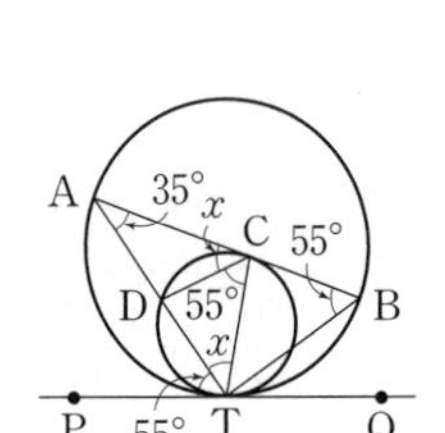

$\angle DCT=\angle DTP=55^\circ$

$\overline{AB}$가 작은 원의 접선이므로

$\angle ACD=\angle CTD=\angle x$

△ATC에서 $35^\circ+\angle x+(\angle x+55^\circ)=180^\circ$

$2\angle x=90^\circ \qquad \therefore \angle x=45^\circ$

최고수준 뛰어넘기

P 70

01 $8\sqrt{3}-12$ **02** 62° **03** 72 cm^2

01 **Action** $\widehat{AE}$의 길이가 원주의 $\frac{1}{12}$임을 이용하여 $\angle ACE$의 크기를 구한 후 □ABCE가 원에 내접하는 사각형임을 이용하여 $\angle BAE$의 크기를 구한다.

오른쪽 그림과 같이 $\overline{AD}$, $\overline{AE}$, $\overline{CE}$를 그으면 $\widehat{AE}$, $\widehat{BD}$의 길이가 각각 원주의 $\frac{1}{12}$이므로

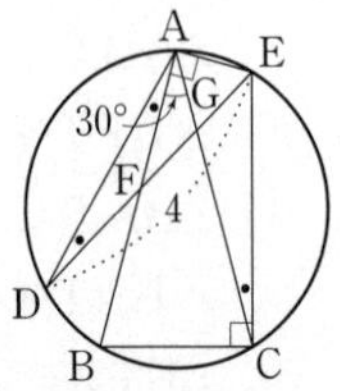

$\angle ADE=\angle DAB$

$=180^\circ\times\frac{1}{12}=15^\circ$

즉 △ADF는 $\overline{AF}=\overline{DF}$인 이등변삼각형이고

$\angle AFE=15^\circ+15^\circ=30^\circ$

이때 △ABC에서 $\overline{AB}=\overline{AC}$이므로

$\angle ABC=\angle ACB=\frac{1}{2}\times(180^\circ-30^\circ)=75^\circ$

또, $\angle ACE=\angle ADE=15^\circ$이므로

$\angle BCE=\angle BCA+\angle ACE=75^\circ+15^\circ=90^\circ$

□ABCE는 원에 내접하므로

$\angle BAE+\angle BCE=180^\circ$에서

$\angle BAE+90^\circ=180^\circ \qquad \therefore \angle BAE=90^\circ$

한편, $\overline{DF}=x$라고 하면

$\overline{AF}=\overline{DF}=x$, $\overline{EF}=4-x$

△AFE에서 $\angle FAE=90^\circ$이므로 $\overline{AF}=\overline{EF}\cos 30^\circ$

$x=(4-x)\times\frac{\sqrt{3}}{2}$, $2x=\sqrt{3}(4-x)$

$(2+\sqrt{3})x=4\sqrt{3}$

$\therefore x=\frac{4\sqrt{3}}{2+\sqrt{3}}=8\sqrt{3}-12$

$\therefore \overline{DF}=8\sqrt{3}-12$

02 **Action** 반원에 대한 원주각의 크기는 90°임을 알고 원에 내접하는 사각형을 찾는다.

오른쪽 [그림 1]과 같이 작은 반원의 중심을 O라 하고 $\overline{OP}$를 그으면

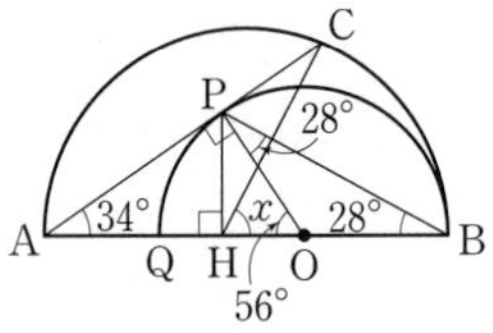

[그림 1]

$\angle APO=90^\circ$

△AOP에서

$\angle AOP=90^\circ-34^\circ=56^\circ$

$\overline{PB}$를 그으면

$\angle PBQ=\frac{1}{2}\angle POQ$

$=\frac{1}{2}\times 56^\circ=28^\circ$

△OBP에서 $\overline{OB}=\overline{OP}$이므로 $\angle OPB=\angle OBP=28^\circ$

한편, 오른쪽 [그림 2]와 같이 $\overline{BC}$를 그으면 $\overline{AB}$가 큰 반원의 지름이므로 $\angle ACB=90^\circ$

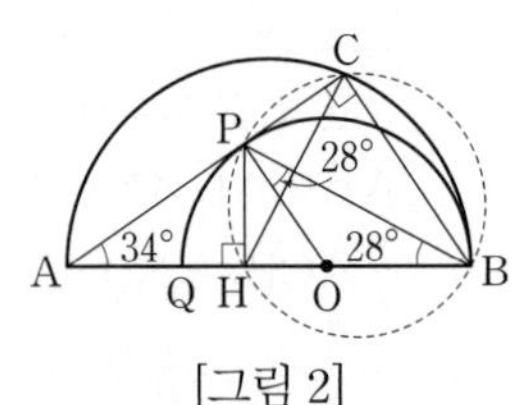

[그림 2]

따라서

$\angle PHB+\angle PCB=180^\circ$

이므로 □PHBC는 원에 내접한다.

$\therefore \angle x=\angle CPB$

$=180^\circ-(28^\circ+90^\circ)$

$=62^\circ$

03 **Action** △TAB는 $\overline{TA}=\overline{TB}$인 이등변삼각형임을 알고, 두 원에서 접선과 현이 이루는 각의 성질을 이용하여 $\overline{AB}/\!/\overline{DC}$임을 확인한다.

△TCD는 이등변삼각형이므로 $\angle TCD=\angle TDC$

$\angle TAB=\angle BTQ=\angle PTD=\angle TCD$

$\angle TBA=\angle ATP=\angle QTC=\angle TDC$

따라서 $\angle TAB=\angle TCD=\angle TDC=\angle TBA$이므로

$\triangle TAB$는 $\overline{TA}=\overline{TB}$인 이등변삼각형이고,

$\angle TAB=\angle TCD$ (엇각)이므로 $\overline{AB}\,/\!/\,\overline{DC}$이다.

오른쪽 그림과 같이 점 T를 지나고 $\overline{AB}$와 $\overline{CD}$에 수직인 직선이 $\overline{AB}$, $\overline{CD}$와 만나는 점을 각각 M, N이라고 하면

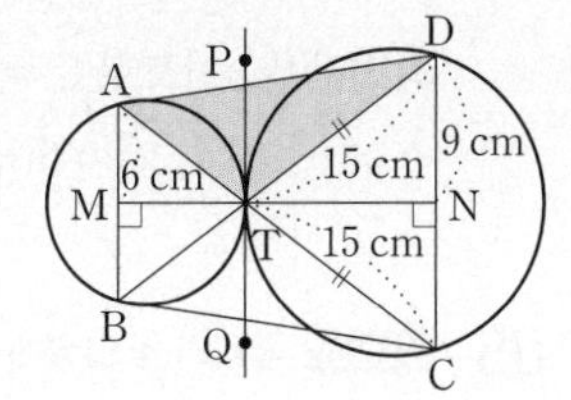

$\overline{AM}=\overline{BM}=\frac{1}{2}\overline{AB}$

$=\frac{1}{2}\times 12=6\ (\mathrm{cm})$

$\overline{CN}=\overline{DN}=\frac{1}{2}\overline{CD}=\frac{1}{2}\times 18=9\ (\mathrm{cm})$

$\triangle TND$에서 $\overline{TN}=\sqrt{15^2-9^2}=12\ (\mathrm{cm})$

또, $\triangle TAM \backsim \triangle TDN$ (AA 닮음)이므로

$\overline{AM}:\overline{DN}=\overline{TM}:\overline{TN}$에서 $6:9=\overline{TM}:12$

$9\overline{TM}=72 \qquad \therefore \overline{TM}=8\ (\mathrm{cm})$

$\therefore \overline{MN}=\overline{TM}+\overline{TN}$

$=8+12=20\ (\mathrm{cm})$

$\therefore \triangle ATD$

$=\square AMND-\triangle AMT-\triangle TND$

$=\frac{1}{2}\times(6+9)\times 20-\frac{1}{2}\times 6\times 8-\frac{1}{2}\times 9\times 12$

$=150-24-54$

$=72\ (\mathrm{cm}^2)$

교과서 속 창의 사고력

P 71 - P 72

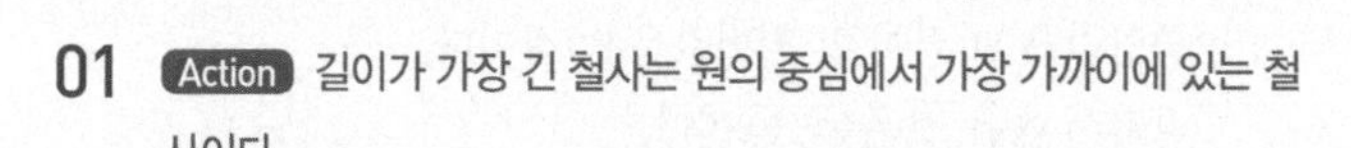

01 $16\sqrt{5}$ cm **02** $675\pi\ \mathrm{cm}^2$ **03** 4800 km **04** $69°$

01 **Action** 길이가 가장 긴 철사는 원의 중심에서 가장 가까이에 있는 철사이다.

원 모양의 석쇠의 지름의 길이는 36 cm이므로 8개의 철사는 $36\div 9=4\ (\mathrm{cm})$ 간격으로 놓여 있고 길이가 같은 철사는 각각 2개씩이다.

오른쪽 그림과 같이 원의 중심을 O라 하고 길이가 가장 긴 철사 2개와 원이 만나는 점을 각각 A, B, C, D라고 하자.

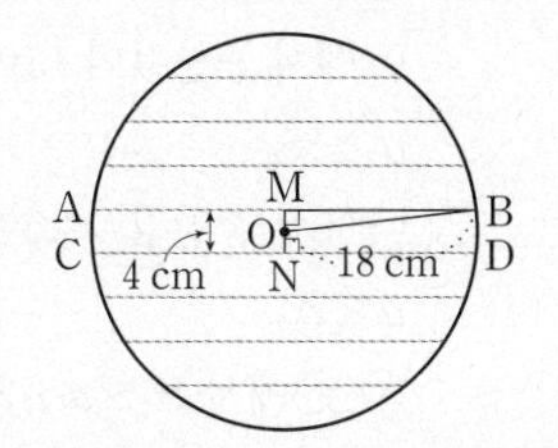

점 O에서 $\overline{AB}$, $\overline{CD}$에 내린 수선의 발을 각각 M, N이라고 하면

$\overline{AB}=\overline{CD}$이므로

$\overline{OM}=\overline{ON}=\frac{1}{2}\overline{MN}=\frac{1}{2}\times 4=2\ (\mathrm{cm})$

$\triangle OBM$에서 $\overline{OB}=18\ (\mathrm{cm})$이므로

$\overline{MB}=\sqrt{18^2-2^2}=8\sqrt{5}\ (\mathrm{cm})$

$\therefore \overline{AB}=2\overline{MB}=2\times 8\sqrt{5}=16\sqrt{5}\ (\mathrm{cm})$

02 **Action** 지면에 비친 구의 그림자는 원 모양이다.

오른쪽 그림과 같이 구의 중심을 O, 전등의 위치를 P, 구와 지면이 닿는 부분을 A라고 하면 $\overline{PA}$는 구의 중심 O를 지난다.

점 P에서 구에 그은 접선을 $\overline{PB}$라 하고 그 접점을 C라고 하면

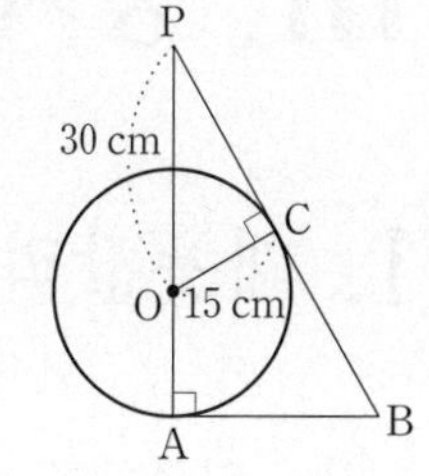

$\overline{PO}=30\ (\mathrm{cm})$, $\overline{OC}=15\ (\mathrm{cm})$이고 $\angle PCO=90°$이므로

$\triangle POC$에서 $\overline{PC}=\sqrt{30^2-15^2}=15\sqrt{3}\ (\mathrm{cm})$

$\triangle ABP$와 $\triangle COP$에서

$\angle PAB=\angle PCO=90°$, $\angle P$는 공통이므로

$\triangle ABP \backsim \triangle COP$ (AA 닮음)

$\overline{AB}:\overline{CO}=\overline{PA}:\overline{PC}$이므로

$\overline{AB}:15=45:15\sqrt{3}$, $15\sqrt{3}\,\overline{AB}=675$

$\therefore \overline{AB}=15\sqrt{3}\ (\mathrm{cm})$

따라서 지면에 비친 구의 그림자는 반지름의 길이가 $15\sqrt{3}$ cm인 원이므로 그 넓이는

$\pi\times(15\sqrt{3})^2=675\pi\ (\mathrm{cm}^2)$

03 **Action** 인공위성에서 지구에 접선을 그었을 때, 인공위성의 위치와 접점 사이의 거리가 인공위성이 관찰할 수 있는 지표면까지의 최대 거리이다.

오른쪽 그림과 같이 인공위성을 P, 지구의 중심을 O라 하고 점 P에서 지구에 그은 두 접선의 접점을 각각 A, B라고 할 때, 인공위성이 관찰할 수 있는 지표면까지의 최대 거리는 $\overline{PA}$(또는 $\overline{PB}$)이다.

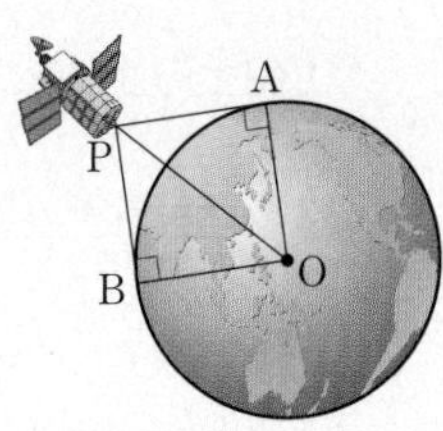

$\triangle POA$에서

$\angle PAO=90°$, $\overline{PO}=1600+6400=8000\ (\mathrm{km})$,

$\overline{OA}=6400\ (\mathrm{km})$이므로

$\overline{PA}=\sqrt{8000^2-6400^2}=\sqrt{23040000}=4800\ (\mathrm{km})$

따라서 인공위성이 관찰할 수 있는 지표면까지의 최대 거리는 4800 km이다.

04 **Action** $\overline{AB}$, $\overline{AC}$는 원 O의 접선임을 이용한다.

$\overline{AB}$, $\overline{AC}$는 원 O의 접선이므로

$\overline{AB}=\overline{AC}$

오른쪽 그림과 같이 $\overline{BC}$를 그으면

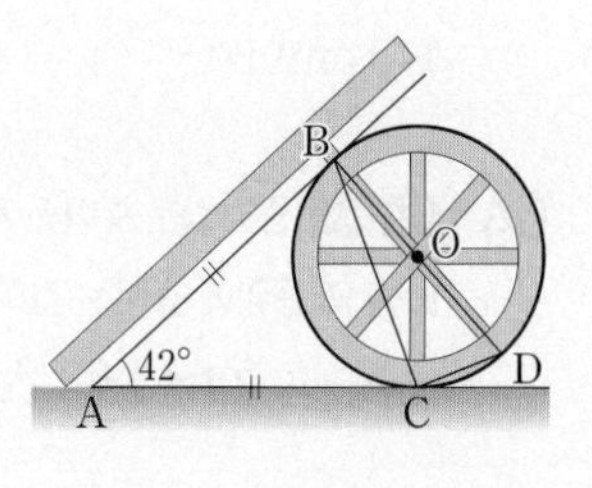

$\angle ABC=\angle ACB$

$=\frac{1}{2}\times(180°-42°)$

$=69°$

$\therefore \angle BDC=\angle ABC=69°$

III. 통계

1. 대푯값과 산포도

최고 수준 입문하기 P 75-P 78

01 22	02 5	03 175 cm	04 2
05 ⑤	06 ㉤, ㉥	07 6개	08 19
09 88점	10 11	11 68	12 9
13 74점	14 8.5	15 ④	16 2
17 2 kg	18 23	19 3, 6	
20 평균 : 37, 분산 : 64		21 $\sqrt{6.75}$점	22 ③
23 ③, ④	24 ④	25 C반, A반	

01 Action (평균)$=\frac{(\text{변량의 총합})}{(\text{변량의 개수})}$임을 이용한다.

(평균)$=\frac{14+11+x+16+8+19}{6}=15$이므로

$68+x=90 \qquad \therefore x=22$

02 Action 네 수 $2a+3$, $2b+3$, $2c+3$, $2d+3$의 평균이 13임을 이용하여 $a+b+c+d$의 값을 구한다.

$\frac{(2a+3)+(2b+3)+(2c+3)+(2d+3)}{4}=13$에서

$\frac{2(a+b+c+d)+12}{4}=13$, $2(a+b+c+d)+12=52$

$2(a+b+c+d)=40$

$\therefore a+b+c+d=20$

따라서 네 수 a, b, c, d의 평균은

$\frac{a+b+c+d}{4}=\frac{20}{4}=5$

03 Action 육상부에 새로 입단한 학생 5명의 키의 평균을 x cm로 놓고 식을 세운다.

육상부에 새로 입단한 학생 5명의 키의 평균을 x cm라고 하면

$\frac{165\times20+x\times5}{20+5}=167$

$3300+5x=4175$, $5x=875 \qquad \therefore x=175$

따라서 육상부에 새로 입단한 학생 5명의 키의 평균은 175 cm이다.

04 Action 중앙값은 주어진 자료를 작은 값에서부터 크기순으로 나열하였을 때 중앙에 놓이는 값이고, 최빈값은 가장 많이 나타나는 값이다.

(평균)$=\frac{5+4+5+9+6+8+6+5}{8}=\frac{48}{8}=6$

$\therefore A=6$

주어진 자료의 변량을 작은 값에서부터 크기순으로 나열하면 4, 5, 5, 5, 6, 6, 8, 9이므로

(중앙값)$=\frac{5+6}{2}=5.5 \qquad \therefore B=5.5$

최빈값은 5이므로 $C=5$

$\therefore A+2B-3C=6+2\times5.5-3\times5=2$

05 Action 줄기와 잎 그림에서 줄기는 십의 자리의 숫자를, 잎은 일의 자리의 숫자를 나타낸다.

(평균)

$=\frac{3+6+7+9+10+14+14+16+18+21+21+21+24+26+27+27}{16}$

$=\frac{264}{16}=16.5$(회)

$\therefore a=16.5$

(중앙값)$=\frac{16+18}{2}=17$(회)이므로 $b=17$

최빈값은 21회이므로 $c=21$

$\therefore c>b>a$

06 Action A 모둠과 B 모둠의 평균, 중앙값, 최빈값을 모두 구한다.

A 모둠에서

(평균)$=\frac{74+86+80+78+82+80+80+76+84}{9}$

$=\frac{720}{9}=80$(점)

중앙값은 80점이고, 최빈값은 80점이다.

B 모둠에서

(평균)$=\frac{90+45+90+80+92+78+86+90+78}{9}$

$=\frac{729}{9}=81$(점)

중앙값은 86점이고, 최빈값은 90점이다.

따라서 옳은 것은 ㉤, ㉥이다.

07 Action 변량의 개수가 홀수인 경우와 짝수인 경우에 중앙값을 구하는 방법이 다름에 주의하여 a의 값의 범위를 구한다.

(가)에서 중앙값이 15이므로

$a\geq15$ …… ㉠

(나)에서 중앙값이 25이고 20과 30의 평균이 25이므로

$a\leq20$ …… ㉡

㉠, ㉡에서 $15\leq a\leq20$이므로 이를 만족하는 정수 a의 값은 15, 16, 17, 18, 19, 20의 6개이다.

08 Action 크기순으로 나열한 5개의 변량에서 중앙값은 3번째 값이고 6개의 변량에서 중앙값은 3번째 값과 4번째 값의 평균임을 이용한다.

5개의 변량 3, 5, a, b, 8에서 중앙값은 크기순으로 나열할 때 3번째 값이므로 $a=7$ ($\because a<b$)

6개의 변량 4, 7, b, 10, 13, 14에서 중앙값은 크기순으로 나열할 때 3번째 값과 4번째 값의 평균이고 그 값이 11이므로
$10<b<13$
즉 $\frac{10+b}{2}=11$, $10+b=22$ $\quad\therefore b=12$
$\therefore a+b=7+12=19$

09 **Action** 낮은 점수부터 차례로 나열된 처음 6명의 학생의 수학 성적의 중앙값은 세 번째 값과 네 번째 값의 평균이다.

처음 학생 6명의 수학 성적을 낮은 점수부터 차례로 나열하였을 때, 네 번째 학생의 수학 성적을 x점이라고 하면 중앙값이 84점이므로
$\frac{80+x}{2}=84$, $80+x=168$ $\quad\therefore x=88$ …… 50%
이때 수학 성적이 92점인 학생을 포함한 7명의 학생의 수학 성적을 낮은 점수부터 차례로 나열하면 7명의 학생의 수학 성적의 중앙값은 네 번째 학생의 수학 성적인 88점이다.
…… 50%

10 **Action** 평균이 2임을 이용하여 $a+b$의 값을 구하고 이때 최빈값이 2이므로 $a=2$ 또는 $b=2$이다.

평균이 2이므로
$$\frac{-3+5+2+1+(-6)+a+b}{7}=2$$
$-1+a+b=14$ $\quad\therefore a+b=15$
최빈값이 2이므로 $a=2$ 또는 $b=2$
이때 $a>b$이므로 $a=13$, $b=2$
$\therefore a-b=13-2=11$

11 **Action** 자료에서 가장 많이 나타나는 변량이 최빈값임을 이용한다.

x g을 제외한 사과 4개의 무게가 모두 다르므로 x g이 이 자료의 최빈값이다.
또 평균과 최빈값이 같으므로 x g은 최빈값이면서 평균이다.
즉 (평균)$=\frac{65+68+x+70+69}{5}=x$이므로
$272+x=5x$, $4x=272$ $\quad\therefore x=68$

12 **Action** 평균이 3임을 이용하여 $a+b$의 값을 구한 후, $a-b=2$와 연립하여 a, b의 값을 각각 구한다.

평균이 3이므로
$$\frac{-4+3+(-5)+a+b+(-2)+4+10+(-1)+9}{10}=3$$
$a+b+14=30$ $\quad\therefore a+b=16$
$a-b=2$, $a+b=16$을 연립하여 풀면
$a=9$, $b=7$
따라서 최빈값은 9이다.

13 **Action** 편차의 합이 0임을 이용하여 학생 B의 영어 성적의 편차를 먼저 구한다.

편차의 합은 0이므로
$1+x+(-5)+2+0=0$ $\quad\therefore x=2$
따라서 학생 B의 영어 성적은 $72+2=74$(점)

14 **Action** 편차의 합이 0임을 이용하여 x의 값을 먼저 구한다.

편차의 합은 0이므로
$-6+1+5+0+(-4)+x=0$ $\quad\therefore x=4$
이때 주어진 자료의 평균이 8이므로 각 변량을 구하면
2, 9, 13, 8, 4, 12
이 자료를 작은 값에서부터 크기순으로 나열하면
2, 4, 8, 9, 12, 13
따라서 중앙값은 $\frac{8+9}{2}=8.5$

15 **Action** 대푯값과 산포도에 대한 설명으로 옳은 지 확인한다.

④ 편차의 제곱의 평균을 분산이라고 한다.

16 **Action** 평균이 8점임을 이용하여 x의 값을 먼저 구한다.

평균이 8점이므로
$$\frac{6+9+x+7+10}{5}=8$$
$32+x=40$ $\quad\therefore x=8$ …… 50%
$\therefore$ (분산)
$$=\frac{(6-8)^2+(9-8)^2+(8-8)^2+(7-8)^2+(10-8)^2}{5}$$
$=\frac{10}{5}=2$ …… 50%

17 **Action** 편차의 합이 0임을 이용하여 x의 값을 구한 후 (표준편차)$=\sqrt{(\text{분산})}$임을 이용한다.

편차의 합은 0이므로
$-1+2+(-3)+x+0+1+3=0$ $\quad\therefore x=-2$
$$(\text{분산})=\frac{(-1)^2+2^2+(-3)^2+(-2)^2+0^2+1^2+3^2}{7}$$
$=\frac{28}{7}=4$
$\therefore$ (표준편차)$=\sqrt{4}=2$ (kg)

18 **Action** 2, 5, a, b의 평균과 분산을 이용하여 식을 각각 세운다.

평균이 3이므로 $\frac{2+5+a+b}{4}=3$
$7+a+b=12$ $\quad\therefore a+b=5$
분산이 4이므로
$$\frac{(2-3)^2+(5-3)^2+(a-3)^2+(b-3)^2}{4}=4$$
$a^2+b^2-6(a+b)+23=16$
$a^2+b^2-6\times5+23=16$ $\quad\therefore a^2+b^2=23$

다른 풀이

평균이 3이고 분산이 4이므로

$\dfrac{2^2+5^2+a^2+b^2}{4}-3^2=4 \qquad \therefore a^2+b^2=23$

Lecture

분산을 구하는 다른 방법

n개의 변량 $x_1, x_2, x_3, \cdots, x_n$의 평균을 m이라고 하면

$(\text{분산})=\dfrac{(x_1-m)^2+(x_2-m)^2+(x_3-m)^2+\cdots+(x_n-m)^2}{n}$

$=\dfrac{{x_1}^2+{x_2}^2+{x_3}^2+\cdots+{x_n}^2}{n}-m^2$

즉 분산은 변량의 제곱의 평균에서 평균의 제곱을 뺀 값이다.

19 Action 먼저 주어진 변량의 평균을 구한다.

주어진 변량의 평균은

$\dfrac{3+a+6+(9-a)+12}{5}=\dfrac{30}{5}=6$

분산이 10.8이므로

$\dfrac{(3-6)^2+(a-6)^2+(6-6)^2+(9-a-6)^2+(12-6)^2}{5}$

$=\dfrac{9+a^2-12a+36+9-6a+a^2+36}{5}$

$=\dfrac{2a^2-18a+90}{5}=10.8$

$2a^2-18a+90=54,\ a^2-9a+18=0$

$(a-3)(a-6)=0 \qquad \therefore a=3$ 또는 $a=6$

20 Action a, b, c, d의 평균과 표준편차를 이용하여 식을 각각 세운다.

a, b, c, d의 평균이 20이므로

$\dfrac{a+b+c+d}{4}=20 \qquad \therefore a+b+c+d=80$

a, b, c, d의 표준편차가 4, 즉 분산이 $4^2=16$이므로

$\dfrac{(a-20)^2+(b-20)^2+(c-20)^2+(d-20)^2}{4}=16$

$\therefore (a-20)^2+(b-20)^2+(c-20)^2+(d-20)^2=64$

$2a-3, 2b-3, 2c-3, 2d-3$의 평균은

$\dfrac{(2a-3)+(2b-3)+(2c-3)+(2d-3)}{4}$

$=\dfrac{2(a+b+c+d)-4\times3}{4}$

$=\dfrac{2\times80-12}{4}=37$

$2a-3, 2b-3, 2c-3, 2d-3$의 분산은

$\dfrac{(2a-3-37)^2+(2b-3-37)^2+(2c-3-37)^2+(2d-3-37)^2}{4}$

$=\dfrac{4\{(a-20)^2+(b-20)^2+(c-20)^2+(d-20)^2\}}{4}$

$=\dfrac{4\times64}{4}=64$

다른 풀이

$(\text{평균})=2\times20-3=37,\ (\text{분산})=2^2\times4^2=64$

Lecture

변화된 변량의 평균, 분산, 표준편차

n개의 변량 $x_1, x_2, x_3, \cdots, x_n$의 평균이 m이고 표준편차가 s일 때, n개의 변량 $ax_1+b, ax_2+b, ax_3+b, \cdots, ax_n+b$ (a, b는 상수)에 대하여

(1) $(\text{평균})=am+b$

(2) $(\text{분산})=a^2s^2$

(3) $(\text{표준편차})=|a|s$

21 Action $(\text{분산})=\dfrac{\{(\text{편차})^2\text{의 총합}\}}{(\text{변량의 개수})}$에서 $\{(\text{편차})^2\text{의 총합}\}=(\text{변량의 개수})\times(\text{분산})$임을 이용한다.

반 전체 학생 20명의 음악 실기 점수의 평균은

$\dfrac{28\times11+28\times9}{20}=\dfrac{560}{20}=28(\text{점})$

남학생과 여학생의 음악 실기 점수에 대한 (편차)^{2}의 총합은 각각 $3^2\times11=99,\ 2^2\times9=36$

따라서 반 전체 학생 20명의 음악 실기 점수의 분산은

$\dfrac{99+36}{20}=\dfrac{135}{20}=6.75$

$\therefore (\text{표준편차})=\sqrt{6.75}(\text{점})$

Lecture

(편차)^{2}의 총합

각 집단에서 $(\text{분산})=\dfrac{\{(\text{편차})^2\text{의 총합}\}}{(\text{변량의 개수})}$이므로

$\{(\text{편차})^2\text{의 총합}\}=(\text{분산})\times(\text{변량의 개수})$이다.

이때 각 집단에서 $(\text{편차})^2=\{(\text{변량})-(\text{평균})\}^2$이고, 각 집단의 평균과 두 집단 전체의 평균이 서로 같으므로 두 집단 전체의 (편차)^{2}의 총합은 각 집단에서의 (편차)^{2}의 총합을 더한 것과 같다.

22 Action 자료가 평균을 중심으로 가까이 모여 있을수록 표준편차가 작다.

①~⑤의 평균은 모두 5로 같다. 이때 자료가 평균을 중심으로 가까이 모여 있을수록 표준편차가 작으므로 표준편차가 가장 작은 것은 ③이다.

Lecture

표준편차의 크기에 따른 자료의 분석

(1) 표준편차가 작을수록 자료는 평균 주위에 모여 있으므로 자료의 분포 상태가 고르다고 할 수 있다.

(2) 표준편차가 클수록 자료는 평균으로부터 멀리 흩어져 있으므로 자료의 분포 상태가 고르지 않다고 할 수 있다.

23 Action 평균이 높을수록 성적이 우수하고, 표준편차가 작을수록 성적이 고르다.

① 최고 득점자가 있는 반은 알 수 없다.

② 편차의 합은 항상 0이다.

⑤ $(\text{분산})=(\text{표준편차})^2$이므로 분산이 가장 큰 반은 2반이다.

24 Action 병훈이와 정우의 사격 점수의 평균, 분산을 각각 구한다.

① (병훈이의 사격 점수의 평균)

$=\frac{7+8\times3+9+10\times5}{10}=9$(점)

② (정우의 사격 점수의 평균)

$=\frac{8\times2+9\times6+10\times2}{10}=9$(점)

따라서 병훈이와 정우의 사격 점수의 평균은 같다.

③ (정우의 사격 점수의 분산)

$=\frac{(8-9)^2\times2+(9-9)^2\times6+(10-9)^2\times2}{10}$

$=0.4$

$\therefore$ (정우의 사격 점수의 표준편차)$=\sqrt{0.4}$(점)

④, ⑤ (병훈이의 사격 점수의 분산)

$=\frac{(7-9)^2+(8-9)^2\times3+(9-9)^2+(10-9)^2\times5}{10}$

$=1.2$

따라서 병훈이의 사격 점수의 분산이 정우의 사격 점수의 분산보다 크므로 병훈이에 비하여 정우의 사격 점수의 분포 상태가 고르다.

따라서 옳지 않은 것은 ④이다.

25 Action 자료가 평균으로부터 멀리 흩어져 있는지 자료가 평균 주위에 모여 있는지 판단한다.

자료가 평균으로부터 멀리 흩어져 있을수록 표준편차가 크고, 자료가 평균 주위에 모여 있을수록 표준편차가 작다.

따라서 표준편차가 가장 큰 반은 C반이고, 표준편차가 가장 작은 반은 A반이다.

최고수준 완성하기

P 79- P 83

01 2 : 3 **02** 65점
03 $a=18, b=21$ 또는 $a=20, b=18$
04 9.3 **05** 37, 58 **06** ㉡, ㉢ **07** 90
08 21 **09** 327 **10** $a=3, b=6, c=12$
11 $2\sqrt{3}$점 **12** 평균 : 90점, 분산 : 4 **13** 7.5
14 10 **15** C반

01 Action 남자의 수를 x명, 여자의 수를 y명으로 놓고 전체 평균에 대한 식을 세운다.

남자의 수를 x명, 여자의 수를 y명이라고 하면

$\frac{65x+60y}{x+y}=62$, $65x+60y=62x+62y$

$3x=2y \quad \therefore x:y=2:3$

따라서 남자의 수와 여자의 수의 비는 2 : 3이다.

02 Action 85점을 x점으로 잘못 보았다고 놓고 평균에 대한 식을 세운다.

85점을 받은 학생을 제외한 19명의 점수의 총합을 A점이라 하고, 85점을 x점으로 잘못 보았다고 하면

$\frac{A+x}{20}=\frac{A+85}{20}-1$, $A+x=A+85-20$

$\therefore x=65$

따라서 85점인 학생의 점수를 65점으로 잘못 보았다.

03 Action n개의 자료를 작은 값에서부터 크기순으로 나열할 때, n이 짝수이면 중앙값은 $\frac{n}{2}$번째와 $\left(\frac{n}{2}+1\right)$번째 자료의 값의 평균임을 이용한다.

자료 A의 중앙값이 18이므로

$a=18$ 또는 $b=18$

(i) $a=18, b=18$일 때, 두 자료 A, B를 섞어서 작은 값에서부터 크기순으로 나열하면

11, 13, 16, 17, 18, 18, 18, 21, 21, 22

이때 전체 자료의 중앙값은 18이므로 주어진 조건을 만족하지 않는다.

(ii) $a=18, b\neq18$일 때, $b-1$, b를 제외한 두 자료 A, B를 섞어서 작은 값에서부터 크기순으로 나열하면

11, 13, 16, 18, 18, 21, 21, 22

중앙값이 19이려면 $b-1$은 18과 21 사이에 있어야 하므로 전체 자료의 중앙값은

$\frac{18+(b-1)}{2}=19 \quad \therefore b=21$

(iii) $a\neq18, b=18$일 때, a를 제외한 두 자료 A, B를 섞어서 작은 값에서부터 크기순으로 나열하면

11, 13, 16, 17, 18, 21, 21, 22

중앙값이 19이려면 a는 18과 21 사이에 있어야 하므로 전체 자료의 중앙값은

$\frac{18+a}{2}=19 \quad \therefore a=20$

(i)~(iii)에 의하여 $a=18, b=21$ 또는 $a=20, b=18$

04 Action (편차)=(변량)−(평균)임을 이용한다.

귤 상자 B의 무게는 7.6 kg, 편차는 −0.2 kg이므로 4개의 귤 상자의 무게의 평균은

$7.6-(-0.2)=7.8$ (kg)

$\therefore x=8.7-7.8=0.9$ …… 30%

편차의 합은 0이므로

$0.9+(-0.2)+z+(-1)=0$

$\therefore z=0.3$ …… 30%

$y-7.8=0.3$에서 $y=8.1$ …… 30%

$\therefore x+y+z=0.9+8.1+0.3=9.3$ …… 10%

05 **Action** 편차의 합이 0임을 이용하여 x의 값을 구한 후 (변량)=(평균)+(편차)임을 이용하여 변량 A의 값을 구한다.

편차의 합은 0이므로

$(-x^2+2)+(-6)+(2x^2+3)+(x-2)+(-3)+(2x-4)=0$

$x^2+3x-10=0$, $(x+5)(x-2)=0$

$\therefore x=-5$ 또는 $x=2$

(i) $x=-5$일 때

$-x^2+2=-(-5)^2+2=-23$

$\therefore A=60+(-23)=37$

(ii) $x=2$일 때

$-x^2+2=-2^2+2=-2$

$\therefore A=60+(-2)=58$

(i), (ii)에 의하여 $A=37$ 또는 $A=58$

06 **Action** 주어진 편차를 이용하여 옳은 것을 찾는다.

㉠ 5명의 수학 성적의 평균을 x점이라고 하면 예지와 형우의 점수는 각각 $(x-1)$점, $(x+2)$점이므로 그 차는 $(x+2)-(x-1)=3$(점)

㉡ (분산)$=\dfrac{3^2+(-1)^2+0^2+(-4)^2+2^2}{5}=\dfrac{30}{5}=6$

㉢ 성훈이의 편차가 0점이므로 성훈이의 점수는 5명의 평균 점수와 같다.

㉣ 5명 중 진호의 점수가 가장 높다.

따라서 옳은 것은 ㉡, ㉢이다.

07 **Action** 먼저 $3a+1$, $3b+1$, $3c+1$, $3d+1$의 평균을 구한다.

$a+b+c+d=20$, $a^2+b^2+c^2+d^2=140$이므로

$3a+1$, $3b+1$, $3c+1$, $3d+1$에 대하여

(평균)$=\dfrac{(3a+1)+(3b+1)+(3c+1)+(3d+1)}{4}$

$=\dfrac{3(a+b+c+d)+4}{4}$

$=\dfrac{3\times20+4}{4}=16$

$\therefore$ (분산)

$=\dfrac{(3a+1-16)^2+(3b+1-16)^2+(3c+1-16)^2+(3d+1-16)^2}{4}$

$=\dfrac{(3a-15)^2+(3b-15)^2+(3c-15)^2+(3d-15)^2}{4}$

$=\dfrac{9\{(a-5)^2+(b-5)^2+(c-5)^2+(d-5)^2\}}{4}$

$=\dfrac{9\{a^2+b^2+c^2+d^2-10(a+b+c+d)+100\}}{4}$

$=\dfrac{9\times(140-10\times20+100)}{4}$

$=\dfrac{360}{4}=90$

08 **Action** x_1, x_2, x_3, x_4, x_5의 평균과 분산을 이용하여 식을 각각 세운다.

x_1, x_2, x_3, x_4, x_5의 평균이 4이므로

$\dfrac{x_1+x_2+x_3+x_4+x_5}{5}=4$

$\therefore x_1+x_2+x_3+x_4+x_5=20$

x_1, x_2, x_3, x_4, x_5의 분산이 5이므로

$\dfrac{(x_1-4)^2+(x_2-4)^2+(x_3-4)^2+(x_4-4)^2+(x_5-4)^2}{5}=5$

${x_1}^2+{x_2}^2+{x_3}^2+{x_4}^2+{x_5}^2-8(x_1+x_2+x_3+x_4+x_5)+80=25$

${x_1}^2+{x_2}^2+{x_3}^2+{x_4}^2+{x_5}^2-8\times20+80=25$

$\therefore {x_1}^2+{x_2}^2+{x_3}^2+{x_4}^2+{x_5}^2=105$

따라서 ${x_1}^2$, ${x_2}^2$, ${x_3}^2$, ${x_4}^2$, ${x_5}^2$의 평균은

$\dfrac{{x_1}^2+{x_2}^2+{x_3}^2+{x_4}^2+{x_5}^2}{5}=\dfrac{105}{5}=21$

09 **Action** 직육면체는 길이가 같은 모서리가 4개씩 있음을 이용하여 식을 세운다.

직육면체의 12개의 모서리의 길이의 평균이 10이므로

$\dfrac{4(x+y+z)}{12}=10$ $\quad\therefore x+y+z=30$

표준편차가 3, 즉 분산이 $3^2=9$이므로

$\dfrac{4\{(x-10)^2+(y-10)^2+(z-10)^2\}}{12}=9$

$x^2+y^2+z^2-20(x+y+z)+300=27$

$x^2+y^2+z^2-20\times30+300=27$

$\therefore x^2+y^2+z^2=327$

10 **Action** 먼저 중앙값이 6임을 이용하여 b의 값을 구한다.

$a<b<c$이고 중앙값이 6이므로 $b=6$

평균이 7이므로

$\dfrac{a+6+c}{3}=7$, $a+c+6=21$ $\quad\therefore a+c=15$

이때 세 수는 a, 6, $15-a$이고 그 각각의 편차는 $a-7$, -1, $8-a$이다.

분산이 14이므로 $\dfrac{(a-7)^2+(-1)^2+(8-a)^2}{3}=14$

$2a^2-30a+72=0$, $a^2-15a+36=0$

$(a-3)(a-12)=0$ $\quad\therefore a=3$ 또는 $a=12$

그런데 $a<b$이므로 $a=3$, $c=15-3=12$

11 **Action** 세훈이의 점수를 x점으로 놓고 학생 5명의 과학 점수의 평균, 분산, 표준편차를 차례대로 구한다.

세훈이의 과학 점수를 x점이라고 하면 각 학생의 과학 점수는 다음 표와 같다.

학생	진아	연준	혜리	승우	민영
과학 점수(점)	$x-2$	$x+1$	$x+5$	$x-1$	$x+7$

(학생 5명의 과학 점수의 평균)

$=\frac{(x-2)+(x+1)+(x+5)+(x-1)+(x+7)}{5}$

$=\frac{5x+10}{5}=x+2$(점)

(분산)$=\frac{(-4)^2+(-1)^2+3^2+(-3)^2+5^2}{5}=\frac{60}{5}=12$

∴ (표준편차)$=\sqrt{12}=2\sqrt{3}$(점)

Lecture

세훈이의 과학 점수를 x점이라고 할 때, 평균이 $(x+2)$점이므로 각 학생의 과학 점수의 편차는 다음과 같다.
(진아의 편차)$=(x-2)-(x+2)=-4$(점)
(연준이의 편차)$=(x+1)-(x+2)=-1$(점)
(혜리의 편차)$=(x+5)-(x+2)=3$(점)
(승우의 편차)$=(x-1)-(x+2)=-3$(점)
(민영이의 편차)$=(x+7)-(x+2)=5$(점)

12 **Action** 1학기 중간고사의 국어, 영어, 수학 성적을 각각 a점, b점, c점으로 놓고 식을 세운다.

호준이의 1학기 중간고사의 국어, 영어, 수학 성적을 각각 a점, b점, c점이라고 하면

평균이 85점이므로 $\frac{a+b+c}{3}=85$

표준편차가 2점, 즉 분산이 $2^2=4$이므로

$\frac{(a-85)^2+(b-85)^2+(c-85)^2}{3}=4$ …… **40%**

1학기 기말고사의 국어, 영어, 수학 성적은 각각 $(a+5)$점, $(b+5)$점, $(c+5)$점이므로

(평균)$=\frac{(a+5)+(b+5)+(c+5)}{3}$

$=\frac{a+b+c}{3}+5=85+5=90$(점) …… **30%**

(분산)$=\frac{(a+5-90)^2+(b+5-90)^2+(c+5-90)^2}{3}$

$=\frac{(a-85)^2+(b-85)^2+(c-85)^2}{3}$

$=4$ …… **30%**

다른 풀이

(평균)$=1\times85+5=90$(점), (분산)$=1^2\times2^2=4$

13 **Action** 신혜를 제외한 4명의 국어 성적을 각각 a점, b점, c점, d점으로 놓고 식을 세운다.

신혜를 제외한 4명의 국어 성적을 각각 a점, b점, c점, d점이라고 하면 5명의 국어 성적의 평균이 75점이므로

$\frac{a+b+c+d+75}{5}=75$ ∴ $a+b+c+d=300$

5명의 국어 성적의 분산이 6이므로

$\frac{(a-75)^2+(b-75)^2+(c-75)^2+(d-75)^2+(75-75)^2}{5}=6$

∴ $(a-75)^2+(b-75)^2+(c-75)^2+(d-75)^2=30$

이때 신혜를 제외한 4명의 국어 성적의 평균은

$\frac{a+b+c+d}{4}=\frac{300}{4}=75$(점)

따라서 신혜를 제외한 4명의 국어 성적의 분산은

$\frac{(a-75)^2+(b-75)^2+(c-75)^2+(d-75)^2}{4}$

$=\frac{30}{4}=7.5$

14 **Action** 남학생의 시험 점수의 분산을 x로 놓고, 여학생과 남학생의 시험 점수의 분산을 이용하여 전체 학생의 시험 점수에 대한 (편차)^{2}의 총합을 구한다.

반 전체 학생의 시험 점수의 평균은

$\frac{12\times70+18\times70}{12+18}=\frac{2100}{30}=70$(점)

여학생의 시험 점수에 대한 (편차)^{2}의 총합은 $12\times15=180$

남학생의 시험 점수의 분산을 x라고 하면 시험 점수에 대한 (편차)^{2}의 총합은 $18x$

이때 반 전체 학생의 시험 점수의 분산이 12이므로

$\frac{180+18x}{30}=12$, $180+18x=360$

$18x=180$ ∴ $x=10$

Lecture

평균이 같은 두 집단 전체의 분산

평균이 같은 두 집단 A, B의 변량의 개수와 분산이 오른쪽 표와 같을 때, 두 집단 A, B의 전체 분산은 $\frac{ax+by}{a+b}$이다.

집단	A	B
변량의 개수	a	b
분산	x	y

15 **Action** 표준편차가 클수록 변량이 평균에서 멀리 흩어져 있음을 이용한다.

A, B, C, D, E 다섯 반의 학생 수가 모두 같고 평균이 비슷하므로 표준편차가 가장 큰 반이 전체 상위 5 % 이내에 드는 학생들이 가장 많을 것이라고 예상할 수 있다.

따라서 본선 진출자가 가장 많을 것으로 예상되는 반은 C반이다.

최고 수준 뛰어넘기

P 84–P 85

01 137 **02** 평균 : 4, 표준편차 : $\sqrt{4.5}$
03 (1) 풀이 참조 (2) 10 **04** $a=b<c$
05 평균 : 0.2, 분산 : $\frac{1}{3}$ **06** ㉡, ㉣

01 Action 7개의 변량에 대한 관계식을 구해 본다.

7개의 변량을 작은 값에서부터 크기순으로 a, b, c, d, e, f, g라고 하면

(가)에 의하여 $d=78$

(다)에 의하여 $a=58$

(라)에 의하여 $\frac{a+b+c+d+e+f+g}{7}=80$

$\therefore a+b+c+d+e+f+g=560$ …… ㉠

(i) $g=84$인 경우

7개의 변량의 합이 최대인 경우는 $a=58, b=77, c=78, d=78, e=84, f=84, g=84$일 때이므로

$a+b+c+d+e+f+g$

$=58+77+78+78+84+84+84$

$=543<560$

즉 $g=84$인 경우에는 ㉠을 만족하지 않는다.

(ii) $g\neq84$인 경우

(나)에서 최빈값이 84이고 $d=78$이므로 $e=84,\ f=84$

$a+b+c+d+e+f+g$

$=58+b+c+78+84+84+g$

$=560$

$\therefore b+c+g=256$

이때 g의 값이 최대가 되려면 b, c의 값이 최소이어야 하므로 $b=59, c=60$이어야 한다.

즉 $59+60+g=256$이므로 $g=137$

(i), (ii)에 의하여 7개의 변량 중 가장 큰 변량의 최댓값은 137이다.

02 Action 자료 a, b, c의 평균과 표준편차를 이용하여 $a+b+c$의 값과 $a^2+b^2+c^2$의 값을 각각 구하고, 자료 d, e, f의 평균과 표준편차를 이용하여 $d+e+f$의 값과 $d^2+e^2+f^2$의 값을 각각 구한다.

a, b, c의 평균이 5이므로

$\frac{a+b+c}{3}=5$

$\therefore a+b+c=15$

a, b, c의 표준편차가 $\sqrt{3}$, 즉 분산이 $(\sqrt{3})^2=3$이므로

$\frac{(a-5)^2+(b-5)^2+(c-5)^2}{3}=3$

$a^2+b^2+c^2-10(a+b+c)+75=9$

$a^2+b^2+c^2-10\times15+75=9$

$\therefore a^2+b^2+c^2=84$

d, e, f의 평균이 3이므로

$\frac{d+e+f}{3}=3$

$\therefore d+e+f=9$

d, e, f의 표준편차가 2, 즉 분산이 $2^2=4$이므로

$\frac{(d-3)^2+(e-3)^2+(f-3)^2}{3}=4$

$d^2+e^2+f^2-6(d+e+f)+27=12$

$d^2+e^2+f^2-6\times9+27=12$

$\therefore d^2+e^2+f^2=39$

$\therefore (a, b, c, d, e, f\text{의 평균})=\frac{a+b+c+d+e+f}{6}$

$=\frac{15+9}{6}=4$

$(a, b, c, d, e, f$의 분산$)$

$=\frac{(a-4)^2+(b-4)^2+\cdots+(f-4)^2}{6}$

$=\frac{(a^2+b^2+\cdots+f^2)-8(a+b+\cdots+f)+96}{6}$

$=\frac{(84+39)-8\times(15+9)+96}{6}$

$=\frac{27}{6}=4.5$

$(a, b, c, d, e, f$의 표준편차$)=\sqrt{4.5}$

03 Action 분산은 편차의 제곱의 평균, 즉 $\frac{\{(\text{편차})^2\text{의 총합}\}}{(\text{변량의 개수})}$임을 이용한다.

(1) $\frac{x_1+x_2+x_3+\cdots+x_n}{n}=m$이므로

(분산)

$=\frac{(x_1-m)^2+(x_2-m)^2+(x_3-m)^2+\cdots+(x_n-m)^2}{n}$

$=\frac{1}{n}\{x_1^2+x_2^2+x_3^2+\cdots+x_n^2$

$-2m(x_1+x_2+x_3+\cdots+x_n)+nm^2\}$

$=\frac{1}{n}(x_1^2+x_2^2+x_3^2+\cdots+x_n^2)$

$-2m\times\frac{x_1+x_2+x_3+\cdots+x_n}{n}+m^2$

$=\frac{1}{n}(x_1^2+x_2^2+x_3^2+\cdots+x_n^2)-2m^2+m^2$

$=\frac{1}{n}(x_1^2+x_2^2+x_3^2+\cdots+x_n^2)-m^2$

(2) $\frac{x_1+x_2+x_3+\cdots+x_{10}}{10}=30$

$\frac{x_1^2+x_2^2+x_3^2+\cdots+x_{10}^2}{10}=1000$

변량 $x_1, x_2, x_3, \cdots, x_{10}$의 분산은

$\frac{x_1^2+x_2^2+x_3^2+\cdots+x_{10}^2}{10}-\left(\frac{x_1+x_2+x_3+\cdots+x_{10}}{10}\right)^2$

$=1000-30^2=100$

$\therefore$ (표준편차)$=\sqrt{100}=10$

04 Action 표준편차는 자료가 평균에서 흩어져 있는 정도를 나타낸다.

[자료 A] 1, 2, 3, ⋯, 50

[자료 B] 51, 52, 53, ⋯, 100

[자료 C] 2, 4, 6, ⋯, 100

자료 B는 자료 A의 각 변량에 50을 더한 것과 같으므로 자료 A와 자료 B의 표준편차는 같다.

$\therefore a=b$

자료 C는 자료 A의 각 변량에 2를 곱한 것과 같으므로 자료 C의 표준편차는 자료 A의 표준편차의 2배이다.

$\therefore c=2a$

이때 $a>0$이므로 $a=b<c$

Lecture

연속하는 정수의 표준편차

표준편차는 자료의 분포 상태, 즉 자료가 평균으로부터 흩어져 있는 정도를 나타내는 값이므로 변량 전체에 일정한 값을 더하거나 빼어도 표준편차는 변함이 없고, 변량 전체에 일정한 값을 곱하면 표준편차는 일정한 값의 절댓값을 처음 표준편차에 곱한 값과 같다.

05 **Action** 두 반원의 반지름의 길이의 비를 구한다.

$\overline{OB_1}:\overline{B_1A_1}=\overline{OB_2}:\overline{B_2A_2}=\cdots=\overline{OB_6}:\overline{B_6A_6}=1:2$이므로

$\overline{OB_1}:\overline{OA_1}=\overline{OB_2}:\overline{OA_2}=\cdots=\overline{OB_6}:\overline{OA_6}=1:3$

6개의 점 $A_1, A_2, \cdots, A_6$의 x좌표를 각각 $a_1, a_2, \cdots, a_6$라 하고 6개의 점 $B_1, B_2, \cdots, B_6$의 x좌표를 각각 $b_1, b_2, \cdots, b_6$라고 하면

$b_1:a_1=b_2:a_2=\cdots=b_6:a_6=1:3$

$\therefore b_k=\frac{1}{3}a_k\ (k=1, 2, \cdots, 6)$

이때 $a_1, a_2, \cdots, a_6$의 평균이 0.6이므로 $b_1, b_2, \cdots, b_6$의 평균은 $\frac{1}{3}\times0.6=0.2$

$a_1, a_2, \cdots, a_6$의 표준편차가 $\sqrt{3}$, 즉 분산이 $(\sqrt{3})^2=3$이므로 $b_1, b_2, \cdots, b_6$의 분산은 $\left(\frac{1}{3}\right)^2\times3=\frac{1}{3}$

06 **Action** 그래프의 대칭축이 평균을 나타내고, 그래프가 넓게 퍼져 있으면 자료의 표준편차가 크다는 것을 이용한다.

㉠ 그래프의 대칭축이 평균을 나타내므로 평균이 가장 낮은 학교는 A 중학교이다.

㉡ C 중학교의 그래프가 A 중학교의 그래프보다 넓게 퍼져 있으므로 C 중학교의 표준편차가 A 중학교의 표준편차보다 크다.
즉 C 중학교가 A 중학교보다 학생들 간의 점수 차가 크다.

㉢ 그래프의 폭이 좁을수록 자료의 표준편차가 작으므로 표준편차가 가장 작은 학교는 B 중학교이다.

㉣ A, B, C 세 중학교 모두 그래프의 모양이 좌우대칭이므로 평균과 중앙값이 같다. 이때 B 중학교와 C 중학교는 평균이 같으므로 중앙값도 같다.

따라서 옳은 것은 ㉡, ㉣이다.

2. 산점도와 상관관계

최고 수준 입문하기

P 87 - P 89

01 ③	**02** 17	**03** ④	**04** 10명
05 70점	**06** 4점	**07** 30 %	**08** ④
09 4개	**10** ④, ⑤	**11** ②	**12** ㉠, ㉡, ㉢
13 ④			

02 **Action** 주어진 조건에 따라 기준이 되는 보조선을 그어 비교한다.

던지기 점수가 4점 이상인 학생 수는 오른쪽 그림에서 직선 l 위에 있는 점의 개수와 직선 l의 오른쪽에 있는 점의 개수의 합과 같으므로 10명이다.

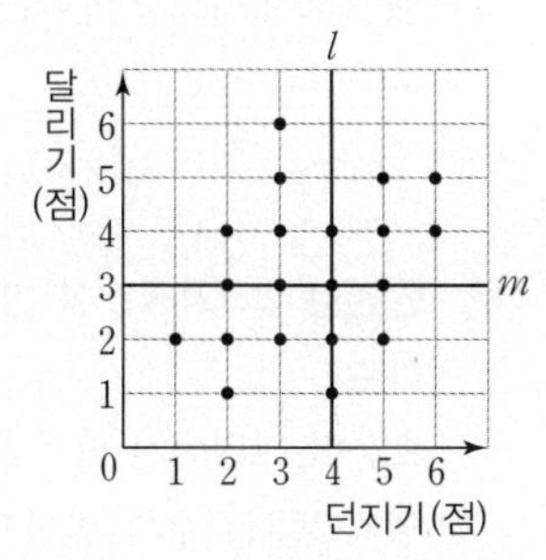

$\therefore a=10$ …… 40%

달리기 점수가 3점 미만인 학생 수는 오른쪽 그림에서 직선 m의 아래쪽에 있는 점의 개수와 같으므로 7명이다.

$\therefore b=7$ …… 40%

$\therefore a+b=10+7=17$ …… 20%

03 **Action** 대각선을 그어 변량의 크기를 비교한다.

① 던지기 점수가 가장 낮은 학생을 나타내는 점은 오른쪽 그림에서 점 A이므로 이 학생의 달리기 점수는 2점이다.

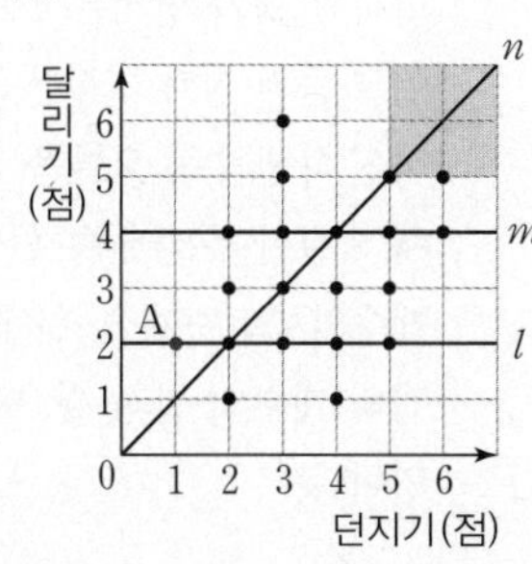

② 달리기 점수가 2점 이상 4점 이하인 학생 수는 오른쪽 그림에서 두 직선 l, m 위에 있는 점의 개수와 두 직선 l, m 사이에 있는 점의 개수의 합과 같으므로 14명이다.

③ 던지기 점수와 달리기 점수가 같은 학생 수는 위의 그림에서 직선 n 위에 있는 점의 개수와 같으므로 4명이다.

④ 던지기 점수가 달리기 점수보다 높은 학생 수는 위의 그림에서 직선 n의 아래쪽에 있는 점의 개수와 같으므로 10명이다.

⑤ 던지기 점수와 달리기 점수가 모두 5점 이상인 학생 수는 위의 그림에서 색칠한 부분에 속하는 점의 개수와 그 경계선 위에 있는 점의 개수의 합과 같으므로 2명이다.

따라서 옳지 않은 것은 ④이다.

04 **Action** 수학 성적과 영어 성적의 합이 100점인 보조선을 긋는다.

수학 성적과 영어 성적의 합이 100점 이상인 학생 수는 오른쪽 그림에서 직선 l 위에 있는 점의 개수와 직선 l의 위쪽에 있는 점의 개수의 합과 같으므로 10명이다.

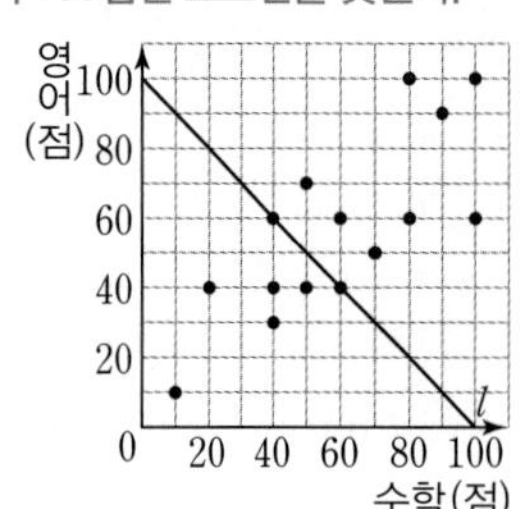

05 **Action** 영어 성적이 60점인 학생들의 수학 성적을 먼저 구한다.

영어 성적이 60점인 학생들의 수학 성적은 40점, 60점, 80점, 100점이므로 구하는 평균은

$\frac{40+60+80+100}{4}=\frac{280}{4}=70$(점)

06 **Action** 말하기 평가 성적과 듣기 평가 성적의 차가 가장 큰 학생을 찾아본다.

오른쪽 그림에서 직선 l에서 멀리 떨어질수록 말하기 평가 성적과 듣기 평가 성적의 차가 크므로 A의 성적의 차가 가장 크다. 따라서 A의 말하기 평가 성적은 4점이다.

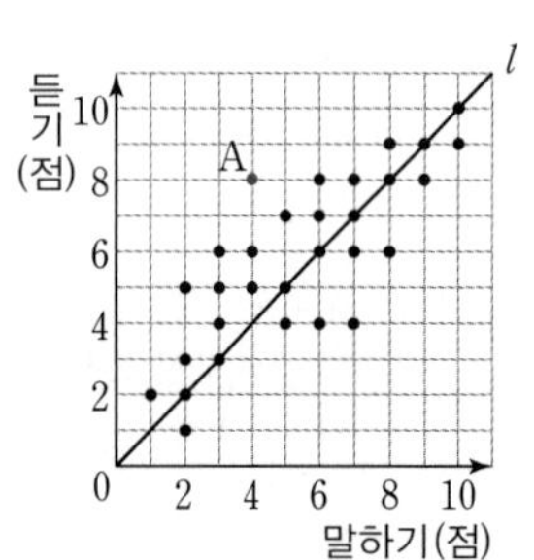

07 **Action** 말하기 평가 성적은 4점 이하이고 듣기 평가 성적은 5점 이하인 부분을 산점도에 표시한다.

말하기 평가 성적은 4점 이하이고 듣기 평가 성적은 5점 이하인 학생 수는 오른쪽 그림에서 색칠한 부분에 속하는 점의 개수와 그 경계선 위에 있는 점의 개수의 합과 같으므로 9명이다. …… **50%**

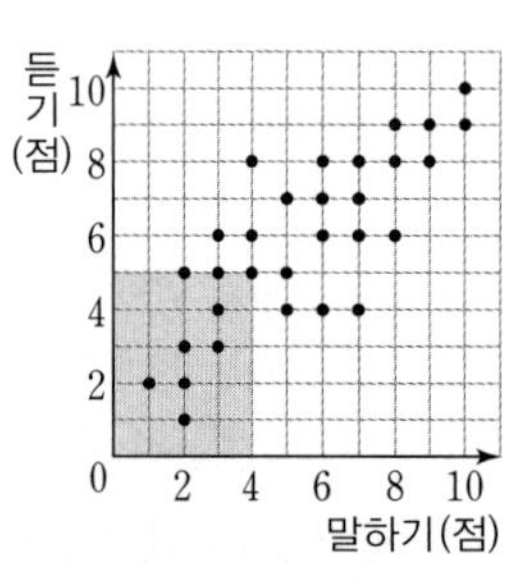

$\therefore \frac{9}{30}\times100=30$ (%) …… **50%**

08 **Action** 겨울철 기온이 낮아질수록 난방비가 증가하므로 어떤 상관관계가 있는지 생각한다.

겨울철 기온이 낮아질수록 난방비가 증가하므로 음의 상관관계가 있다. 따라서 산점도로 알맞은 것은 ④이다.

09 **Action** 먼저 주어진 산점도의 상관관계를 알아보고 두 변량 사이에 어떤 상관관계가 있는지 확인한다.

주어진 산점도는 음의 상관관계를 나타낸다.

㉠ 음의 상관관계
㉡ 양의 상관관계
㉢ 음의 상관관계
㉣ 음의 상관관계
㉤ 상관관계가 없다.
㉥ 음의 상관관계

따라서 음의 상관관계인 것은 ㉠, ㉢, ㉣, ㉥의 4개이다.

Lecture

일상 생활과 상관관계

① 양의 상관관계
가족 수와 생활비, 여름철 기온과 전력량, 발의 크기와 신발의 크기, 통학 거리와 통학 시간, 인구 수와 교통량, 달리는 속도와 맥박 수

② 음의 상관관계
자동차 수와 평균 주행 속도, 물건 공급량과 가격, 하루 중 낮의 길이와 밤의 길이, 겨울철 기온과 난방비, 산의 높이와 기온, 나이와 청력

③ 상관관계가 없다.
키와 학급 석차, 머리 둘레와 시력, 지능지수와 발의 크기, 몸무게와 성적

10 **Action** 산점도에서 상관관계가 강한 경우 점들이 한 직선 주위에 가까이 몰려 있고, 상관관계가 약한 경우 점들이 멀리 흩어져 있다.

④ 상관관계가 없는 것은 ㉢, ㉤이다.
⑤ 독서량과 국어 성적 사이에는 양의 상관관계가 있으므로 산점도로 알맞은 것은 ㉡ 또는 ㉣이다.

따라서 옳지 않은 것은 ④, ⑤이다.

11 **Action** 두 변량 사이에 어떤 상관관계가 있는지 확인한다.

①, ③, ④, ⑤ 양의 상관관계
② 음의 상관관계

따라서 상관관계가 나머지 넷과 다른 하나는 ②이다.

12 **Action** 상관관계에 대한 설명으로 옳은 것을 찾는다.

㉣ 산점도에서 대체로 변량 x가 증가함에 따라 변량 y는 감소하는 경향이 있을 때, 두 변량 x, y 사이에는 음의 상관관계가 있다.

따라서 옳은 것은 ㉠, ㉡, ㉢이다.

13 **Action** 키에 비하여 신발 사이즈가 큰 학생은 대각선을 기준으로 위쪽에 있다.

키에 비하여 신발 사이즈가 가장 큰 학생은 오른쪽 그림에서 직선 l의 위쪽에 있는 학생 중 직선 l에서 가장 멀리 떨어져 있는 학생이므로 D이다.

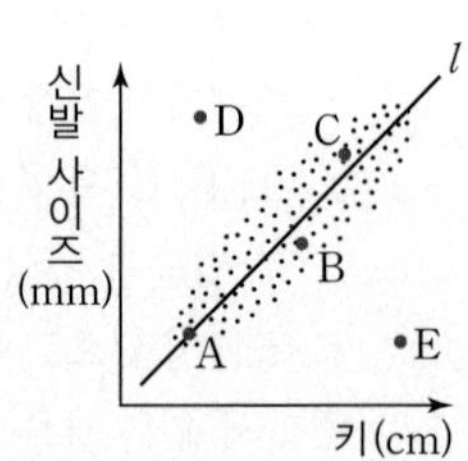

최고수준 완성하기

P 90-P 91

01 32 % **02** 18 **03** 8점
04 (1) 6명 (2) ③ **05** 188점 **06** 30 %
07 ㄴ, ㄹ, ㅁ

01 Action 수학 성적과 과학 성적이 같은 점들로 대각선을 그어 본다.

과학 성적보다 수학 성적이 낮은 학생 수는 오른쪽 그림에서 직선 l의 위쪽에 있는 점의 개수와 같으므로 8명이다.

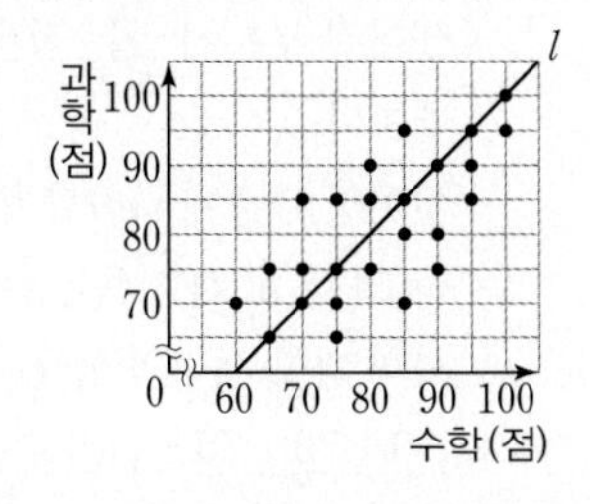

$\therefore \frac{8}{25} \times 100 = 32\ (\%)$

02 Action 국어 성적과 영어 성적의 합이 120점인 직선을 그어 a의 값을 구하고, 적어도 한 과목이 80점 이상인 부분을 찾아 b의 값을 구한다.

국어 성적과 영어 성적의 합이 120점 이하인 학생 수는 오른쪽 그림에서 직선 l 위에 있는 점의 개수와 직선 l의 아래쪽에 있는 점의 개수의 합과 같으므로 8명이다.

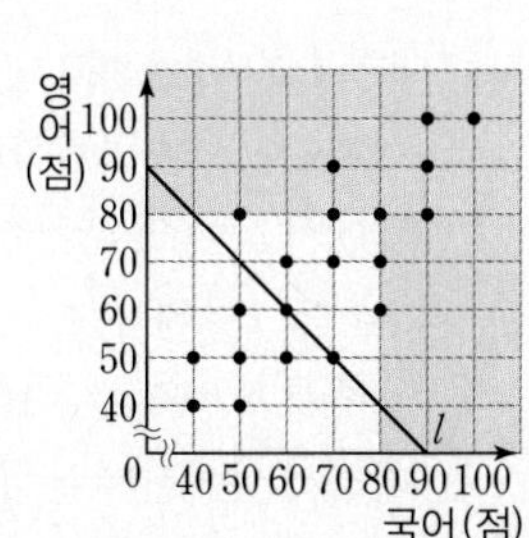

$\therefore a=8$

두 과목 중 적어도 한 과목이 80점 이상인 학생 수는 위의 그림에서 색칠한 부분에 속하는 점의 개수와 그 경계선 위에 있는 점의 개수의 합과 같으므로 10명이다.

$\therefore b=10$

$\therefore a+b=8+10=18$

03 Action 1차와 2차의 사격 점수의 평균이 7점 이상이려면 1차와 2차의 사격 점수의 합이 14점 이상이어야 한다.

1차와 2차의 사격 점수의 평균이 7점 이상이려면 두 점수의 합이 14점 이상이어야 한다.

이때 1차와 2차의 사격 점수의 합이 14점 이상인 학생들의 점수를 나타내는 점은 오른쪽 그림에서 색칠한 부분에 속하는 점 또는 그 경계선 위에 있는 점이므로 이 학생들의 2차 사격 점수는 차례로 6점, 7점, 7점, 8점, 8점, 9점, 9점, 10점이다. …… **60%**

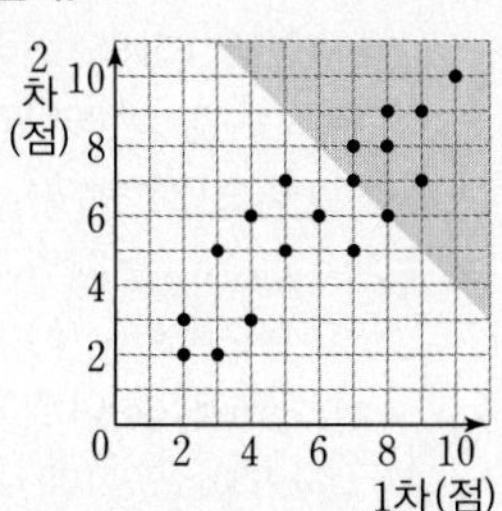

따라서 구하는 평균은

$\frac{6+7+7+8+8+9+9+10}{8}=\frac{64}{8}=8$(점) …… **40%**

Lecture

오른쪽 그림에서 각 직선 위의 점들의 평균은 같다.

① 직선 l 위의 점들의 평균은 3
② 직선 m 위의 점들의 평균은 5
③ 직선 n 위의 점들의 평균은 7

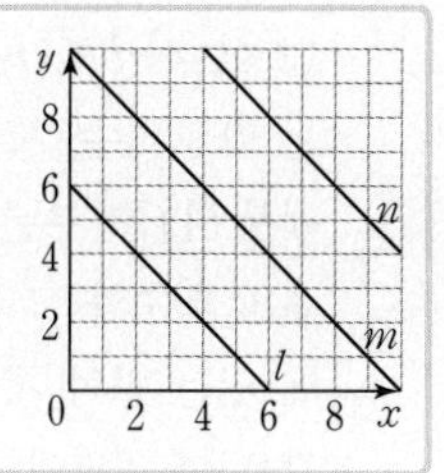

04 Action (1) 중간고사와 기말고사의 사회 성적의 차가 20점인 점들을 연결하여 직선을 긋는다.

(1) 중간고사와 기말고사의 사회 성적의 차가 20점 이상인 학생 수는 오른쪽 그림에서 색칠한 부분에 속하는 점의 개수와 그 경계선 위에 있는 점의 개수의 합과 같으므로 6명이다.

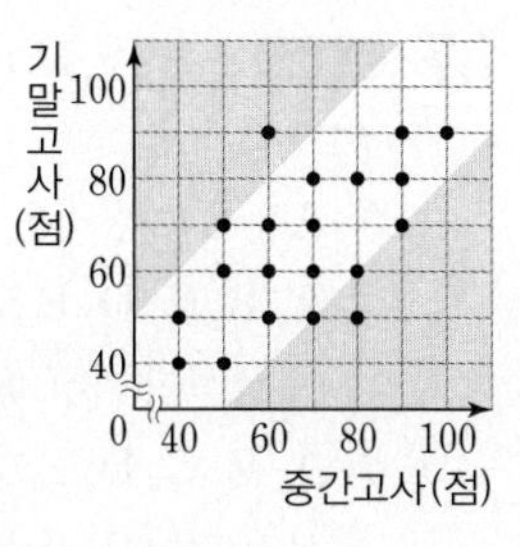

(2) 중간고사와 기말고사의 사회 성적의 평균이 상위 25 % 이내에 드는 학생은 $20 \times \frac{25}{100}=5$(명)

상위 25 % 이내에 드는 학생들의 중간고사와 기말고사의 사회 성적을 순서쌍 (중간고사, 기말고사)로 나타내면

$(100, 90), (90, 90), (90, 80), (80, 80), (90, 70)$

이 학생들의 중간고사와 기말고사의 사회 성적의 평균을 차례로 구하면 95점, 90점, 85점, 80점, 80점이므로 상위 25 % 이내에 들려면 중간고사와 기말고사의 사회 성적의 평균은 적어도 80점 이상이어야 한다.

Lecture

평균이 높은 순으로 점을 찾으려면 오른쪽 그림과 같이 성적의 합이 높은 순으로 직선을 그어 그 직선 위에 있는 점을 순서대로 나열한다.

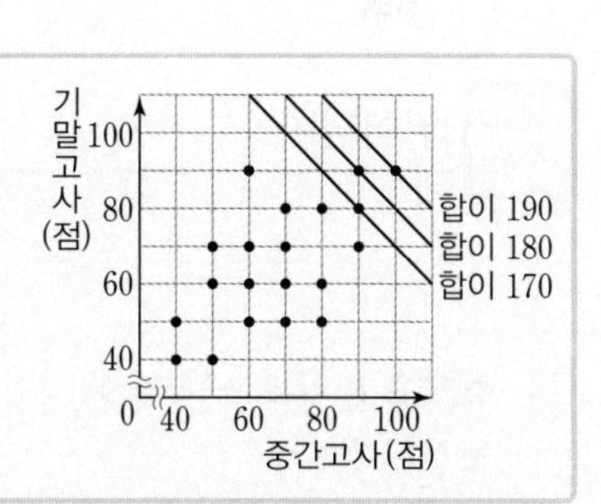

05 Action 상위 20 % 이내에 드는 학생은 $25 \times \frac{20}{100}=5$(명)이므로 두 과목의 성적의 합이 높은 순으로 5명의 성적을 구한다.

상위 20 % 이내에 드는 학생은 $25 \times \frac{20}{100}=5$(명)

상위 20 % 이내에 드는 학생들의 수학 성적과 과학 성적을 순서쌍 (수학, 과학)으로 나타내면

$(100, 100), (90, 100), (100, 90), (80, 100), (90, 90)$

이 학생들의 수학 성적과 과학 성적의 합을 차례로 구하면 200점, 190점, 190점, 180점, 180점이므로 구하는 평균은

$\frac{200+190+190+180+180}{5}=\frac{940}{5}=188$(점)

06 **Action** $12 \le 2a+b \le 18$을 만족하는 영역을 산점도 위에 나타낸다.

$12 \le 2a+b \le 18$을 만족하는 학생 수는 오른쪽 그림에서 색칠한 부분에 속하는 점의 개수와 그 경계선 위에 있는 점의 개수의 합과 같으므로 9명이다.

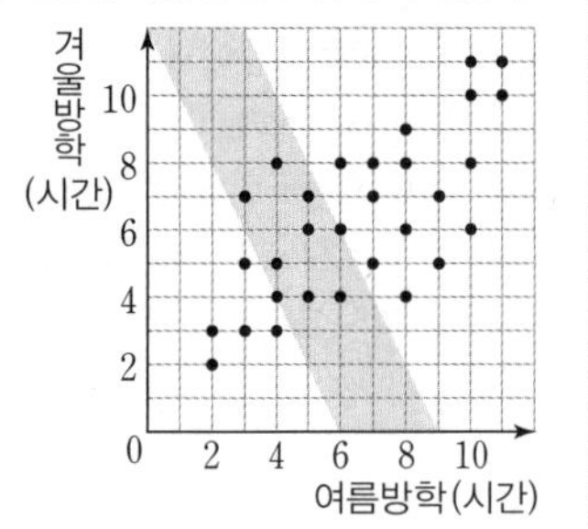

$\therefore \frac{9}{30} \times 100 = 30\ (\%)$

07 **Action** A, B, C, D, E 5명의 학생들이 읽은 책의 수와 국어 성적을 비교한다.

㉡ A는 C보다 읽은 책의 수도 적고 국어 성적도 낮다.

㉣ A, B, C, D, E 5명의 학생 중 읽은 책의 수에 비하여 국어 성적이 가장 좋은 학생은 A이다.

㉤ A, B, C, D, E 5명의 학생 중 읽은 책의 수도 적고 국어 성적도 낮은 학생은 B이고, 읽은 책의 수에 비하여 국어 성적이 낮은 학생은 E이다.
B의 국어 성적은 60점, E의 국어 성적은 70점이므로 그 차는 $70-60=10$(점)이다.

따라서 옳지 않은 것은 ㉡, ㉣, ㉤이다.

최고 수준 뛰어넘기

P 92

01 4명 **02** ③, ⑤ **03** ㉠, ㉡, ㉣

01 **Action** ㈎, ㈏를 만족하는 영역을 산점도 위에 나타낸 후 ㈐를 만족하는 점을 찾는다.

㈎를 만족하는 학생을 나타내는 점은 오른쪽 그림에서 직선 l의 위쪽에 있는 점이고, ㈏를 만족하는 학생을 나타내는 점은 직선 m 위에 있는 점과 직선 m의 위쪽에 있는 점이다.

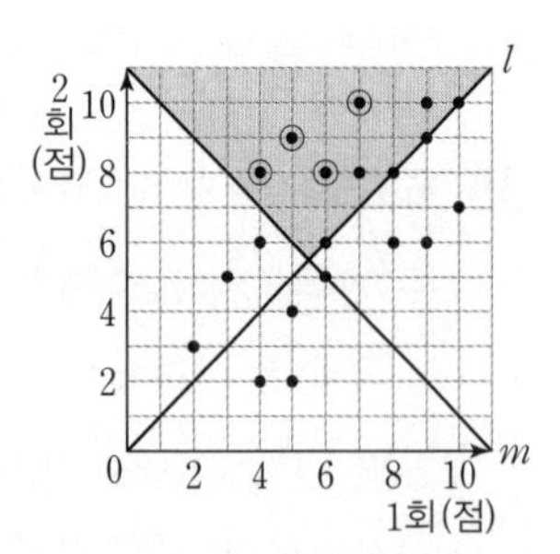

즉 ㈎, ㈏를 모두 만족하는 학생을 나타내는 점은 위의 그림에서 색칠한 부분에 속하는 점이다.

이때 색칠한 부분에서 ㈐를 만족하는 학생을 나타내는 점은 위의 그림에서 ○표한 점과 같으므로 조건을 모두 만족하는 학생 수는 4명이다.

02 **Action** 주어진 조건을 만족하도록 산점도에서 찢어진 부분에 있는 점의 개수를 추측한다.

㈐에서 중간고사에 비하여 기말고사 과학 성적이 향상된 학생 10명을 나타내는 점은 오른쪽 그림에서 직선 l의 위쪽에 있는 점이므로 찢어진 부분에 있는 점은 2개이다.

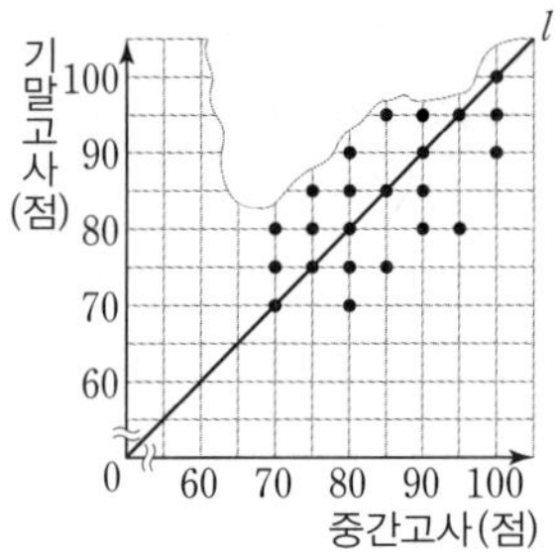

찢어진 부분에 나타날 수 있는 2개의 점을 각각 (a, b), (c, d)라고 하면 (단, $a<c$) 성적이 향상된 학생들의 중간고사의 과학 성적의 평균은 78점이므로

$$\frac{70+70+75+75+80+80+85+90+a+c}{10}=78$$

$625+a+c=780 \quad \therefore a+c=155 \quad \cdots\cdots$ ㉠

또, 성적이 향상된 학생들의 기말고사의 과학 성적의 평균은 88점이므로

$$\frac{75+80+80+85+85+90+95+95+b+d}{10}=88$$

$685+b+d=880 \quad \therefore b+d=195 \quad \cdots\cdots$ ㉡

이때 ㈎, ㈏를 만족하려면

㉠에서 $a=65$, $c=90$ 또는 $a=70$, $c=85$ 또는 $a=75$, $c=80$

㉡에서 $b=95$, $d=100$ 또는 $b=100$, $d=95$

따라서 찢어진 부분에 나타날 수 있는 점으로 바르게 짝 지어진 것은 ③, ⑤이다.

Lecture

(i) $a=65$, $c=90$이고 $b=95$, $d=100$일 때
즉 순서쌍 (a, b), (c, d)는 $(65, 95)$, $(90, 100)$

(ii) $a=65$, $c=90$이고 $b=100$, $d=95$일 때
즉 순서쌍 (a, b), (c, d)는 $(65, 100)$, $(90, 95)$
이때 $(90, 95)$는 중복된 점이므로 조건을 만족하지 않는다.

(iii) $a=70$, $c=85$이고 $b=95$, $d=100$일 때
즉 순서쌍 (a, b), (c, d)는 $(70, 95)$, $(85, 100)$

(iv) $a=70$, $c=85$이고 $b=100$, $d=95$일 때
즉 순서쌍 (a, b), (c, d)는 $(70, 100)$, $(85, 95)$
이때 $(85, 95)$는 중복된 점이므로 조건을 만족하지 않는다.

(v) $a=75$, $c=80$이고 $b=95$, $d=100$일 때
즉 순서쌍 (a, b), (c, d)는 $(75, 95)$, $(80, 100)$

(vi) $a=75$, $c=80$이고 $b=100$, $d=95$일 때
즉 순서쌍 (a, b), (c, d)는 $(75, 100)$, $(80, 95)$

(i)~(vi)에 의하여 찢어진 부분에 나타날 수 있는 점은 $(65, 95)$, $(90, 100)$ 또는 $(70, 95)$, $(85, 100)$ 또는 $(75, 95)$, $(80, 100)$ 또는 $(75, 100)$, $(80, 95)$이다.

03 **Action** (하루 수입)=(한 개당 순이익)×(일일 판매량)임을 이용한다.

㉡ 하루에 사탕으로 버는 돈은
1(원)×1000(만 개)=1000(만 원)

하루에 초콜릿으로 버는 돈은

200(원)×2(만 개)=400(만 원)

따라서 하루에 사탕으로 버는 돈이 초콜릿으로 버는 돈의 2배보다 많다.

ⓒ 하루에 껌으로 버는 돈은

2(원)×60(만 개)=120(만 원)

따라서 하루에 껌으로 버는 돈보다 초콜릿으로 버는 돈이 더 많다.

ⓓ 초콜릿의 150 % 신장된 일일 판매량은

$2(\text{만 개})\times\left(1+\frac{150}{100}\right)=5(\text{만 개})$

이때 하루에 초콜릿으로 버는 돈은

200(원)×5(만 개)=1000(만 원)이므로 사탕으로 버는 돈과 같아진다.

따라서 옳은 것은 ㉠, ㉡, ㉣이다.

교과서 속 창의 사고력 P 93-P 94

01 $x\geq 9$	**02** 평균 : 60 kg, 분산 : 15.6
03 컵 A와 컵 B	**04** ⓒ, 이유는 풀이 참조

01 Action x의 값의 범위를 나누어 a, b, c의 값을 각각 구한다.

(i) $1\leq x\leq 5$이면 $a=6$, $b=6$, $c=5$이므로 $a<b<c$가 성립하지 않는다.

(ii) $x=6$이면 $a=6$, $b=6$, $c=6$이므로 $a<b<c$가 성립하지 않는다.

(iii) $x=7$이면 $a=7$, $b=7$, $c=7$이므로 $a<b<c$가 성립하지 않는다.

(iv) $x=8$이면 $a=7$, $b=8$, $c=8$이므로 $a<b<c$가 성립하지 않는다.

(v) $x\geq 9$이면 $a=7$, $b=8$, $c=9$이므로 $a<b<c$가 성립한다.

따라서 (i)~(v)에 의하여 구하는 자연수 x의 값의 범위는 $x\geq 9$이다.

02 Action 바르게 입력된 학생 4명의 몸무게를 각각 a kg, b kg, c kg, d kg으로 놓고 식을 세운다.

바르게 입력된 학생 4명의 몸무게를 각각 a kg, b kg, c kg, d kg이라고 하면 잘못 계산된 평균이 60 kg이므로

$\frac{a+b+c+d+60+57}{6}=60$

$\therefore a+b+c+d=243$

잘못 계산된 분산이 9.6이므로

$\frac{(a-60)^2+(b-60)^2+(c-60)^2+(d-60)^2+(60-60)^2+(57-60)^2}{6}$

$=9.6$

$\therefore (a-60)^2+(b-60)^2+(c-60)^2+(d-60)^2=48.6$

따라서 학생 6명의 실제 몸무게는 a kg, b kg, c kg, d kg, 63 kg, 54 kg이므로

$(\text{평균})=\frac{a+b+c+d+63+54}{6}$

$=\frac{243+63+54}{6}=60\ (\text{kg})$

(분산)

$=\frac{(a-60)^2+(b-60)^2+(c-60)^2+(d-60)^2+(63-60)^2+(54-60)^2}{6}$

$=\frac{48.6+9+36}{6}=\frac{93.6}{6}=15.6$

03 Action 표준편차를 가능한 한 작게 하려면 (편차)^{2}의 총합이 가능한 한 작아야 한다.

5개의 컵 A, B, C, D, E에 들어 있는 물의 양의 합은

30+50+60+100+120=360 (mL)

2개의 컵에 들어 있는 물을 합쳤을 때, 4개의 컵에 들어 있는 물의 양의 평균은

$\frac{360}{4}=90\ (\text{mL})$

표준편차를 가능한 한 작게 하려면 (편차)^{2}의 총합이 가능한 한 작아야 하므로 평균 90 mL보다 물이 적게 들어 있는 3개의 컵 A, B, C 중 2개의 컵에 들어 있는 물을 합치면 된다.

	물의 양(mL)	편차(mL)	(편차)^{2}의 합
A+B, C	80, 60	−10, −30	1000
A, B+C	30, 110	−60, 20	4000
A+C, B	90, 50	0, −40	1600

따라서 컵 A와 컵 B에 들어 있는 물을 합칠 때 (편차)^{2}의 총합이 가장 작아지므로 4개의 컵에 들어 있는 물의 양의 표준편차를 가능한 한 작게 하려면 컵 A와 컵 B에 들어 있는 물을 합쳐야 한다.

04 Action 주어진 두 산점도를 보고 변량 사이의 상관관계를 파악한다.

아이스크림 판매량과 최고 기온 사이에는 양의 상관관계가 있고 물놀이 사고 건수와 최고 기온 사이에도 양의 상관관계가 있지만, 아이스크림 판매량과 물놀이 사고 건수 사이에 양의 상관관계가 있는지 알 수 없다. 또, 양의 상관관계가 있다고 해도 아이스크림 판매량이 늘어나서 그 결과로 물놀이 사고 건수가 늘어나는 것은 아니므로 인과 관계가 있다고 볼 수 없다.

Memo